青(あお)の炎(ほのお)

貴志祐介(きしゆうすけ)

角川文庫 12657

平成十四年十月二十五日　初版発行
平成十五年三月二十五日　七版発行

発行者――福田峰夫

発行所――株式会社角川書店
東京都千代田区富士見二―十三―三
電話　編集(〇三)三二三八―八五五五
　　　営業(〇三)三二三八―八五二一
〒一〇二―八一七七
振替〇〇一三〇―九―一九五二〇八

印刷所――暁印刷　製本所――千曲堂

装幀者――杉浦康平

き 28-1　　ISBN4-04-197906-4　C0193

その過程にも、作者の腕の見せどころがあるのだから、最後までばれないのでは、作者の手抜きになるのだ。

しかし、『青の炎』の場合、秀一の犯行であることが明らかになったのでは、彼や家族があまりにもかわいそうである。作者は、だから、そのような読者の心情にも答えなければならなかった。

『青の炎』は、このように、倒叙推理小説としての新しさが、いくつも盛られているのだ。

かつて私は、ある雑誌に、「将来、倒叙推理小説を語るとき、この『青の炎』を除外することはできないだろう」と書いた。その思いは、今でも変わっていない。

少なくとも私は、「倒叙推理小説の名作リスト」の上位に、この小説の名を挙げるつもりだ。

本書は、一九九九年十月に小社より刊行された単行本を文庫化したものです。

目次

第一章　闇の中へ

薄曇りの空には、数多くの鳶やカラスが、乱舞していた。向かい風が頬に冷たい。まだ朝の八時台とあって、134号線を通る車も、さほど多くはなかった。

櫛森秀一は、軽快なピッチで、ロードレーサーのペダルを漕いでいた。

相模湾は、今日も穏やかだった。いくつもの波が、段になって打ち寄せてくる。海岸に近づくにつれて、波頭が白く泡だって見えた。

左手から山風が吹き下ろしてくるため、海岸沿いを走っているのに、潮の香りは、ごく、かすかにしか感じられない。

振り返れば、江の島の向こうに、うっすらと富士山のシルエットが見えるはずだった。

東京都下に引っ越した昔の友人と会ったときなど、こんなに恵まれた通学路はないと、よく言われたものだった。だが、毎日走っていると、当然のことながら、何の感激もない。

目下のところ、意識を占めていたのは、今日こそ遅刻するのではないかという心配だった。腿の筋肉に力を込めるたびに、まだ完全には目覚めきっていない体中を、心地よく血液が巡るのを感じる。中学一年生のときから、丸四年間、自転車通学を続けてきているので、大げさに言えば、人車一体の境地に近かった。

自慢の愛車は、つい三ヶ月前に買ったばかりの、パナソニックのロードレーサーである。フレームはチタン製で、フロントフォークは衝撃吸収性に優れたカーボンだった。チタンバイクとしてはエントリーモデルという位置付けながら、正価では二十四万五千円もする。

小学生のときから付き合いのある自転車屋は、かなり値引きしてくれたが、丸ごと買うと、アルバイトで貯めた金が、すっかり消えてしまう。結局、フレームとフォークだけを購入し、残りの部品は、それまで乗っていたロードレーサーのものを流用することにしたのだった。

塗装の費用も倹約したため、結局、完成したのは、パナソニックのロゴが付いた金属のフレームに、黒いサドルとフロントフォーク、黒いテープを巻いたハンドルという、実に素っ気ない外観の代物だった。だが、見かけのかっこよさになど、何の執着もなかった。自転車の真価は、乗ってみて初めてわかるのだ。

最近は、マウンテンバイクばかりが、やたらと人気があるが、舗装道路の上を走る限り、ロードレーサーの方が数段上の性能を持っている。平均時速で、5㎞は差が出るだろう。クロスカントリーやダウンヒルをやるのでなければ、マウンテンバイクのサスペンションは、パワーロスが大きすぎて、むしろ軟弱である。筋肉の生み出す貴重なエネルギーは、1エルグ残らず推進力に変わるべきだというのが、秀一の信念だった。

かなりのハイペースで飛ばしているにもかかわらず、心拍数は、それほど上昇していなかった。強大な大腿四頭筋の収縮が、ポンプのように血液を送り出しているのだ。脚が、第二の心臓だというゆえんだろう。もしかすると、ずっと自転車を漕ぎ続けていたら、心臓が止まっても生きていけるのではないか……。

ふと、そんな馬鹿な考えが頭をよぎる。

心臓が壊死した顔色の悪い人々の集団が、自転車に乗って道路を走り続ける様が、頭に浮かんだ。何かに似ている。鰓を動かせないために、泳ぎ続けていないと窒息して死んでしまう鮫だろうか。

脚を動かしてさえいればいいのなら、何も移動する必要はない。エアロバイクに乗りながら飯を食い、授業を受け、排泄し、眠る。緩慢にペダルを漕ぎながら、うつらうつらと。まるで、幾日も飛び続け、海面すれすれまで降下する際だけ一瞬の微睡みを得る、渡り鳥のように……。

秀一は、はっと我に返った。

すぐ横を、青いレガシーが通り過ぎていく。

こんなスピードを出しつつ妄想に耽っていては、大事故を起こしかねない。今も、半分、意識は眠りかけていた。鼻孔から肺いっぱいに、冷たい空気を吸い込んで、活を入れる。

ちょうど、稲村ヶ崎にさしかかったところだった。海を見やると、こんな時間なのに、もうサーファーが出ていた。気合いの入り方からすると、遠くから来ているのだろうか。朝っぱらから、ご苦労なことだと思う。

それにしても眠い。秀一は、生あくびをかみ殺した。昨晩の夜更かしが、てきめんにこたえている。

宿題とＺ会の通信添削の課題を終えてベッドに入ったのは、たしか、午前一時過ぎだった。だが、それから一時間もたたないうちに、目が開いてしまったのだ。

眠りにつこうとするのを、早々とやめてしまったのは、同じ悪夢をもう一度見るのが、嫌だったからだろう。何となく不安になって、裸足（はだし）のまま、寝室から真っ暗な廊下に出る。突き当たりにある部屋は、かつては祖父母の寝室だったが、今では家の中で最も忌まわしい場所に変じていた。

静寂にじっと耳を澄ませてみる。聞こえるのは、掛け時計の秒針の音だけだった。玄関から、階段を上がって、二階まで響いてくるのだ。

それから、一階に下りて、台所で水を飲んだ。それでもまだ、神経は静まらなかった。ガレージに行ったのは、秘匿してあるバーボンが無性に欲しくなったからだった。最初はグラス半分のつもりだったが、二杯、三杯になり、インターネットでアングラ・サイトを覗（のぞ）いたりするうちに、気がついたら明け方になっていた。

そのため、普段なら、目覚まし時計が鳴る直前に覚醒（かくせい）するのだが、今朝は、朦朧（もうろう）とした状態で、勝手に手が伸びてベルを止めてしまったらしい。遥香（はるか）に起こされなければ、危うく二度寝してしまうところだった。

時間はいつもよりずっと切迫していたが、頑（かた）ななまでにいつもの習慣を守ったのも、まずかったのかもしれない。

朝の忙しい時間で、母が手早く作ってくれた、卵二個のベーコンエッグとトースト二枚、それにコーヒー二杯の朝食。朝から運動するので、そのぐらいは食べておかないと、昼飯まで保たないのだ。少しくらい寝不足でも、食欲が衰えることは、まずなかった。

食べながらも、耳をそばだてて二階の様子をうかがっていたのを思い出す。ひっそりとして、物音一つしなかった。

遥香は先に食事を済ませ、呆(あき)れたように、「お兄ちゃん、遅刻するよ」と言って、出ていった。

秀一は、それから、小さな歯ブラシで、歯を一本一本丁寧に磨いた。さらに、デンタルフロスを使い、リステリンで歯をすすぐ。ようやく、口中にかすかに残っていたアルコールの後味がさっぱりした。

どうせなら、母が出勤するのを待って、一緒に家を出たかった。たとえ短い時間でも、家に母を一人にするには不安だったからだ。だが、そんなことをしていたら、本当に遅刻してしまう。もう一度二階の様子を確かめてから、鵠沼(くげぬま)にある自宅の門を出たときには、ぎりぎりの時刻になっていた。

七里ヶ浜あたりでは、江ノ電の『遅刻電車』を追い抜けるのではないかと、甘く考えていたが、影も見ることができなかった。稲村ヶ崎を過ぎると、江ノ電は１３４号線を離れて山側を走る。そのため追い抜いたかどうか、はっきりとはわからないのだ。

『遅刻電車』が由比ヶ浜の駅に到着するのは八時四十一分なので、四十分からのホームルームには絶対に間に合わない。雨の日など、江ノ電で通学するときには、一本前の、鵠沼八時五分発、由比ヶ浜二十九分着の電車がデッドラインだった。

シーサイド・パレスホテルの横を過ぎたとき、習慣で腕時計に目をやる。そのとたん、眠気は吹っ飛んだ。すでに八時三十七分を回っているではないか。残り三分しかない。

最後の鐘が鳴って逃げに入った競輪選手のように、秀一は、力いっぱいペダルを踏み込んだ。

ほんの一瞬、奇妙な感覚に囚われた。悪夢の中で、懸命にペダルを漕いでいたときの感触を思い出したのだ。何もかもが、妙にふにゃふにゃとして、頼りない。強靭なはずのフレームも、ぐにゃりと曲がり、リムやスポークも重さに耐えきれず潰れてしまい、挙げ句の果てに、頭からつんのめって、地面にめり込みそうになる……。

だが、現実には、メインテナンスの行き届いているロードレーサーは、しっかりと脚力を受け止めて、スムーズに加速した。

周囲の車と変わらない速度で疾走し始めると、空気の抵抗が急に増した。秀一は、前傾を深くした。ハンドルを握っている上腕と背筋、風圧とせめぎ合う腿の筋肉が、堅く緊張する。

鎌倉海浜公園を過ぎ、ほとんど速度を弛めることなく左折した。

右前方に、ベージュ色の由比ヶ浜高校の校舎が見えた。すでに予鈴が鳴っているのが聞こえる。

校門には、徒歩通学の生徒が、わらわらと駆け込んでいた。自転車も、次々と吸い込まれていく。秀一は、その間を風のようにすり抜けた。

自転車置き場に頭から突っ込むようにして、ロードレーサーを止める。学校で盗難に遭うことはまずなかったが、大切な自転車なので、いつも通り、頑丈なチェーンで、がっちりとバーに固定した。

カバンを持って自転車置き場から出ると、大勢の生徒が校舎の窓から身を乗り出して、こちらを見下ろしていた。すでに安全圏に身を置いている連中にとっては、他人があわてふためいている姿は、楽しい見物なのだ。

二年A組の教室に目をやると、クラスメートたちの顔が見えた。『無敵の』大門がこちらに気づき、左手をかざして腕時計を指さした。紀子は、遠目にも、にやにやしているのがわかった。『ゲイツ』は、逆転のランナーを迎えた三塁コーチャーのように、嬉々として腕を回している。

ここまで来て遅刻し、これ以上彼らを喜ばせてやることはない。秀一は、数人の生徒に混じり、校舎に向かってダッシュした。横目で職員室の様子をうかがうと、窓からこちらに身を乗り出している教師の姿が目に入った。

殺風景なスチール製の靴箱の前で、二秒で靴を脱ぎ、上履きを突っかけた。一気に階段を駆け上がって、二階の教室に飛び込む。息を切らしているのを悟られないように、窓際にある自分の席まで、わざとゆっくりと歩いた。今どきの高校生の体格には合わない、ちんまりとした机にカバンを置くと、その上にがっくりと突っ伏した。

「朝から、トライアスロンの練習？」

隣の席から、福原紀子に脇腹を突っつかれた。指先にしては、いやに尖った感触だ。もしかすると、シャーペンの先端ではないだろうか。

「そうだよ。稲村までは、泳いで来たんだ」

へたばったまま、言い返す。まわりの席で、笑いが起きた。

がらがらと音を立てて教室の前の戸が開き、『飼犬』こと、担任の犬飼博之教諭が入ってきた。

『飼犬』は、いつも通り、やる気のない声で出席を採った。欠席は、例によって、石岡拓也一人だけだった。

ホームルームが始まったが、特にこれといった伝達事項もないようだった。これに間に合わせるために爆走してきたかと思うと、底知れぬ虚無感に襲われる。

『飼犬』は、間を持たせようとしてか、そろそろ新しいクラスにも慣れて中だるみする時期だが、四月は特に大切な月だという意味のことを、ぼそぼそとつぶやき、十分間のホームルームの時間を三分ほど残して出ていった。

『飼犬』がいなくなったとたんに、生徒たちは騒ぎ始めた。

「櫛森。珍しく、危機一髪だったな」

『ゲイツ』が、秀一の席までやって来た。鎌倉の酒屋の息子で、本名は笈川伸介だったが、今では、誰もその名前で呼ぶ者はいなかった。風貌が、マイクロソフトの会長そっくりなせいである。眼鏡といい、髪型といい、本人が、意識的に真似しているとしか思えなかった。

「何か用か？『ゲイツ』」

秀一は、最後の「ツ」の歯擦音を特に強調した。

「お前なあ、いいかげん、その言い方やめろ。特に、その発音」

『ゲイツ』が、大げさに顔をしかめた。

「お前のせいで、一年の一部の間では、俺がゲイだという噂が立ってるんだぞ」

「地球上、どこの高校へ行ってても、お前は、同じニックネームになったと思うけどな」

「ところで、『101』が入荷したけど、どうする？」

『ゲイツ』は、さっそく商売の話を始めた。

「三千八百円」

秀一が言うと、『ゲイツ』は首を振った。

「四千五百円だ」

「お得意さま割引とか、ないのか？」

「あるか」

昨晩調子に乗って飲み過ぎたために、残り少なくなっているし、『101』は、他ではなかなか手に入らない、レアなアイテムである。秀一は、今月の懐具合について思案して、不承不承うなずいた。

「じゃあ、明日、持ってくる。代金引換えだからな」

『ゲイツ』は、にんまりと笑って、自分の席に引き上げていった。

「麻薬の取引でもしてるの？」

紀子が、また割り込んでくる。

「新しい育毛剤だ」

「まだ、薄くなってるようには見えないけど……？」

今度は、髪の毛を引っ張られ、秀一は、むっとした。仕返しに胸でも触ってやろうかと思ったが、紀子の昔の姿を思い出し、やめておくことにした。

「本当は、コーヒーの新ブレンドだ」

「馬っ鹿じゃない。最初っから、バレバレじゃん。『ゲイツ』くんは、酒屋の息子なんでしょ？」

「わかってたら、最初から聞くな」

「アル中」

「それから、『ゲイツ』くんって、言うのはやめろ」

「何で？」

「お前は、たとえば、『四郎』や『ナル』や『ザー』も、全部、くん付けで呼ぶのか？」

「何か問題あるの？　『四郎』くん、『ナル』ちゃん、『ザー』くんって呼んだら？」

引き合いに出された連中は、みな、紀子の声が聞こえる範囲にいたため、順番に嫌な顔をする。

「お前、意味わかって言ってんのか？」

秀一は、呆れて紀子の顔を見た。

「意味？」

やはり一人だけ新参者であるだけに、このクラスの事情について、まだ無知らしい。紀子は、きょとんとした顔をしていた。

もともと、目が大きくて顔立ちは整っているし、そういう表情になると、あどけなさも加わるため、クラスには隠れファンも何人か存在していた。今月の初め、一年ぶりに再会したときには、変貌ぶりに驚いたものである。

「ねえ、どんな意味よ？」

「……いつか、教えてやる」

ちょうどそのとき、国語の日野原教諭が入ってきたので、秀一は前を向いて、教科書とノートを出した。紀子は、しばらくぶつぶつ言っていたが、いっさい無視した。授業中はできるだけ集中して聞き、試験勉強に費やす無駄な時間を節約するのが、賢明な戦略というものだ。

「最近東京を騒がした有名な強盗が捕まって語ったところによると、彼は何も見えない闇の中でも、一本の棒さえあれば何里でも走ることができるという。その棒を身体の前へ突き出し突き出しして、畑でも何でもめくらめっぽうに走るのだそうである。私はこの記事を新聞で読んだとき、そぞろに爽快な戦慄を禁じることができなかった」

『無敵の』大門が、指名されて、すらすらと教科書を朗読していた。こいつは、弁舌も爽やかだし、容姿も意外と万人受けしそうなので、ニュースキャスターにでもなればいいと思う。

「闇！　その中で我々は何を見ることもできない。より深い暗黒が、いつも絶えない波動で刻々と周囲に迫ってくる。こんな中では思考することさえできない。何があるかわからないところへ、どうして踏み込んでゆくことができよう。もちろん我々はすり足でもして進むほかはないだろう。しかしそれは苦渋や不安や恐怖の感情でいっぱいになった一歩だ。その一歩を敢然と踏み出すためには、我々は悪魔を呼ばなければならないだろう。はだしであざみを踏ん付ける！　その絶望への情熱がなくてはならないのである……」

『檸檬』を読んだときには、梶井基次郎は、病的なまでに繊細な感受性の持ち主だという印象だったが、写真を見ると、日本史の教科書に出ている近藤勇に似ているのは、どういうわけだろうか。

「……深い闇の中で味わうこの安息はいったい何を意味しているのだろう。今はだれの目からも隠れてしまった——今は巨大な闇と一如となってしまった——それがこの感情なのだろうか」

『闇の絵巻』という文章には、難しい言葉はほとんど使われていなかったが、何を意味しているのか正確につかむのは難しかった。

授業では、「爽快な戦慄を禁じることができなかった」のはなぜかとか、「絶望への情熱」とはどういうことかという問いに対して、一応、それっぽい説明をする。だが、秀一は、ときどき、突っ込みを入れたくなった。本当に、その解釈で合っているのか。著者がいないのに、どうやって確かめたのか。あるいは、大筋では間違っていなかったとしても、そういう単純化のために、多くの含意が失われ、著者の意図を卑小化することにはならないのか。

闇の中へ……。

A leap in the dark……,

いつのまにか、秀一の頭の中は、授業の内容とは別の暗い想念で占領されていた。

闇の中へ第一歩を踏み出せる人間は、どこが違うのか。

問題は、技術的なことだという気がする。ことが発覚しないですむかどうか、さらには、裁判で有罪になる証拠を残さないかどうかだ。その点にさえ確信が持てれば、自分にも、やれない理由はないと思う。

良心や、内面の葛藤などという言葉は、空疎なお題目としか思えなかった。中学二年の夏休みに読んだ『罪と罰』は、現代日本の生活実感からすると、あまりにもリアリティが稀薄で、うんざりしたものだった。よく似た話なら、江戸川乱歩の『心理試験』の方が、数段、よくできていると思う。だいたい、キリスト教的な強迫観念やスラブ的憂鬱などを、実感を持って理解できる日本人が、どれだけいるというのだ。

同じ課題図書でいえば、『菊と刀』の方が、ずっと面白かった。もし、ベネディクトが説くように、西欧が『罪の文化』で日本が『恥の文化』を持っているとすれば、日本では、露見しない犯罪は、犯罪ではないことになるではないか。つまり、日本人は、民族的に、世界で最も完全犯罪に向いているのかもしれない。

……しかも、やるなら、今の方が有利なのは明らかだ。三年後、二十歳になってしまえば、極刑もありうる。十七歳のままでも、近々少年法が改正されでもしたら、罰則は大幅に強化されるだろう。

もし、本当に国会で改正が決まったら、駆け込みで少年犯罪が激増したりして。「困惑する法務省幹部」という見出し付きで、ハゲオヤジたちが、記者会見をしながら、しきりに額を拭っている図を想像する。

……そうはいっても、発覚を前提とした計画など、馬鹿げている。やるからには、完全犯罪を目指さなくてはならない。

合理的な判断を放擲し、激情の赴くままナイフを出して、人を刺すのでは、浅野内匠頭と同じだ。残された人間のことを考えなければ、そもそも何のための犯罪なのか、わからなくなる。

秀一は、自分が逮捕されたときのことを、想像してみた。メディアは、ここぞとばかり、人権を無視したバッシングを行うだろう。母も、遥香も、外を歩くことさえできなくなるだろう。校門では厚顔無恥なレポーターが待ちかまえていて、紀子や大門や『ゲイツ』にまで、無理やりマイクを向ける……。

もちろん、最悪のシナリオだけを予想するなら、はなから、危険に手を染めることなどできない。これは、賭けであり、勝負なのだ。やるからには、絶対に勝たなくてはならない。

問題は、自分に、そのリスクを取れるかどうか。

闇の中へと、一歩を踏み出す度胸があるのかどうかだ。

授業の終わりを告げるチャイムが鳴り響いた。空想に埋没したまま、五十分が終わってしまった。日頃の信用があったせいか、一度も指されなかったのは幸運というしかない。

クラスメートたちは、十分間の休憩時間の間に、トイレに行ったり、三々五々集まって馬鹿話に興じたりしている。だが、秀一は、授業中と同じ姿勢で、椅子にもたれたままだった。

「君さあ、授業中、何か違うこと考えてたでしょう?」

紀子は、自分の机に腰をもたせかけて、こちらを見下ろしていた。

「五十分間、雑念がまったく浮かばなかったら、俺は仏陀だ」

「何言ってんの。五十分間、ずっと放心状態だったくせに。……何考えてたわけ?」

「お前は、他人の頭の中まで検閲しないと気がすまないのか?」

「別に、教えてくれたっていいじゃない」

「主として、猥褻なことだな。聞きたいか？　微に入り細をうがって？」

「嘘だね」

「何で、そう思う？」

「超怖い顔してたからよ。櫛森くんのあんな顔、できれば、見たくなかったな」

だったら、見なければいいだろうと、秀一は思った。

「しかも、途中一回だけ、にたあっと笑ったじゃん？　あんな嫌らしい笑顔って、わたし、初めて見たわ」

おそらく、「困惑する法務省幹部」について想像したとき、無意識に笑ってしまったのだろう。だが、いくら無警戒だったとはいえ、考えていることが、それほどストレートに表情に出ているとは思いもしなかった。今後は、気をつけなければならない。

「お前さあ、もしかしたら、五十分間ずっと、俺の顔を見てたのか？」

そう言うと、紀子の耳たぶが少し赤くなった。

「……わけないじゃない！　クラスみんなの顔を見てたんだよ！」

「黒板を見ろ、黒板を！」

型どおりのオチを付けて、冗談に持っていってしまったが、笑いは、どことなくぎこちない感じがした。

隣から監視している目を意識して、二時間目から四時間目までは、少なくとも表面上は授業に専心することにした。そのため、昼休みになったときには、いつも以上に、疲労と空腹とを感じていた。

弁当がない日だったので、購買部でパンを買って、自分の席で食べることにする。今日に限っては、他人に煩わされずに一人で食べたかったのだが、気がつくと、大門と紀子が向かい合わせに座っていた。つくづく、習慣とは恐ろしいものだと思った。

「櫛森。何か、相当深刻な顔してんね」

『無敵の』大門が、反芻する牛のようにのんびりした顔つきで、焼きそばパンを食べながら言った。小学一年生から十年以上の付き合いだが、こいつが眉間に皺を寄せた表情は、いまだ見たことがない。

「そうそうそう。今日は、授業中から、ずっとこんななのよ」

紀子が、一口大に切ってある春巻きを箸で口に運びながら、同調する。うまそうに見えたが、たぶん冷凍食品だろうと思った。

「歯が痛いんだ」

「子供の頃から虫歯が一本もないって、いつも自慢してたくせに」

「頭が痛い」

「二日酔いで？」

「うるさいな。普通、誰だって、悩みの一つや二つは抱えてるんだよ。お前たちみたいに、頭が幸せな人間は別だろうが」

「頭が幸せって、どういう意味よ？」

紀子が気色ばむ。

「お前たちっていうと、ひょっとして、僕も入ってるわけ？」

大門が、食べ終わったパンの包装紙を丸めて紙袋に押し込みながら、不明瞭な発音で言う。紀子は、今度は大門を睨んだ。

「そりゃ、そうだろう。いくらこいつが二重人格でも、紀子一人に対して、お前たちとは言わない……いてっ」

秀一は、蹴飛ばされた脚を引っ込めて、コロッケパンの残りを口に放り込んだ。

「とにかく、俺は、『無敵の』大門じゃないからな。悩みもあるし、敵もいる」

さすがの大門も、複雑な顔になった。

「前から聞こうと思ってたんだけど、大門くんのこと、どうして『無敵の』大門って言うわけ？」

紀子はダボハゼのように餌に食いつき、追及の矛先がそれた。

「俺が命名してやったんだよ。中学のときに」

秀一がコーヒー牛乳を最後にひと吸いすると、パックが扁平に潰れた。

「こいつには、なぜか、誰からも嫌われないという特技があるからな。天下に一人も敵を作らないから、『無敵の』大門」

「櫛森に変な渾名を付けられたおかげで、ひどい目にあったよ」

大門が、引き取る。

「何か、その渾名が勝手に一人歩きして、広まっちゃってて。中三のときなんか、校門のところに、他校の不良が待ちかまえてたりして。おい。『無敵の』大門って言ってるのは、どいつだって……」

「そうそう。いたいた。あいつは凄まじかったな。体重なんか、百キロ以上あったんじゃないか？　武蔵川部屋かどっかに、スカウトすりゃよかったな」

「ひどーい！」

紀子は、秀一を睨みつけた。

「大門くんが、かわいそうじゃない！」

「なまじっか、大門剛なんつう、強面っぽい名前だからな。でも、事情を説明したら、わかってくれたんだろう？　逆に、同情されたとか言ってなかったか？」

「そこまで漕ぎ着けるのには、相当苦労があったんだけどね」

大門が苦笑した。立場が逆だったら、おそらく激昂しているはずだと思う。こいつは、やはり『無敵』だ。

三人は、いつも通り、ほぼ同時に昼食をすませた。秀一が立ち上がったとき、紀子が、

「聞きたいことがあるんだけど」と言う。

「何だ、あらたまって？　一日三百回くらいは、平気で質問してるじゃないか」

「うーん……。ちょっとね」

紀子が言いよどむと、大門は勝手に気を回して、「じゃあ、僕は用があるから」などと言って教室を出ていった。

「告白か？　だったら先に言っとくが、俺は迷惑だ」

「違うって……」

突っかかって来るという予想に反して、紀子は、低い声で言った。

「石岡くんのことだけど」

意外な名前に、秀一は面食らった。

「この頃は、あんまり学校に出てきてないみたいだけど、石岡くんって、櫛森くんの親友だったんでしょう？」

「恥ずかしい言い方をするな」

「今でも？」

「あいつとも、小学校からの付き合いだから腐れ縁ってとこかな」

紀子は、しばらく言葉を続けるのをためらっていた。

「噂を聞いたんだけど。石岡くんが学校へ来なくなったのは、一年のときに、家で問題を起こしてからで。それで……そのきっかけっていうのは、櫛森くんが石岡くんをそそのかしたことだって」

秀一は、頰のあたりが強張るのを感じた。

「俺が、石岡に何をさせたって？」

「家庭内暴力っていうか。両親とお兄さんを、殴ったんだって……。だけど、ごめん！　そんなのって、嘘に決まってるよね」

紀子は、笑顔を作った。

「だって、そんなことする理由、ないもんね？」

秀一が無言のままだったので、紀子は不安そうな顔になった。

「だから、変なこと聞いて、ごめんって。怒らないでよ。わたし、馬鹿みたいね。そんなこと、あるわけないのに」

「もし、理由があったら、どうする？」

「えっ？」

「だから、俺が石岡を焚き付けて、家庭内暴力に走らせるような、正当な理由があったとしたら、どうする？」

紀子の笑みは、凍りついていた。

「正当な理由って……。そんなことに、正当な理由なんかあるわけないじゃない！」

「だから、もしあったとしたら、だよ」

「冗談はやめてよ。わたしは、まじめに聞いてるのに」

「俺も、まじめに答えてる」

紀子の顔に、さっきとは違う種類の赤みがさした。彼女は顔をそむけると、教室から出ていった。その日は、戻ってきてからも秀一とは一言も口をきかず、視線を合わせようとさえしなかった。

三時半にホームルームが終わると、秀一は、カバンを持って教室を出た。一応、入学したときから美術部に所属しているのだが、最近では、すっかり幽霊部員と化しつつある。紀子は、一足先にいなくなっていた。彼女も、今月から美術部の部員だった。おそらく、毎日律儀に出席しては、極彩色の油絵を描いているはずだ。

クラブに顔を出したということにして、紀子に会って、さっきの話の釈明をしておいた方がいいのかもしれないが、何となく気が進まなかった。

それに、早く帰宅しなければならない事情もある。

ロードレーサーで、134号線を朝とは逆方向に走る。柵を隔てて、海岸沿いに不法投棄されているゴミの山が目に入る。ポリバケツや布団、錆びた自転車なども捨てられていた。わざわざ、こんなところに粗大ゴミを捨てに来る連中は、いったい、どんな神経をしているのか。ゴミの山には、そのまま、捨てた人間の心根の卑しさが表れていると思う。

秀一は、浜から前方に視線を戻した。風はすっかり凪いでいた。海風が吹き出すには、まだ時間が早いのだろう。

朝とは違って、それほど急ぐ必要はなかった。秀一は、ゆったりとペダルを踏みながら、物思いに耽っていた。

闇の中へと一歩を踏み出す……。

国語の時間、半ば本気で、そんなことを考えていたかと思うと、苦笑したいような気分だった。

もちろん、現実にできることではない。単純に、空想で鬱屈を紛らわせていただけだ。闇の中への一歩。それも、危険な綱渡りである。少年法という救命ネットは張られているものの、失敗した場合のリスクは、あまりにも大きすぎる。かりに完全犯罪が成功したところで、心理的、精神的な負担は、想像もつかないほど大きくなるはずだ。おそらく、一度心に押された烙印は、生涯、消えないに違いない。

秀一はロードレーサーを漕ぎながら、苦笑していた。考えること自体、馬鹿げてる。道路は、稲村ヶ崎へ向かって上りになっていた。背筋と腿に力を入れる。たいした運動ではないのに、背中が軽く汗ばんでいた。

だが、空想するのと、実行に移すのとは、まったくの別問題だ。方法を考えるだけなら害はないし、むしろ、ストレスの解消になるかもしれない。

ガス抜きだ。ガス抜き。ちょうど、石岡拓也のときのように。……今回も、ああいう形の代償行為を考えてみるのもいいかもしれない。

完全犯罪は、あまりにもハードルが高い。

坂の頂上を超え、下りに入ってロードレーサーは加速する。

本当に、そうなのか。自分で思ったことに、疑義を呈したくなる。完全犯罪というのは、事実、そんなに稀なことなのだろうか。

ミステリーでは、天網恢々……というラストが非常に多い。作家にはモラリストが多いのか、悪事は露見しトリックは破綻するというルールが、比較的よく守られているようだ。だが、現実には、多くの犯罪者が、重大犯罪を犯しながら、やすやすと罪を逃れているのではないだろうか。

江の島に近づき、秀一は思考を中断した。空が曇っているために、今日は、富士山は見えなかった。

小動から右折して134号線を離れ、しばらく江ノ電と平行しながら、緩やかな坂を上った。いったん江ノ電と別れて諏訪神社の前まで行き、左折して、江の島付近に河口を持つ境川を渡る。

数軒の商店の間を抜けて、腰を浮かせて急坂を登りきり、江ノ電の鵠沼駅の踏切を通った。

鬱蒼と茂った松の木立や、立派な石垣を積んだ邸宅の間を、部外者の侵入を拒むように狭く入り組んだ道が走っている。あたりはひっそりとしていて、ほとんど人の気配がしなかった。

秀一は、亡くなった祖母から聞いた話を思いだした。鵠沼は、藤沢市を代表する高級住宅地だが、鎌倉とは違って、住人の多くは、戦後間もなく、土地がただ同然の値段のときに、移り住んできた人々だということだった。そのためか、互いの干渉を嫌う「鵠沼人種」気質なるものが発達し、近所づきあいが稀薄なのだという。加えて、最近は、鎌倉同様、鵠沼でも老夫婦だけの世帯が多くなったことも、静けさの理由の一つかもしれない。だが、現在の状態は、代替わりが進むまでの過渡期でもある。櫛森家のすぐ近所でも、相続税を支払うために売却された一軒の屋敷が、十七軒もの建て売り住宅に化けて、分譲されていた。

ほどなく家に到着した。櫛森邸は、かなり老朽化が進んだ木造家屋だが、敷地は二百坪近くある。秀一は、ロードレーサーを止めて、黒い鋳鉄の門扉を開けた。

ガレージのシャッターを開けて、ロードレーサーを入れる。そのままシャッターを閉めて、直接家の中へ通じているドアを通る。玄関にスニーカーを置きに行ったが、母親と遥香の靴はなかった。

猫のように足音を立てずに二階に上がり、耳を澄ます。

何も聞こえなかった。

一番奥の部屋の前に行って、ドアに耳を押し当てた。

分厚い一枚板のドアを通して、かすかな鼾が聞こえてきた。

不快でたまらない音なのに、しばらく耳を離すことができなかった。今にも起き出してくるような気がして、堅く拳を握りしめる。それから、そっと、自分の部屋に引き返した。

カバンを放り出し、机に向かって腰かける。

帰宅してからわずか数分の間に、ひどく神経が苛立っていた。不快なことから気持ちを引き離そうとしても、うまくいかないのはわかっていた。そういうたちなのだ。直面する問題から、けっして目をそらすことができない。これまで、様々な難問にぶつかってきたが、そのつど徹底的に考えて、自力で解答を見つけだしてきた。

秀一は、櫛森家の喉元に突き刺さった棘、不愉快な異物を排除する方法について考えた。想像の中で、繰り返し完全犯罪のシミュレーションを行っているうちに、しだいに、気分が落ち着いてくる。

やはり、できれば、直接手を下すことは、精神衛生上避けたい。仕掛けだけ打っておいて、後は、獲物がかかるのを待つ方式がベストだと思う。必ずしも、百パーセント仕留められなくてもいい。ミステリーでいう、蓋然性の犯罪というヤツだ。

たとえば、火事はどうだろうか。古い木造家屋なので、屋内配線が漏電したとしても、誰も不思議には思わないだろう。……いや、電気系統より、寝タバコが原因だと見せかける方が容易かもしれない。完全に燃え切ってしまう材料で、時限発火装置を作ればよいのだ。仕掛けは、単純なほど発覚しにくいだろう。火のついたタバコを、ある程度の幅のある灰皿の縁で、バランスさせておくだけとか。火のついた側を内側にしておけば、ある程度燃えて軽くなったところで、タバコは灰皿の外に落下する。そこに新聞紙などを置いておくだけで、充分、火事を引き起こせるだろう。燃えやすい物から順番に、不自然に思われない程度に配置しておけばいい。

昼間、三人とも外出している間に、清浄な炎が、泥酔して正体を失ったままの穀潰しを、きれいに焼却してくれるというわけだ。

問題は、このやり方だと、あまり長い時限装置は作れないということだ。せいぜい、数分間がいいところだろう。つまり、平日の昼間、学校からこっそり家に戻ってきて、仕掛けを施してから、再び、誰にも見られないようにして、学校へ帰らなくてはならない。アリバイ工作について、さらに具体的に検討してみたが、必ずしも不可能ではないような気がする。

だが、この計画には、もうひとつ、致命的と言っていい難点があった。祖父母が建てたこの家の、少なくとも一部を犠牲に供さなくてはならないのだ。隣の家とは間隔が離れているし、間には木立もあるので、類焼は免れるだろうが、消防車が狭い道に入ってくるのに手間取れば、全焼も覚悟しなくてはならない。

この家が好きだった。築四十年は経過しているが、まだ五十年以上は持ちそうである。どっしりした梁や、重厚な階段、黒光りする廊下、ドアの一枚一枚にまで、子供の頃からの想い出が、たくさん詰まっている。それに、家が焼けてしまったら、一家三人、どこに寝泊まりすればいいのだ。だめだ。この案は却下。

やはり、普通に殺害して、きっちりと死体を処分するのが、最も手堅いやり方かもしれない。

突然現れた人間が、突然姿を消しても、さほど怪しまれることもないだろう。本当は、そういう状況が、一番望ましいのだ。死体が出てこなければ、警察も、殺人事件としては扱わないはずだからだ。捜索願の出ている人間だけでも、膨大な数に上るだろう。誰からも必要とされず、心配もされない人間のことなど、警察は気にも留めないに違いない。

死体の処理についても、何とかなると思う。深夜、鎌倉アルプスの谷戸に運んで、地中深く埋めれば、かなりの長期間にわたって、発見されずにすむはずだ。

そのためには、死体を運んでから、泥縄式に穴を掘り始めるのではなく、あらかじめ、人目に付かない場所を選んで充分な深さの穴を掘り、上から防水シートで覆って、木の枝などでカモフラージュしておけばいいかもしれない。人間の死体も、三メートル以上の深さに埋めれば、警察犬の嗅覚をもってしても探知できないと、何かの本に書いてあった。死体を穴に放り込み、埋めるだけならば、危険な作業をする時間も大幅に短縮できる。

しかも、この方法の最大の利点は、万一、穴を掘っているところを誰かに見られても、その時点で中止がきくということである。何といっても、まだ、殺人自体は犯していないのだから。

それに、鎌倉近辺は古戦場が多いせいか、どこを掘っても人の骨がざくざく出てくる。高校のすぐ近くにある和田塚もそうだし、簡易裁判所横のマクドナルドを作るときにも、一時は工事を中止する騒ぎだったらしい。今さら、白骨死体の一体や二体、発掘されたとしても、それほど怪しまれないのではないか。

アイソトープを測定すれば、新しい骨であることは、すぐにバレてしまうだろうが。

いや。ネックは、その前の段階にある。秀一は、唇を噛んだ。

息の根を止めるのは簡単だろうが、死体を運搬する手段が大問題なのだ。これぱかりは、車がなければ、どうにもならない。

いくら考えても、有効な抜け道は見つからなかった。

結局、この家から死体を運び出すのが不可能なら、生きたままどこかへ誘い出し、それから殺害するしかない。だが、今度は俄然、殺害方法が難しくなってくる。

眠っているときならいざ知らず、正面から争った場合、必ず勝てるという確信が持てないのだ。

基礎体力では、勝っているはずだと思う。喧嘩は嫌いだったが、思い切りのよさのためか、昔からあまり負けたことはなかったし、中学時代には、柔道の経験もある。毎日、規則正しい生活を送っているため、不摂生で自堕落な生き方をしている相手よりは、スタミナもあるはずだ。

だが、物理的な体格差というものは、得てして想像以上にものを言う。確実に倒すには、不意をつくか、背後から襲うしかないだろう。

テレビドラマなどでは、背後から線路に突き落とすというシーンが頻繁に出てくる。だが、誰にも見られずにそんなことができる場所が、少なくとも、この近辺にあるとは思えない。

考えあぐねるうちに、ナイフのことを思い出した。

あれだけ鋭利なら、人間を刺殺するのも簡単に違いない。最初に手にしたときには、扱いに慣れていなかったこともあるが、うっかり刃に触れて、指を切ってしまったほどだ。

自分があれを所持していることを知っているのは、今のところ石岡ひとり。つまり、警察が調べても、あのナイフと自分とを結びつける証拠は、どこにも存在しない。

……いや、やはりそれは、最も拙劣な方法だろう。いくら最低の屑でも、刺殺されたとなれば、警察としても、本腰を入れて調べざるをえない。しかも、最近では、ナイフ、イコール少年犯罪という嫌な図式が成立してしまっているから、早晩、疑いがこちらに向くのは必至だ。

秀一は、溜め息をついた。完全犯罪の方法を考案するのは、『大学への数学』のDランクの問題を解くより、歯ごたえがあった。

秀一が考え込んでいると、玄関で、ドアの鍵が開く音がした。息を殺しながら、そっとシリンダーを回すような。

秀一は部屋を出て、階段を下りていった。

「お兄ちゃん？」

心細げな遥香の声がした。こちらを透かすような格好で立っている。実際に秀一の姿を確認するまでは、土間に立ったまま、上がってこようとしない。

「まだ、五時前じゃないか」

秀一は、腕時計を見て言った。

「部活はどうした？」

「今日は、顧問の先生が休みだったから、みんな、早く上がろうっていうことになって」

遥香は、ようやく安心したように靴を脱いで、スリッパに履き替える。秀一は、舌打ちをしたくなった。最近の中学校の陸上部では、顧問の教師がいないというだけで、勝手にサボっていいのか。

「そういうときは、誰か友達を誘って藤沢にでも行って、時間を潰してくりゃいいだろう。ゲーセンでも、バーガーキングでも、何でもいいから」

「うん。それも考えたんだけど、お兄ちゃんが、もう帰ってると思ったから」

「馬鹿。もし、いなかったら、どうすんだよ?」

「そのときは、また、外出するよ」

背後で階段がみしっと鳴り、遥香の表情に怯えが走った。秀一は、すばやく振り返る。誰もいなかった。古い木造建築だけに、たぶん、湿度の関係だろう。

「脅かすわけじゃないけどな、いったんドアを開けたら、もう、何が起きるかわからないんだぞ」

「うん……」

秀一が厳しい口調で言うと、遥香は悄気た。

「これからは、部活がヒマだったら、図書館で宿題でもやってろ。六時より前には、絶対帰ってくるな」

「うん」

遥香の表情を見て、秀一は言葉を和らげた。

「どうしたんだ？　何か、早く帰ってきたい理由でもあったのか？」

遥香は、顔を伏せた。

「もし、お母さんが早く帰ってきたら、一人になっちゃうと思って」

「馬鹿だな。お前は、そこまで心配しなくてもいいんだよ」

「でも」

「第一、お前がいたって、何の役にも立たないだろう？」

「……そうだけど」

秀一は、吐息をついた。それ以上言って、妹をいじめる気にはなれない。

「俺の部屋で、一緒に勉強するか？」

「ほんと？」

遥香の顔が、ぱっと明るくなる。

「数学がわからないって言ってたろ？　見てやるよ」

「うん」

「その代わり、紅茶でも入れてくれ」

「いいよ」

遥香は、ちらりと二階を見上げると、秀一の後ろについて階段を上がった。遥香の部屋は、秀一の部屋の隣で、奥側にあった。巣穴に飛び込むミーアキャットのように、すばやくドアを開け、中に入って鍵をかける。

秀一は、その間ずっと、自分の部屋のドアは開け放しておいた。遥香は、あっという間に着替えをすませて出てきた。洗面所で顔と手を洗うと、とんとんと駆け足で階段を下りて、台所へ行く。

秀一は、その間に、机の上に教科書や参考書類を出した。遥香のために、部屋の隅からガラステーブルとクッションを出してやる。

遥香に一緒にいてもらいたかったのは、むしろ自分の方かもしれないと、秀一は気がついた。このところ、部屋やガレージに一人でいても、とりとめもない殺人計画を夢想するだけで、何一つ生産的なことはできないでいた。

遥香が、盆を持って階段を上ってきた。さっきとはうって変わったように弾んだ声で、「入るね」と言う。ガラステーブルの上に置いた盆には、ティーポットとカップが二つと、クッキーの入ったガラスの小鉢が載っていた。

「どうしたんだ、これ？」

秀一が、ドアを閉めながら、クッキーに顎をしゃくった。

「帰りに買ってきたの。学校の近くのお店で」

「ふうん……」

あえて、何のためだとは訊かなかった。遥香もやはり、一人になるのが嫌だったに違いない。

それからしばらくは、二人で家庭学習タイムを過ごした。秀一は、宿題を片づけると、ティーカップを片手に、妹に数学を教えてやった。

「……だから、あとは、二次方程式の解の公式に入れるだけだろ？」

「うん。そうだね……」

遥香は、神妙な顔をして聞いている。

「ここまでは、別に、難しいとこはなかっただろ？」

「うん」

「じゃあ、何で、そんなに、納得がいかないような顔してるんだ？」

「うーん」

遥香は、しばらく迷ってから、恥ずかしそうに言った。

「分数で割ると、どうして、前より大きくなるんだろうね？」

「へっ？」

秀一は、茫然（ぼうぜん）とした。

「ほら。ふつう、割り算すると、答えは、前より小さくなるじゃない？　なのに、分数のときだけは、どうして大きくなるんだろうって、前々から、ちょっと疑問に……」

だんだん、声が小さくなる。

「お前。それ、小学校の範囲だろう？」

「うん。でも、授業では、計算のやり方だけ覚えさせられて、どうしてかってことまでは教えてくれなかったから」

しばらくは、開いた口がふさがらなかったが、この際、とことん付き合ってやることにした。

「要するに、お前は、分数で割るという意味が、よくわからないんだろ？」

「あ。そうかもしれない」

遥香は、嬉しそうに言った。日本の学校教育の、どこか、根本的な欠陥を露呈しているような気がする。

「割り算自体に、二つの意味があることは、わかってるか？」

「さあ……？」

「お前のクラスに、三十六人の生徒がいるとする」

「三十九人だよ」

「三十六人とする」

秀一は、怖い顔で言った。

「文化祭の準備のため、九つの班に分けることにした。一つの班は、何人だ？」

「四人」

「そうだな。36÷9＝4……つまり、三十六を九等分したわけだ。さて、次の時間は、体育でした。野球をします。野球は、一チーム、九人でします。何チーム作れますか？」

「四チーム」

「大正解」

「お兄ちゃん、わたしのこと、すごく馬鹿だと思ってるでしょう?」

「そんなことはない。さて、今度も、式で表すと、36÷9=4だよな? でも、今度は、三十六を九等分してるわけじゃないだろう?」

「う〜ん。そうだねえ……」

遥香は、考え込んだ。

「今度は、三十六の中に、九が何回あるか、数えてるんだ」

「二番目の意味って?」

「たとえば、5÷½=10だけど、五を二分の一等分するって言ったって、何のことかわからないだろう? でも五の中に二分の一が何回あるか数えることはできるだろう?」

「あ。そうか」

遥香の顔に、理解の色が浮かんだ。

「だから、分数の割り算の場合は、この、二つ目の意味で考えるといいんだよ」

秀一は、人にものを教えるのは嫌いではなかったので、ちょうどいい息抜きになった。遥香の方も、苦手な教科に取り組んでいるにしては、楽しそうな様子だった。リラックスした、幸福な時間。まるで、この家に問題が降りかかってくる以前に、タイムスリップしたかのような……。

遥香が、笑顔で何かを言いかけた。そのとき、ふいに、廊下の奥で、乱暴にドアが開けられる音がした。ゆったりと流れていた時間が凍りつく。

重い足音。何を言っているのかわからない、不機嫌な独り言。野放図に、トイレのドアを開けたままで用を足す音。それに、痰を吐く、野獣のような唸り声が混じる。

遥香は、鉛筆を握ったまま、じっと何かに耐えるように、うつむいていた。

足音は、再び、ゆっくりと奥の部屋へ帰っていった。

「気にするな……。無視してろ」

秀一はそう言って遥香の頭を叩いたが、さっきまでのような満ち足りた気分は、すでに雲散霧消していた。

母親の友子が帰宅したのは、それからさらに、三十分ほど経ってからだった。

「ごめんね。遅くなって。閉店間際に、お客さんが来ちゃったもんだから……」

友子は、玄関に迎えに出た二人に、気遣わしそうな視線を向けた。

「何もなかった？」

質問の意味はわかっていた。秀一がうなずくと、安堵した顔になる。

「すぐ、夕ご飯作るからね。ちょっとだけ、待ってて」

友子は、ハンドバッグを持ったまま洗面所に行って手を洗うと、遥香に負けない早さで着替えをすませ、腕まくりをしながら台所へ行った。

友子は、鎌倉駅からほど近い場所にある、輸入家具の店で働いていた。親から店を受け継いだオーナーが、友子の短大時代の親友だったという縁で、忙しいときに、店を手伝うようになったのである。

昔は美大を目指したこともあったと自慢するだけあって、友子には、意外なほどセンスがあったらしい。今では、インテリア・コーディネーターとして、一家三人の生計を賄って余りあるほどの収入を得ていた。

夕食の支度は、三十分ほどででき、三人が囲んだキッチンのテーブルの上には、とてもそれだけの短時間で用意できたとは思えないほどの品数が並んでいた。

鰹のマリネ。麻婆豆腐。明太子と山葵、それにカレー粉で和えた、三色のスパゲッティ。とろろ汁……。

友子が美的センスを最大限に発揮したため、どの料理も、雑誌のグラビアを飾れそうなほど、見事な仕上がりだった。実際、友子には、びっくりするほど美味そうな料理を作る才能があった。

過去、櫛森家の晩餐に招かれた人々は、ずらりと並べられた美しい料理を見て、一様に心からの嘆声を上げた。期待に膨らんだ笑顔で、一口味わってから、一瞬、あれ、という表情をする。一拍遅れて、美味しい美味しいと褒めちぎりながら、依然腑に落ちない顔で、次の皿に手を伸ばすのだった。

「おいしい？」

黙々と食べる子供たちを等分に見ながら、友子が、にこにこ顔で訊く。

「目の正月、目の正月」と、秀一が答える。

「味はどう？」

「舌は日曜日」

「お兄ちゃん、わけわかんないよ」

遥香が、とろろ汁を啜りながら、言った。

メディアによれば、世間では急速に「孤食化」が進み、一家で夕餉をともにする機会が、失われつつあるらしい。そんな中、櫛森家では、朝食と夕食は必ず一家揃って取るのが、不文律になっていた。幸いと言うべきか、鎌倉ではどの店も閉店時間が早いため、友子も、夕食には間に合うように帰ってくることができる。

秀一にとって、この団欒は、何よりも大切な時間だった。今後、どんな事態が起きても、いかなる犠牲を払っても、守り抜かなければならないもの。

キッチンの奥に座っていた遥香が、急にびくっと箸を止めた。秀一は、妹の凍りついたような視線の先を追う。

入り口の向こうに、大きな男が立っていた。

縮みのシャツにステテコという格好。日灼けとアルコールの相乗効果による、どす黒い顔色のために、暗い廊下では、目だけが光って見えた。

「何ですか?」

友子が訊ねても、応答はない。

男は、膨れた腹の上を掻きながら、百八十センチの鴨居をくぐるようにして、キッチンに入ってきた。

キッチンの灯りに照らされて、男の顔が、はっきりと見えるようになった。

ぼさぼさの八の字眉の下で、大きな目が、瞬きもせずに三人を睨め回している。黄疸が出ているために、よけいに異様な眼光を放っていた。頰と鼻は不自然に赤く、細かい紫色の血管が走っている。分厚い唇の間からは、汚い乱杭歯と痩せた歯茎が覗いていた。

「お食事ですか……？」

友子の声が顫える。男は、さらに一歩近づいた。

秀一は激しい音を立てて椅子を引き、立ち上がった。腹に力を入れ、しっかりと両の拳を作る。

遥香が息を呑んで、秀一のシャツの裾を握った。

男は、小馬鹿にしたように、鼻からふんと息を吐いた。友子に向かって、嗄れた声で、

「酒だ」と言う。

友子は、戸棚からパックの焼酎とグラスを出して、男に手渡した。

男は、当然のような顔で受け取ると、いったん踵を返しかけて振り向き、じろりと秀一を一瞥した。

秀一は、瞬間、恐怖に身体が硬直した。

視線は、そのまま一秒ほど交差していた。それから、男は、何ごともなかったように、キッチンを出ていった。

男がいなくなってからも、しばらくの間、誰も言葉を発しなかった。

みな、すっかり食欲は失せてしまっていたため、せっかくの料理も、大半が無駄になってしまった。

やがて、秀一は、自分の食器を流しに運んだ。二人も、それに倣う。友子が皿を洗い、いつも通り、遥香が乾いたふきんで拭き始めた。

「……さっきの、焼酎なんだけどさ」

秀一は、キッチンの椅子の上で、片膝を抱えていた。

「あいつにやるために、わざわざ買ってあったの？」

友子は、黙って皿を洗い続ける。

「そうだよな。誰も、あんなもん呑まないもんな。あいつ、ちゃんと、その分の金払ってんの？」

応えはなかった。

「何でさあ、あいつに、そこまでするわけ？」

「何でって……」

「だいたい、何で、あんな奴が、この家にいるんだよ？　もう、あんな奴、何の関係もないんだろう？　離婚はとっくに成立してるんだから」

「そうだけど、ほかに行くところがないって言ってたし」

「まさか、ずっと、いさせる気じゃないよね？」

「もちろん、ずっとじゃないわよ」

「早くしないと、ずっと居座られるかもしれないぜ。いつ追い出すの？」

「追い出すだなんて……。それは、まだわからないわ。もうちょっとたってから、行くあてができたら……」

「行くあて？ そんなもんできると、本気で思ってるわけ？ だったら、どうかしてるよ！」

「お兄ちゃん、もうやめて」

遥香が言った。

はっとして見ると、涙ぐんだ目で、哀願するようにこちらを見ている。友子は、背中しか見えなかった。うつむいて、皿洗いを続けている。だが、よく見ると、スポンジで擦っているのは、さっきからずっと同じ皿だった。

「……お母さんを、いじめないで」

秀一は、しばらく無言のままだった。「ごめん」と言うと、そっとキッチンを出る。やりきれないような、自己嫌悪を感じた。母親に当たるつもりなど、なかったのに。

上から野球中継らしい音が聞こえてきた。階段を上がると、奥の部屋のドアがきちんと閉まっておらず、まわりから、コの字型に光が漏れていた。

近づくにつれ、ますます騒々しい音が耳につくようになった。観衆がどよめき、アナウンサーが一人で興奮して、何かまくし立てている。割れた音声が耳障りだった。

一階のどこかの部屋から、勝手に小型テレビを持ち出してきたに違いない。

秀一は、腹の底で、凶暴な衝動が、真っ赤な炎のように燃えさかるのを感じた。今すぐ奥の部屋に飛び込んでいって、あの男を叩(たた)きのめし、玄関から外へと放り出してやりたい……。

だが、それが不可能なことも、よくわかっていた。

秀一は、しばらく、その場に立ちつくしていた。

考えろ。考えて、考え抜け。

どうすれば、一番いいのかを。

どうすれば、家族を守れるのか。

第二章　ガレージ

「こちらで、少々お待ちください」

二十代の後半くらいの女性事務員が秀一を案内したのは、入り口近くの小部屋だった。フロアの一部を、プレハブっぽい壁で仕切っただけに見える。六畳ほどのスペースには、細長い化粧合板のテーブルと、パイプ椅子が六脚置いてあった。依頼人を通すためというより、打ち合わせのための会議室のような感じがする。

「加納は、ほどなく参りますので」

頭を下げて、秀一は椅子に腰掛けた。事務員は、フレームのない眼鏡の奥からちらりと視線を走らせると、会釈してドアを閉める。

秀一は、自分の姿を見下ろした。今日は日曜日だったが、あえて由比ヶ浜高校の制服を着てきていた。学校の制服は大人社会への恭順の印であり、より同情が得やすいだろうという計算からである。

今の事務員は、むしろ興味を抱いた様子だった。たしかに、高校生が、弁護士事務所を一人で訪れることなど、きわめて稀に違いない。

ズボンのポケットからハンカチを出して、肩や腕についた水滴を拭う。鵠沼では、朝から陰鬱な雨が降り続いていたが、横浜まで来ても同じだった。ハンカチは、すぐに濡れそぼったような状態になった。

「お待たせしました」

ドアにノックの音がして、四十代半ばくらいの男性が入ってきた。秀一は、ポケットに濡れたハンカチを押し込んで、立ち上がる。

「どうも。加納です」

男が差し出した名刺には、『弁護士、加納雅志』とあった。

「はじめまして。櫛森秀一です」

「うん。櫛森清蔵さんの、お孫さんだったよね」

「はい。祖父は、四年前に亡くなりましたが」

「そうですか。うん。お祖父さんのことは、よく覚えてますよ。十年前くらいだったかな。まだ、この事務所に移ってすぐのことだったからね。ご依頼を受けたのは」

加納弁護士は、秀一に座るよう手振りで促し、対面する席に座った。

身長は、秀一より少し低いくらいだろうか。眉が濃く顎の張ったしっかりした顔立ちで、声にも力があったが、土気色をした顔や充血した目からは、慢性的な疲労が見て取れる。灰色になった髪は脂っぽく、ばさりと額にかかっていた。背広の襟には雲脂が散っている。身だしなみに気を遣っている暇など、ないという感じだった。

弁護士というのは、やはり、たいへんな激務なのだろう。今日も、本来なら休日なのに、別の依頼人の都合に合わせて、出てきているらしい。

祖父の遺した住所録の中から加納弁護士の名前を見つけて、電話をかけてみたのだが、たまたま、今日、事務所を開けているのを知ったのは、秀一にとっても幸運だった。平日は、学校があるため、横浜まで往復するだけでも、かなり時間が窮屈だった。

「それで、今日は、何か法律的な相談があるということだったけど？」

「はい。家に勝手に他人が居座ってしまった場合、どうすれば追い出せるのか、教えてほしいんです」

加納弁護士の表情が動いた。

「他人、と言うと？」

「母の別れた夫……再婚相手です」

加納弁護士は、うなずいた。その答えを予期していたようだ。

「曾根隆司？」

「はい」

聞くのも忌まわしい名前だったが、弁護士の口から発せられると、むしろ、ほっとするのを感じる。悩みが認知され、専門家と共有されることによる安心感かもしれない。

だが、逆に考えると、十年も前に扱った事件なのに、すぐに名前が出てくるというのは、それだけ厄介な相手だったということではないか。

「そうか。やっぱりな」

加納弁護士は、腕組みをする。秀一は、不安になった。

「あの、不法侵入というか、うちの部屋を不法占拠している状態ですから、追い出すことはできますよね？」

「まあ、それはそうなんだが……君の家には、今、お母さんがいらっしゃるよね？」

「はい。母と妹の三人家族です」

「すると、戸主は、お母さんということになる。したがって、お母さんが裁判所に訴えを起こせば、部屋を明け渡すよう求めることは可能だね」

当然の答えだった。今のところ、それができないから困っているのだが、いざとなれば法律が後ろ盾になってくれることが確認できただけでも、少し気が楽になった。

「しかし、どうして、曾根隆司を家に入れたりしたの？　最初からきっぱりと断っていた方が、後の対処は簡単だったと思うけど」

「ええ。僕がいるときなら、絶対に玄関から中へは入れなかったと思うんですが。遥香が学校から帰ってきたときに、突然、やって来たんです。そのまま、強引に上がり込まれてしまって……」

「遥香さんっていうのは、妹さんだね？」

「ええ。今、中学二年生です。いつもなら、部活があるんで、遥香の方が僕より遅く帰るんですが、その日は、たまたま早く帰る日で」

「それは、たまたまだったのかな？」

加納弁護士は、鋭い視線を向けた。

「どういうことですか？」

「妹さんが早く帰ってくる日は、曾根には、予想できたんじゃないかな。たとえば、何度か学校へ行って見ていれば」

秀一は、冷や汗が出るような気分に襲われた。今の今まで、そこまで疑ってみなかったのは、迂闊だった。あの男は、家に来る前に、中学校で遥香の様子をうかがっていたのだろうか。それも、何度も。

だとすると、それは単に、家に上がり込むきっかけをつかむためだったのか。それとも、別の理由が……まさか、あの外道は、遥香に対して、汚らしい欲望を抱いているのだろうか。

「それで、曾根が現れたのは、いつのことだったの？」

加納弁護士の声で、秀一は我に返った。

「十日前です」

「ということは、四月の初め頃か。それで、それ以来、曾根は、ずっと君の家にいるわけだ？」

「はい」

「お母さんは、どうして、曾根に対して、出て行けと言わないんだろうね？」

「それは……」

秀一にも、わからなかった。母は、なぜ、もっと毅然とした態度で、曾根を撥ねつけてくれないのか。

「ただ、母も、迷惑していることは、たしかなんです。見ていても、あの男に出ていってもらいたいと思ってるのは、わかります……」

秀一は、説明しようとして、途方に暮れた。どう言えば、わかってもらえるのだろう。これではまるで、離婚した夫婦が元の鞘に収まろうとしているのに、それに反発した子供が、あらぬ言いがかりをつけて、ぶち壊そうとしているかのように聞こえる。

「それは、想像がつくよ」

「えっ?」

「お母さんと曾根隆司との離婚調停では、何度も会ったからね。あの男がどんな人間かは、よく知ってる。今さら、お母さんが、復縁する気になるとも思えない」

秀一は、やはり、加納弁護士に相談に来て正解だったと思った。まったく事情を知らない相手であれば、曾根がどんな人間かについて、一から説明しなくてはならなかったはずだ。これほど、力強い味方もないことになる。

「どっちにしても、結局は、お母さんしだいということだね。お母さんから依頼があれば、私もアクションが起こせるんだが」

加納弁護士は、すっかり事情を理解していた。

「やはり、一度、お母さんにお越しいただいた方がいいと思う。君が年齢よりもしっかりしているのはわかったが、何といっても未成年だからね。私の口から言うのは何だけど、ああいう男が家の中にいるというのは、けっしていいことじゃないと思うよ。君にとっても、妹さんにとっても」

秀一は、うなずいた。

「先生。今日うかがったのは、もう一つ、お聞きしたいことがあったんです」

いつも呼び慣れている以外の意味で「先生」と言うのに、微妙な違和感があった。

「何？」

「十年前に、母があの男と離婚したときの経緯について、教えてもらいたいんです。それ以前のことでも、もし、ご存じのことがあれば……」

「うーん。それは」

「当時、僕はまだ七歳でしたから。母も、そのことには触れたがらなくて」

加納弁護士は、腕組みをした。

「だけど、聞いて、どうするの？」

「わかりません。ただ、何か、問題を解決できる糸口が見つからないかと思ったんです」

秀一は、制服のポケットから生徒手帳を出して、写真入りの生徒証を見せた。

「こんなもんじゃ、証明にならないかもしれませんが。一応、見てください」

加納弁護士は苦笑した。笑うと、目尻いっぱいに皺ができ、案外好人物という印象になる。

「いや、何も、君の正体を疑ってるわけじゃないから。いいですよ。差し支えない範囲でなら」

　ノックの音がした。ドアが開き、さっきの事務員が、盆を持って現れた。テーブルに茶碗を置くと、しとやかに一揖し、静かに出ていく。何となく、自分に微笑みかけたように見えたのは、紀子の言う被愛妄想というヤツだろうか。

「私が聞いてた話は、こうだったな……。君のお父さんは、たしか、交通事故で亡くなったんだっけ？」

　加納弁護士は、茶を啜りながら言った。

「そうです」

「それで、幼い子供を抱えていた君のお母さんは、友達から紹介をうけて、曾根隆司と出会った。不動産会社の営業マンで、最初は、人当たりのいい、優しい人物に見えたそうだな」

　秀一の記憶の隅から、うっすらと男の姿が浮かび上がった。きちんと背広を着込んで、髪を七三にわけた男。いつも、にこにこと笑顔を絶やさない。四角く大きな顔に、いかにも人のよさそうな、八の字眉毛。笑うときにも口を大きく開けないのは、今にして思えば、あの乱杭歯を隠すためだったのだろう。

　男は屈んで手を伸ばしたが、幼い秀一は、母親の後ろに隠れた。本能的に、男の様子に、信用できないものを感じたのだ。顔は笑っていても、その目は怖かった。全体としての姿は、今とは似ても似つかないが、目だけは変わっていなかった。

「何しろ、離婚交渉が難航したからね。君のお母さんとは、ずいぶん、いろんな話をしたよ。一度、どうして、曾根みたいな男と結婚したのかと聞いたことがある。そのときの答えが印象的だったんで、今でも覚えてるんだ」

　加納弁護士も、昔のことを思い出しているようだった。

「お母さんが曾根と結婚した最大の理由は、お舅さん、君のお祖父さんである、櫛森清蔵さんとの折り合いが、あまりよくなかったからだったということだった。大正生まれで、厳格というか、箸の上げ下ろしにまでうるさい人だったらしいからね。結婚当初から息が詰まりそうなところがあって、早く、櫛森家から出たいと思っていたらしい。だが、清蔵さん夫妻が孫である君を溺愛していたんで、籍を抜くには理由が必要だった。そんなとき、一見フェミニストだった曾根に出会い、ついつい騙されてしまったらしい。お母さんは、罰が当たったんですって、おっしゃってたよ」

　秀一は目を伏せた。

「結婚は、大失敗だったそうだ。曾根隆司という男は、表面上は人当たりがよかったが、実際には、怠け者で酒乱、しかもギャンブル中毒で女癖も悪いという、最悪の男だったんだ。しばしば仕事をさぼり、給料が出ても家計にはほとんど金を入れず、逆に、お母さんの貯金まで使い込む。昼間から酒を飲んで暴れたあげく、お母さんや、幼い君に暴力を振るったこともあったらしいんだが」

再び、記憶が蘇生した。今度は、さっきより、ずっと鮮明だった。

小学校から帰ると、アパートの六畳間で、曾根が酒を飲んでいた。そばには空の一升びんが転がり、曾根はニホンザルを思わせる真っ赤な顔で、完全に目が据わっていた。

それまでに、酒乱の人間というものを身近で見たことはなかったが、何となく忌避した方がいい気配を察して、秀一は、そっとアパートに上がった。自分の机にランドセルを置いて、すぐに外へ行くつもりだった。

だが、次の瞬間、背後に危険な気配を感じた。振り返ると、曾根が立っていた。曾根は、恐ろしい目で秀一を見下ろすと、ただいまも言えんのかと怒鳴って、いきなり力まかせに殴りつけた。

秀一は吹っ飛んで、ごろごろと転がり、柱の角に額を打ち付けた。痛さよりも、血がどくどくと流れて、両手の間から滴ったことに、強いショックを受けた。

それからどうなったのかは覚えていないが、そのときの傷は、今でも、額にうっすらと残っている。

「お母さんが離婚を決意されたのは、やはり、君のことが一番心配だったかららしい。このままでは、いつか、殺されるのではないかとさえ思ったそうだ」

幼い子供の頃、秀一にとって、曾根隆司は、恐怖そのものだった。そのために懐かない秀一に対して、曾根がさらに虐待を繰り返すという、悪循環に陥っていた。

封印していた記憶がよみがえるとともに、アドレナリンが分泌されて、心臓の鼓動が早くなり、掌(てのひら)から汗がにじみ出してきた。

次に浮かんできたのは、ランドセルの映像だった。『それしゅういち』という忌まわしい名前の、『それ』の部分が塗りつぶされている。衝動的にマジックインキをつかんで、やったのだった。だが、あろう事か、それが曾根に見つかってしまった。身の危険を感じて、秀一は外に飛び出した。

裸足(はだし)のまま、公園で息を潜めていると、母が遥香を連れて来るのが見えた。そのまま、三人でタクシーに乗って、鵠沼のお祖父ちゃんの家に行った。ずいぶん長い間、車に揺られていたため、途中で止めて、遥香が吐いた記憶がある。

それ以来だと思う。それから今日まで、ずっとあの家で暮らしてきたのだ……。

「お母さんは、君と妹さんを連れて、清蔵さんの家に逃げ込んだということだ。清蔵さんは私に、お母さんが無事離婚できるよう取りはからってくれと依頼された。それ以前にも、私は清蔵さんの依頼を受けて、何件か、民事訴訟に携わったことがあったんでね」

秀一は、心を落ち着けようと、冷たくなった茶を飲み干した。

「それで、すぐに離婚できたんですか？」

「いや。さっきも言ったように、難航した。いや、それ以上だな」

加納弁護士は、複雑な表情になった。

「弁護士として、私は、もっと依頼人を守るべきだったのかもしれない。だが、ああいう人間に対して、当時、打つ手は限られていた」

「あいつが、何かしてきたんですか？」

「ああ。といっても、あからさまな暴力を振るったわけじゃない。そのあたりは、悪知恵が働くんだな。絶対に、警察に捕まるようなことはしないんだ。鵠沼の家に押しかけてきては、玄関で粘って、延々と脅し文句を並べたり、怒鳴ったりするだけだ。それだけでも堪ったもんじゃないのに、道の途中で待ち伏せしているようなこともあった。お母さんは、ほとんど外出もできなくなった」

「ストーカーですよね」

「今だったら、そうだな」

「最近はよく、半径百メートル以内に近づくな、とかいう判決が出てますけど」

「当時はまだ、そういう認識はなかったんだ。それでも、何とか裁判所に状況を説明して、不作為命令の仮処分をもらうことができた。……不作為命令っていうのは、誰かに対して、何か特定の行為をするなという命令のことだ。この場合は、櫛森家に押しかけるなということだね。だが、あの男が悪賢いというのは、あらかじめ、そういうことまで予期していたふしがあるからなんだ。君たちが逃げ出した後、あの男もアパートを引き払って、住所不定の状態になっていた。仕事は、ずっと前に首になっていたし」

「どういうことですか？」

秀一には、話の筋道が見えなかった。

「つまり、こういうことだ。裁判所の命令というのは、相手に送達されない限り、効力を発揮しないんだよ」

理解できるまで、しばらく間があった。あらためて、自分が相手にしようとしているのがどんな男なのかを知って、秀一は愕然とした。

「警察は、民事不介入で、離婚調停中の夫婦間というだけで、立ち入ろうとはしなかったし」

「あの男は、法律には詳しかったということですか？」

「まあ、そのあたりの法の不備については、不動産がらみのトラブルで、たまたま知っていただけかもしれないがね」

加納弁護士は、嘆息した。

「清蔵さんが、ああいう剛毅な人じゃなければ、どうなっていたかわからないな」

「でも、最終的には、離婚が成立したんですよね？　あいつも、最後には諦めたっていうことですか？」

「いや」

加納弁護士は首を振った。

「離婚訴訟を起こせば、当然勝てたはずだが、家族の誰かに危害が及ぶのを、君のお祖母さん、ハルさんがすごく心配してね。残念だが、結局は、金で解決したんだよ。清蔵さん夫妻が、老後のために蓄えていた預貯金や保険を解約して、多額の解決金を曾根に渡した。それでようやく、離婚が成立したんだ」

理不尽だと思う。本来なら、こちらが慰謝料を請求すべき筋合いではないか。

だが、祖父は、いわれのない金を払っても、とにかく、あの男と縁を切るべきだと考えたのだろう。祖父母が老後、楽しみにしていたであろう、様々なことを犠牲にしても……。

それよりも、嫁と孫たちの幸せを大切に思ってくれたのだ。

秀一は、つましかった祖父母の晩年の生活を思い出した。覚えている限り、遠くへ旅行するようなこともなかった。散歩だけが趣味で、いつも、鵠沼や鎌倉が一番だと言っていた。

一家の幸せは、自分の知らないところで祖父母の犠牲によって贖われていたのだ。秀一は、心の中で手を合わせた。

だが、あの疫病神は、性懲りもなく現れた。祖父母との約束を平気で反故にして……。

そのとき、加納弁護士が自分を見ているのに気がついた。よほど、怖い顔をしていたらしい。

秀一は、強張った表情を、努力して元に戻した。

帰りにも、横浜駅には、まだ雨が降り続いていた。

今ごろは、曾根隆司も、横浜にご出勤のはずだった。だからこそ、秀一は、家を空けることができたのだ。

直線距離ではそう離れていない場所に、あの男がいる。そう考えるだけで、胸がむかつくようだった。

東海道本線から江ノ電に乗り継いで家に帰ると、すでに夕方近くなっていた。

台所を覗く(のぞ)と、友子が、ロールキャベツを作っていた。甘ったるいケチャップなどは、いっさい入れず、さりとてトマトピューレも使わずに、トマトジュースを主体にして、大量の赤ワインを入れて煮込むのが、櫛森家流だった。外見ばかりではなく、味で勝負できる逸品である。大鍋(おおなべ)からは、ぐつぐつと、いい香りの湯気が立ち上っていた。

友子は、秀一を見て、ほっとしたような顔をした。案の定、曾根はまだ帰っていなかった。遥香は、友達の家に遊びに行っているらしい。

「どこ行ってたの?」

友子が訊ねた(たず)。

「横浜」

秀一は、さりげなく答えた。

「お友達と、一緒に?」

「いや、一人で」

「ふうん」

友子は、少し不思議そうな顔をした。

「映画でも、見てたの?」

「いや、弁護士さんと会ってた」

　母親の反応をうかがうが、別段、驚いた様子もなかった。

「弁護士さん？　由比高の先輩？」

「加納さんだよ。お母さん、よく知ってるだろう？　ほら。あいつと離婚するときに頼んだ」

　友子は、黙ってブーケ・ガルニを大鍋に落として、かき混ぜた。

「あいつをどうすればいいか、アドバイスを貰いに行ったんだ」

「……お金はどうしたの？　相談料だって、高いんでしょう？」

「ある程度持ってったけど、要らないって。一銭も、取られなかった」

「どうして？」

「高校生だからかな」

「そんなことないわよ。高校生だっていうだけでタダにしてたら、弁護士事務所だって、経営が立ちゆかなくなるでしょう？」

「だったら、たぶん、離婚の交渉のときに、充分なことができなかったって思ってるからじゃないかな」

　友子は、秀一の方を見た。

「どういうこと？」

「だからさ、結局は、金を払ったんだろう？　あいつに。だから、加納先生は、少し気が咎めてんだと思うよ」

友子は、流しで手を洗うと、エプロンを外した。

「それでさ、加納先生が、一度、お母さんと話したいって」

「どうして？」

「どうしてって、決まってんじゃん。あいつを追い出すには、お母さんが訴えを起こさないとダメなんだよ」

「そう」

秀一は、母親の煮え切らない反応に苛立った。

「そう、じゃなくてさ。きちんと、加納先生に相談してみてよ。力になるって、言ってたからさ」

「そうね。もう少ししたら、考えるわ」

「もう少しって？」

「とにかく、今はまだ。もう少しだけ、待って」

「どうしてだよ？　加納先生も、言ってたぜ。あんな男が家の中にいるのは、遥香にとっても、絶対よくないって」

「わかってる」

「わかってたら、何でだよ？　全然、理解できないな！」

突然、腹の底から激しい怒りが沸いてきた。母親を責めるべきではないと思っていたが、勝手に言葉が口から飛び出していた。

「まさかさあ、あんな奴と復縁したいなんて、思ってるわけじゃないよね？」

言ったとたんに、しまったと思ったが、もう遅かった。

友子は、大きく目を見開いて秀一を見つめた。秀一は、こっぴどく怒られることを覚悟したが、友子は、そのまま黙って台所を出ていった。

秀一は、強い罪悪感に襲われていた。母親の目の中には、怒りはなかった。そのことが、何よりもこたえていた。そこにあったのは、ただ、限りなく深い悲しみと疲労の色だけだったのだ。


夕飯が終わった後、秀一は、勉強部屋で一日の勉強のノルマをこなしてから、ガレージへ向かった。

かつて、秀一の父親が自動車事故で亡くなったこともあって、友子は、今でも車を買おうとはしない。鎌倉の店へは、ずっと、江ノ電で通っていた。

そのため、小型車なら三台は入る贅沢なスペースは、いつのまにやら、使わなくなったがらくたを雑然と詰め込んだ、広大な物置と化していた。

中学一年生の夏休みに、秀一は、このガレージをきれいに片づけることにチャレンジした。

まず、一週間かけて、まだ使えそうな品をより分けると、文字通りのガレージ・セールを行い、同級生や近所の人たちに安く売り捌いた。後に残った粗大ゴミについては、市役所に連絡して有償で処分してもらったが、それでほぼ、収支均衡というところだった。

次に、汚れ放題だった内部を、二日がかりで掃除した。コンクリート打ちの床は、永年堆積した塵埃で真っ黒で、秀一も、最初のうちは手をつかねていた。

尋常なやり方では間に合わないと判断すると、少々思い切った手段を取ることにした。ガレージの中にホースを導いて、三つの水道栓を一日中全開にしたのだ。さしもの大量の砂埃も、みるみる押し流されていった。ある程度、コンクリートが見えるようになると、水流に踝まで浸して、デッキブラシで床を擦った。

壁や天井は、さほど汚れておらず、一番難物だったのは、シャッターの裏側だったが、こちらも、ひたすら物量にものを言わせた、洗剤、ブラシ、放水の波状攻撃で、すっかりきれいになった。

友子は、昼間は出勤していたため、秀一の奮闘ぶりをつぶさに見ることはできなかった。だが、見違えるようになったガレージに一歩足を踏み入れて、思わず、感嘆の声を発したものだった。しばらくたってから、その月の水道代を見たときには、さすがに、かんかんになっていたが。

ガレージをきれいに掃除する代わりに、自由なスペースとして使っていいという許可は、あらかじめ、母親から得ていた。秀一は、それから三年間かけて、ここに、様々なものを持ち込んだ。勉強部屋にはとても入らない巨大な作業机や、ゆったりとした肘掛け椅子、冷蔵庫など。その多くは、よそで粗大ゴミに出ていたのを拾ってきて、庭できれいに洗ったものだった。

おかげで今では、深夜まで気兼ねなく、自転車をいじったり、絵を描いたり、パソコンを改造したりと、自由な時を過ごすことができる。何時まで起きていても、誰にも文句を言われることはないが、翌朝、眠さに苦しむのは自分自身である。自己責任の原則を体得するためには、自ら何度も、辛い体験をくぐり抜けるしかない。

今、肘掛け椅子の背に身体を預けて、秀一は、ガレージの中を見回した。

シャッターのある側の天井には、今は使っていない自転車のフレームなどが、フックで吊り下げてあった。その真下には、現在乗っているパナソニックのロードレーサーを置くスペースがある。

家への出入り口がある横手の壁には、自作の油絵や水彩画が掛けられていた。得意としているのは、雨や日没をテーマにした風景画である。イーゼルの上にも、描きかけの絵が載っていた。相模湾に落ちる夕陽を描いたものだが、途中で気に入らなくなって、中断したままになっていた。

秀一が今座っている奥側には、二つの長い机が並んでいた。

向かって右側はパソコン用のテーブルだった。筐体が三つに（うち一つは、空っぽのダミーだが）、ディスプレイが二つ、プリンターが一つ、スピーカーが二個、鎮座している。

近所の粗大ゴミに出ていたダイニング・テーブルの脚を、10センチほど短く切ったもので、重量物を置く奥半分には厚さ9ミリのコンパネを載せ、手前には、キーボードの滑り止め兼マウス・パッドとして、コルクのシートを貼り付けてあった。

左側には、頑丈な作業机があった。本格的な工具一式が揃っているほか、万力、糸鋸（いとのこ）、グラインダーなどが据え付けてある。その横には、小型の冷蔵庫があった。

奥の壁面には、三枚の長い杉板をボルトで止めて、書棚兼CDラックにしている。本やCDに混じって、昔凝っていた飛行機のプラモデルや、オリジナルな怪獣（クリーチャー）のフィギュアなども飾ってあった。

秀一は、パソコンを起動してから、手を伸ばして王菲（フェイ・ウォン）のCDを選び、CD-Romドライブに入れた。

パソコンのスピーカーから、透き通った歌声が流れ出す。アジアの歌姫という称号にふさわしい、美しいソプラノである。以前は広東語で歌っていたが、北京語に変えてからは、ずっと優雅で官能的な響きになったような気がする。どちらにしても、意味がわかるわけではないのだが、何度か出てくる『我快楽（ウオ・クワイロウ）』というフレーズだけは聞き取れ、何となく気に入っていた。

空のパソコンの筐体を開け、秘蔵しているバーボンのボトルを取り出す。ダークグレイのラベルが特徴の、I.W.ハーパーの101である。101というのはプルーフを表し、アルコール度数にすると半分の50・5度になる。最もポピュラーな金色のラベルのハーパーが40度なのに比べると、はるかに強烈で、華やかな香りが楽しめた。

101をショットグラスに注ぐと、冷蔵庫から氷と冷たい水を出して、大きめのグラスに入れた。101をストレートで呷り、口中に広がる香りを満喫してから、チェイサーで食道に落とす。バーボン特有の熱い塊のような感触を、胃の腑に落ち着くまで感じる。熱い吐息をつくと、酩酊が押し寄せてきた。

喫煙は、あまりにも害が大きすぎるので、手を出すつもりはなかったが、適度の飲酒は、神経系の過度の緊張をほぐしてくれる。度を過ごさなければ、健康にも問題はないから、自己規制のできる人間なら、たとえ未成年でも、酒を飲んでオーケーだというのが、秀一の持論だった。

ずらりと並んだ本の背表紙を眺める。ほとんどが、内外のミステリーだった。本格ものが多いが、倒叙ものと呼ばれる、犯人の側から犯行を描いた作品が、昔から特に気に入っていた。

数冊を手にとって、ぱらぱらと眺めてみる。特に参考になりそうな記述は、見当たらなかった。

もし、本気で事を成すつもりなら、小説ではなく、それなりの専門書を当たらなくてはならないのではないか。

そんな気がしたが、具体的に、何の専門書を読めばいいのかは、見当もつかなかった。巷には、『殺人マニュアル』という類のタイトルの本が氾濫しているが、実際に、ものの役に立つ殺人の指南書を売っているとも思えない。

思いついて、インターネットで、検索してみることにした。電話線は、自分で、家からガレージまで引き込んである。

検索エンジンを通じて、いくつかのサイトを覗（のぞ）きながら、思考を巡らす。そのうちに、うっすらと見えてきたことがあった。

『殺人学』という体系的な学問が、どこの大学の講座にも存在しない以上、必要な知識は、それぞれの計画に応じて、アド・ホックに得る必要がある。

だが、おそらくは、どんな場合にも必須（ひっす）の専門分野が、一つだけあった。

法医学である。

囲碁や将棋などの頭脳ゲームで、相手の次の一手を予測して自らの戦術を組み立てるように、完全犯罪を成し遂げるには、前もって、捜査側の手の内を読んでおかなければならない。

そう考えて、秀一は、法医学関係のＨＰ（ホームページ）を検索してみたが、思わしい情報は得られなかった。こればかりは、書店か図書館で、実際に書籍に当たるしかないかもしれない。

……だが、自分は、いったいどこまで真剣に、こんな事を調べているのだろうか。

すでに、三杯目の１０１を空けていた。酔いで、少し頭がふらついている。

このまま、あの男をのさばらせておくわけにはいかない。そのことだけは、はっきりしていた。

もちろん、そのためには、合法的な手段から、順次、考慮していかなければならない。

とりあえずは、母を説得して、加納弁護士に相談するのが先決だろう。

だが、もし、最終的に残った選択肢が、『抹殺』だったとしたら……。

秀一は、吐息をついた。

空想の中でならともかく、現実に、自分が人を殺せるとは思えなかった。

にもかかわらず、荒唐無稽(むけい)なアイデアを弄(もてあそ)んでいるのは、結局、マスターベーションでしかない。

しっかりしろ。現実的になれ。どうしたら、今、直面している問題に正しく対処できるのか、考えるんだ。

性急に抜本的な解決策を望むのは、頑是ない子供と同じ態度だ。曾根を、手っ取り早く、目の前から消し去ってしまうことなど、できるはずもない。とりあえずは現実を受け入れ、何とか我慢できる程度にまで、状況を改善することを目指すべきだ。

では、今、早急にやるべきことは、何だろう。家族を、曾根のどす黒い手から守るために、できることは。

一つのアイデアが、頭の中で形を取りつつあった。うまくいったとしても、対症療法でしかないが、場合によっては、かなり効果的かもしれない。

そのためには、まず、ネットを通じて、情報収集を行わなくてはならない。再び、検索エンジンのページに戻り、思いつくキーワードを手始めに、情報を渉猟し始めた。

夢中になり始めたとき、秀一は、はっとして顔を上げた。玄関で物音がしたのだ。

曾根だ。

今ごろご帰還ということは、曾根にとって、今日はラッキー・デイだったに違いない。負ければ、帰りの電車賃しか残らないだろうから、こんな時間にはならない。あぶく銭を得て、どこかの場末の飲み屋で、薄汚い祝杯を挙げていたのだろう。

秀一は、曾根が、勝手に作った合い鍵でドアを開け、家に入っていく気配をうかがった。しばらく待ってから、ガレージの電気を消して、ドアを開けた。

家の中は、真っ暗だった。二階の廊下で、曾根の傍若無人な足音がする。頑丈なはずの床板の軋みが、スーパー・ヘビー級の体重を暗示していた。

母親も、遥香も、ベッドの中であの音を聞いているはずだ。二人が怯えている様を想像すると、たまらない気持ちになった。

曾根は、突き当たりの部屋のドアを開け、中に入った。

秀一はしばらく待っていたが、それっきり、動きはなかった。やがて、激しい鼾が聞こえてきた。

秀一は、突き当たりの部屋の前に行くと、静かにドアを閉めた。足音を忍ばせて階段を下り、ガレージに戻る。

沸々と、怒りが煮えたぎってくる。

あんな屑のために、どうして、毎日、こんなに不愉快な思いをしなくてはならないのだろう。

死んだ方がいい人間は、確実に、この世に存在する。そんな人間を抹殺したとしても、非難されるいわれはない。むしろ、世間の人にとって有害なゴミを一掃したということで、賞賛されてしかるべきではないか。

パソコンの画面に目をやると、まだネットに接続したままの状態になっていた。秀一は、情報収集の途中だったことを思い出し、再び、医学関係のHPの閲覧に戻った。

徐々に必要な知識を蓄えて、おおまかな計画を練り上げる。問題は、必要となる薬物を、どうやって手に入れるかである。問題の薬品は、違法なドラッグではないものの、市販はされておらず、通常は、医師の処方箋なしには入手できない。

いろいろと考えたが、これも、インターネットを通じて行う以外にはなさそうだった。青酸カリの販売による自殺事件以来、当局の取り締まりが厳しくなっており、非合法に薬物を販売している『薬局』と呼ばれるサイトを探すのは、けっこう骨だった。まともに検索をかけるだけでは、なかなか見つけることができない。

秀一は、“krac”や“krack”、“crack”、“warez”、『われず』、『割れ豆』、『鯖』といった、定番のキーワードを手がかりにして、怪しげなアングラ・サイトやリンクス、BBSなどを一つずつ参照し、リンクやURLを辿っていった。

三時間後、ようやく、ひとつのサイトを発見することができた。個人でサーバーを立てているので、特定の時間しか、アクセスできないようになっている。

画面には、“K's Convenience Pharmacy”という標題が、真っ黒な背景に、赤い字で浮き出していた。どういう人間が運営しているのかは不明だが、注文可能な薬品のリストは、メラトニンやプロザック、ロゲインのように一般的な物から、聞いたこともない薬まで、多岐に亘っていた。

秀一は、膨大なリストを目で追っていった。『クラウド9X』、『5-HTP』、『セントジョンズワート』……。さすがに、毒物や向精神薬は含まれていないようだが、本来は、医師の処方箋がないと買えない薬品や、日本国内では、原則販売禁止になっている薬も、含まれていた。

いくらスクロールしてもきりがないので、五十音順リストの、『サ行』に飛ぶ。『サンメール内服液』、『サンリズム』、『ザンタック錠』、『サンディミュン』……。

そして、とうとう、探していた『シアナマイド液』の名前を発見する。

秀一は、『注文方法』をクリックした。

注文自体は、このHP上で行うことができるようだ。その後、指定された銀行口座への入金が確認されるか、EMS書留による送金が到着してから、二、三日で、商品は到着するということだった。

最後に、購入した薬品の一部は、日本国内においては、卸売り、小売り、転売、譲渡がすべて違法となることがあるとの、但し書きが付いていた。

秀一は、考え込んだ。このHP自体、どこまで信用できるかは、わからない。先に金を振り込ませるシステムなので、そのまま商品を送ってこず、HPも閉鎖されてしまうという危険性もある。

金のことは、最悪でも、諦めればいい。だが、注文の際に、相手にこちらのアドレスを探知されてしまう危険性は、見過ごせなかった。さらに、この点が最も致命的なのだが、商品を受け取ろうとすれば、こちらの住所と氏名を明かさなければならないという問題があった。

とりあえず、そうした問題点さえクリアーできれば、いつでも注文することができるように、“K's Convenience Pharmacy”をブックマークに登録しておくことにした。

こうしたアングラ系のサイトは、しばらく見ないうちに、すぐ消滅してしまう。秀一は、以前にブックマークに入れたアドレスの一つを、クリックしてみた。

てっきりなくなっているものと思ったが、ディスプレイには、白黒の顔写真が現れた。まだ幼さの残る、中学生の顔だった。

かつて日本中を震撼させた事件の、少年被疑者である。HPには、実名だけでなく、住所や本籍地などの個人情報までアップされていた。

少年法では、未成年の被疑者の顔写真や実名などを報道することを禁じているはずだった。だが、参加者全員が発信元になれるネット社会では、そうした規制は、ほとんど効力を持たない。日本国内のサイトを一つずつ潰しても、鼬ごっこにすぎず、結局は、海外のサイトに逃避するだけなのだ。

秀一はこれまで、少年というだけの理由で、どんなに凶悪な事件を起こしても手厚くプライバシーを保護される日本の法律には、疑問を抱いていた。この少年の素顔にしても、あれだけのことをやった以上、広く世間に知らしめるのは当然だと思う。

だが、今は、全く逆の観点から、同じ写真を眺めていた。

これは、警告だ。

失敗すれば、こうやって、さらし者にされる。

万が一、最終手段に訴える場合には、どんなことがあっても、失策を犯してはならない。


翌、月曜日の放課後、秀一は、急いで帰宅して私服に着替えてから、すぐに外出した。江ノ電に乗って藤沢に行き、小田急線に乗り換える。

新宿駅に着くと、最初に、売店で駅売りのタブロイド紙を二種類買った。次に、構内に出ている露店で、レジメンタルとペイズリー柄のネクタイを各一本と、薄い茶色のサングラスを購入した。

新宿駅の東口を出ると、紳士服の安売り店を探した。最も無難な紺の背広上下と、形状記憶をうたっているワイシャツ二枚を買う。次に、靴屋で、革靴そっくりの形をした、黒いウォーキング・シューズを求めた。

文房具店で、三文判を買う。とりあえず何でもよかったので、自宅のある『鵠沼松岡』からの連想で、『松岡』にした。『佐藤』や『鈴木』のような名字と比べると、多少は、もっともらしい感じがする。すぐ隣には薬局があったので、整髪料を選んだ。スプレーやジェル、ワックスなど、様々な商品が並んでいる。迷ったが、一番使い易そうなムースにした。

買ったものをスポーツバッグに詰め込んで、今度は新宿駅の西口に出る。高層ビル街まで歩いて、新宿センタービルの中地階のトイレに入った。このあたりには、前に一度だけ、来たことがあった。

上から下まで背広姿に着替えて、鏡を見ると、我ながら、けっこう様になっているような気がする。さらに、ムースを使って髪の毛を七三に固め、薄茶色のサングラスをかけてみた。余分な贅肉(ぜいにく)が付いていない顔は、少々若々しすぎる感じがしないでもないが、それでも、高校生には見えなかった。

これからが、若干の緊張を要するところだった。秀一は喫茶店に入ると、タブロイド紙の広告を調べた。

『私設私書箱』の広告は、いくつか出ていた。秀一は、携帯電話を持っていなかったので、喫茶店の電話から連絡を取ってみる。とりあえず、四つの店に、アポイントメントを取り付けた。

まず、新宿にある二軒を訪れることにする。残りは、新橋と上野だったので、できれば、新宿で決めてしまいたい。

最初の店は、西新宿の雑居ビルの一階にあった。正面はガラス張りで、どこか不動産屋のような雰囲気である。入り口付近には、小型の鍵付(かぎつ)きロッカーが並んでいた。

眼鏡をかけた中年女性が立ち上がり、にこやかに応対する。利用料は、個人名の場合、月に二千五百円。現金書留や、ボックスに入らないサイズの郵便物の保管には、一個一日あたり、二百円が必要とのことだった。

秀一はすっかり気に入ったが、契約の段になって、問題があることがわかった。運転免許証か保険証など、何か身分を証明するものが必要だというのだ。たまたま今日は持ってこなかったと言い張って、少し粘ってみたが、女性の態度が目に見えて冷たくなったため、これは無理だと判断し、退散することにした。

二軒目は、あらゆる意味で、最初の店とは好対照だった。ガードを越えた、歌舞伎町の一角にあり、同じ雑居ビルとはいっても、入っているテナントの種類が明らかに違っていた。

人一人がやっと通れるくらいの幅の階段を上がり、二階から、貨物用のような暗いエレベーターに乗る。五階で降りると、アパートのような鉄のドアに、会社名だけをワープロ打ちした、小さな張り紙がしてあった。

ノックしてからドアを開けると、奥から、タバコをくわえた貧相な男が出てきた。顎に絆創膏で脱脂綿を貼りつけており、見るからに胡散臭そうな感じがする。入り口付近には、やはり、私書箱のボックスが並んでおり、通路が鰻の寝床のように狭くなっていた。

さっき電話した者ですと言うと、奥に通された。スチールの事務机と、椅子が二脚あるだけの、殺風景な部屋だった。机の上には、今までやっていたらしい、クロスワードの雑誌と鉛筆が投げ出されていた。

男は、黙って壁に貼ってある利用案内を指さした。私書箱の使用料は、月に五千円だった。先ほどの店の、二倍である。それ以外の料金も、総じて、こちらの方が高かった。秀一が契約したいと言うと、契約書を机の上に置く。でたらめな住所と『松岡四郎』という偽名を書き込み、先ほど買った三文判を押した。半年分、二万五千円を前払いして、ロッカーのキーを受け取る。身分証を見せろとは、最後まで言われなかった。

暗いビルの中から明るい戸外に出ると、ほっとして、思わず伸びをしたくなった。

秀一は、その日の深夜、二本の『串(くし)』を経由して、"K's Convenience Pharmacy" に接続した。これでも、完全にこちらのログを辿(たど)られるのを防ぐことはできないが、ある程度のリスクは犯さざるを得ない。

秀一は、HPに示されるフォーマットにしたがって、偽名で薬品を注文し、今日契約したばかりの私設私書箱を、住所に指定した。

火曜日、学校で、ちょっとした事件があった。

四時間目は、選択科目の美術だった。生徒たちは、美術室に移動して、それぞれの課題の絵を描いていた。大半は、より簡単な石膏(せっこう)の胸像をデッサンすることを選んだが、やる気のある何人かは、美術室の窓から見た風景を油絵で描くことを選択し、秀一も、その一人だった。

美術担当の『ミロシェビッチ』こと山田教諭は、授業時間中も、展覧会へ向けての自作の制作進行に余念がなく、期限内に課題さえ仕上げれば、授業中に生徒がどこへ行こうと、まったく気にしない。

由比ヶ浜高校の生徒は、いたって真面目であり監督不充分をいいことに、どこかへ遊びに行ってしまうということはなかった。せいぜい単調なデッサンに飽きた生徒が、小声で無駄話をしたり、他のクラスの教師に気づかれないように、勝手に教室に戻ったりする程度である。

トイレから戻ってくると、紀子が、秀一の絵を手に取って見ていた。右手には、なぜか絵筆を持っている。

「ドラえもんを描き足すのは、勘弁してくれ」

秀一が声をかけると、紀子は、どきっとした様子で振り向いた。なぜか、耳が赤くなっている。赤面症の気があるとはいえ、怪しい。もしかすると、こいつは、本当に落書きをするつもりだったのかもしれない。

「……見てただけよ」

「お手本にしたい気持ちはわかるが、人真似では進歩がないぞ」

秀一は、紀子がイーゼルに戻した絵に、すばやく目を走らせた。幸い、発見が早かったために、被害は免れたようだ。

「悪いけどね、君の絵なんか、全っ然、参考にならないのよ」

「あまりにも、高度すぎるからだな？」

「たしかに、それなりの技術水準は、認めるけどね」

紀子は、キャンバスすれすれに絵筆を突きつけた。細筆の穂先には、薄茶色の絵の具が見える。秀一は目をつぶりかけたが、絵筆は一転して窓を指した。

「わたしの目がたしかなら、今、外は晴れてるように見えるんだけど」

「お前の目がたしかだと言うつもりはないが、今の天気は、誰が見たって快晴だ」

「だったら、どうして、絵の中では、どしゃ降りなのよ?」

『ミロシェビッチ』が顔を上げて、こちらを見た。紀子は、ぱっと口を押さえ、小声になる。

「今までだって、美術の時間に雨が降ってたことなんて、一回もなかったじゃない」

「気のせいだ」

「気のせいじゃない!」

再び、『ミロシェビッチ』に睨(にら)まれてしまう。しばらく黙っていてから、紀子は、追及を再開した。

「こんな絵見せたら、絶っ対、怒られるわよ」

「だいじょうぶだ。『ミロシェビッチ』はどうせ、雨が降ってたかどうかなんて、覚えてない」

紀子は、またもや大声を出しそうになったが、寸前で自制した。一応、学習機能はあるらしい。抑えた声で、ゆっくりと言う。

「他の絵が、全部晴れなのに、一枚だけ雨だったら、おかしいと思わない?」

「……おい。そんなことより」

途中で気がついて、秀一は遮った。

「お前、俺とは口をきかないんじゃなかったっけ？」

石岡拓也の一件以来、紀子とは、言葉を交わしていなかった。

「別に、そんなの、宣言した覚えはないわよ」

紀子は、ばつの悪そうな顔になった。ははあ、仲直りしたいんだなと、わかる。

「ははあ、仲直りしたいんだな？」

紀子は、唖然としていたが、「……馬鹿！」と言うと、憤然として離れていった。

美術の時間が終わると、美術室の隅にある針金でできた棚にキャンバスを置き、絵筆とパレットを洗って、教室に戻った。

学食に向かう途中で、紀子の後ろ姿を見つけた。一人だった。新参者ということもあり、クラスでは、まだ、特に親しい友達はできていないようだ。

秀一は、後ろから彼女の肩を叩いた。紀子は、怪訝な顔で振り返り、すぐに釣り上げたハリセンボンのような仏頂面へと変わった。

「何よ？」

何か、意外性のあることを言おうかと思ったが、とっさには、何も思いつかなかった。

「デートしようぜ」

我ながら、全然、面白くなかったと思う。紀子のリアクションに期待したが、案に相違して、眉を少しひそめ、まっすぐこちらを見つめてきた。

秀一は、たじろぎかけた。もしかしたら、完璧に怒らせたかもしれない。

「それ、本気なの？」

一瞬、耳を疑ったが、すぐに思い直す。いわゆる、ノリ突っ込みというヤツに違いない。途中まで芝居を盛り上げておいて、最後に、どすんと落とすつもりなのだろう。

「もちろん、本気だ」

芝居に付き合うことにして、にやりと笑って見せた。

「いっ？」

「そうだな、今度の日曜日なんか、どうだ？」

「……いいよ」

紀子はそう言うと、踵を返し、足早に歩み去ってしまった。

秀一は、その場に取り残された。

まるで、自分から仕掛けておいて、詐欺にあったような感じだった。内股をすかされ、すくい投げで一本。

だが、それほど悔しい気分でもないのは、なぜだろうか。心臓の鼓動が、ほんの少し、早くなっている。

何だ、これは。俺は、ときめいているのだろうか。自分の反応が、意外だった。紀子を相手に……。

大門に肩を叩かれて、秀一は、ようやく我に返った。

その週は、比較的、平穏無事に推移した。

曾根は、月曜日まで横浜に出張し、その後、火曜日から木曜日まで酒浸りの日々を経て、二十三日の金曜日からの三日間は、平塚へ出勤することが、あらかじめわかっていた。

そのため、秀一は、週の半ばをもっとも警戒していたのだが、曾根は、特に不穏な動きは見せなかった。

友子が、安い紙パックの焼酎と鯣などの『乾きもの』を大量にストックしていたため、曾根は、目覚めると鯨飲し、酔いつぶれては寝るという、規則正しい生活を送っていた。

もしかすると、母は、これで完全犯罪をもくろんでいるのではないか。秀一は、そんな疑いを抱くほどだった。おそらく、今でも曾根は肝硬変に近い状態にあり、このまま順調に行けば、いずれは食道静脈瘤の破裂などで、あの世へ行くだろう。(受け入れる側のあの世では、さぞかし迷惑するだろうが)

だが、それを待つのも、あまりにも気の長い話だった。

いずれにせよ、良い曾根隆司とは、死んだ曾根隆司だけだが、今週のように、ほとんど意識を失った状態の曾根隆司も、ましな部類だとは言えた。

金曜日に、秀一が学校から帰ると、曾根はいなかった。やはり、予想通り、今日からは平塚に通っているのだろう。

秀一は、安心してカバンを置き、私服に着替えて、江ノ電で藤沢に行った。さいか屋で、遥香に頼まれていた鍵を買う。

戻って一家三人で夕食を取っていると、曾根が帰ってきた足音がした。今日は、ツキに恵まれなかったらしい。友子が、曾根の部屋に酒食を用意しておいたため、キッチンで顔を合わせる事態は避けられた。

十一時半になると、秀一は、そっと曾根の様子を見に行った。すでに大鼾(おおいびき)をかいており、白川夜船状態である。まさか、これが擬態とも思えなかったが、遥香には、何かあったらすぐにPHSで連絡するように念を押した。さらに、自室のドアの鍵は施錠して、絶対に開けるなと言い置いて、外出する。

明日は第四土曜日なので、学校は休みになる。翌日が休みの金曜日か土曜日は午前零時から五時まで近くのコンビニでアルバイトをすることになっていた。

コンビニエンスストア『ハート・トゥー・ハート』は、準大手のチェーンだが、一部では、夢を抱いてコンビニを開業した人たちが、数多く失意の末に店を畳んでいることでも知られている。そのため、別名を、『ハート・ブレイカー』ストアというらしい。皮肉なことに、店のシンボルマークは、重なり合った二つのハートを、矢が射抜いているという図柄である。

苦戦している店が多い原因は、利益のほぼ半額を吸い上げる、阿漕(あこぎ)なフランチャイズの条件に加えて、本部のサポートが全然ないためだと、秀一は推測していた。

鵠沼店にしても、かなり経営は逼迫しているはずだったが、どうにか店は存続している。とはいえ、秀一のシフトである深夜に買い物に来る客は、非常に少なかった。いっそ営業時間を短縮すればいいと思うのだが、契約でがんじがらめに縛られているために、勝手なことはできないらしい。割高な時給を貰える上に、暇とあっては、文句を言う筋合いではないが。

「櫛森くん。じゃあ、あと、よろしく」

店長の神崎さんが、ハートマークの付いたエプロンをたたみながら言った。

「はい。わかりました」

見回したところ、店の中にいる客は、雑誌を立ち読みしているサラリーマン風の男と、売れ残った弁当を物色している作業着を着た初老の男だけだった。この時間でこれでは、閉店も近いのではないかと、心配になる。特にこの店の場合、毎晩、午前三時をすぎると、『凪』に入り、翌朝早く、ベンダーのトラックが来るまでは、完全に、人っ子一人いない状態になるのだ。

「今晩も、一人になっちゃうけど」

神崎さんは、すまなさそうな顔になった。唇の上には口ひげを蓄え、まだ四月だというのに、かなり日灼けしている。

「いやあ、どうせ、暇っすから」

「深夜勤で、ずっと一人はまずいって、オーナーと何度も話してんだけどね。特に、君は、十七歳だから、本当は、深夜勤務自体まずいわけだし……。でも、夫婦二人とも、過労でダウン寸前なんだよ。奥さんの膠原病（こうげんびょう）もよくないらしいし。今の経営状態じゃ、これ以上、アルバイトも雇えないしね」

神崎慎太郎店長は由比ヶ浜高校のＯＢで、後輩の面倒見もよかった。現在二十九歳だが、まだ独身で、サーフィンに人生を懸けている。片手にサーフボードを持って、自転車を操る技術は、単なる軽業を越え、妙技と言えるものだった。

「この辺には、コンビニ強盗も来ないですよ」

「まあ、うちみたいに、ろくに日銭もない貧乏な店は、狙わないだろうな。すぐ近くには、ローソンも、サンクスも、セブン－イレブンもあるんだし」

「あの、突然こんなこと言うの、何なんですが……」

秀一は、前から言おうと思っていたことを、切り出した。

「しばらくの間、バイト、休みたいんですけど」

「えっ。どうして？」

「ちょっと、うちの方で、いろいろ問題がありまして。それで、夜はうちにいてやりたいんです」

「う、うーん。そうか。弱ったな。急には、代わりも見つからないだろうしな」

神崎さんは、本当に弱った顔になった。

「まだ、しばらくなら、だいじょうぶなんですけど」

「うーん。櫛森くんには、全部、安心してまかせられるからね。機械にも詳しいし」

コンビニで使っているコンピューターは、ウィンドウズNTや98で動いているので、アルバイトの秀一の方が、店長やオーナーに使い方を教えることもあった。

「何とか、考え直してもらえないかな？　代わりといっちゃ何だけど、その問題っていうの、よかったら相談に乗るよ」

「……はあ」

これまで世話になっていたので、神崎さんに頼まれると、無下に断るのも気が引けた。結局、その晩は、結論を保留したまま別れた。

夜が更けていく。今日は、いつもにもまして、客が少なかった。

暇だ。

一応、客がいないときにやるべきことは、マニュアルに規定されていた。だが、手際よく店内を掃除したり、商品の陳列を直したりしてしまうと、もう、何もやるべきことが残っていなかった。本部のマニュアルも、ここまで暇であることは想定していなかったらしい。

無駄に時間を過ごすくらいなら、通信添削の問題の一問でも解きたかったが、防犯用のCCTVカメラが睨（にら）んでいるため、そういうわけにもいかない。カメラの役割の半分は、店員の不正や怠慢を防止することである。

しかたなく、雑誌のレイアウトに凝ってみることにした。雑誌の棚は、コンビニの内部だけではなく、外に向けてもディスプレイできる構造なので、せいぜい色彩感覚を発揮して、ショウ・アップを心がける。どうせ誰も見ないので、むなしい作業だとは思ったが、何もやらないよりは、ましだろう。

雑誌を手に取ったとき、外で、大きなエンジン音が轟(とどろ)いた。

ガラス越しに見ると、大型のバイクのシルエットが目に入る。乗っているのは、フルフェイスのヘルメットを被(かぶ)り、黒いTシャツとジーンズ姿の男だった。

男は、バイクを降りると、ヘルメットを被ったまま、こちらへ向かってきた。

まさか、コンビニ強盗だろうか。

秀一は、小走りにレジに戻った。

自動ドアが開き、男は、ヘルメットを被ったまま店内に入ってきた。

「お客様」

秀一は、声をかけながら、カウンターの下に用意してある金属バットのグリップを握った。相手が刃物を出したら、リーチの差を生かして、先制攻撃をかけるつもりだった。

「店内では、ヘルメットはお取りください」

男は、ゆっくりと秀一の方を向いた。ヘルメットの下から現れたのは、よく知っている顔だった。薄い眉(まゆ)。二重の垂れ気味の目。細く尖(とが)った鼻梁(びりょう)。短い髪は、茶色に染めてあった。

「……石岡」

秀一は、金属バットから手を離した。石岡拓也は、歩きながら、じろじろと店内を見回している。

「どうしたんだ？　久しぶりだな」

「お前、シケたとこで、バイトしてんな」

「悪かったな。お前んとこと違って、うちは、貧乏なんだよ」

石岡拓也は、笑わなかった。『本格・横浜中華街弁当』や『北海の味、ウニ・いくら丼』を手に取って、しげしげと見ると、さも下らない物のように放り出す。

こいつは、なぜ、こんなところまで来たのだろう。石岡家は昨年、鎌倉の梶原（かじわら）に引っ越していて、バイクなら、さほどの距離ではないが、こちらに来る必然性は、あまりなかった。

「最近、学校には出てきてないよな」

「学校？　用はねえよ」

「そのわりには、学校の近くでは、よく見かけるけどな」

「……人違いだ」

昼休みなど、学校の近くで、拓也の黒いエナメル塗装のバイクを見かけることがよくあった。人恋しいのかと思ったが、いつも距離を置いているので、声をかけることもできなかった。だが、本人は、あまりそのことに触れられたくないらしいので、秀一は、それ以上は聞かなかった。

石岡拓也は、秀一と視線を合わせることなく、コンビニの中を歩き回っている。

こいつは、いったい、何をしに来たんだろうと、不思議だった。どうやら、偶然立ち寄ったのではなく、意図して、ここに来たらしい。だが、秀一は、特に問い質すこともせずに、見守っていた。現在のところ、唯一の客だし、こんな時間に、図らずも級友に会えて、嬉しくもあった。

「元気そうじゃん」

拓也は無言だった。さっきから、一瞬たりとも立ち止まらず、うろうろと歩き回っている。

「家の人も、元気か？」

拓也の動きが、ぴたっと止まった。

「……あんなやつら」

吐き捨てるように言う。

「死ねばいいんだよ」

「そうか？　でも、本当に死んだら、いろいろと困るだろう」

「殺してやれば、よかったよ」

拓也は、初めて秀一と向き合った。

「お前が、よけいなお節介を焼かなきゃ、やれたんだ。あのとき……」

秀一は、拓也の視線を真正面から受け止めた。拓也は、しばらく秀一と睨み合っていたが、やがて目をそらした。

「今でも、うまくいってないのか？」

秀一の問いに、後ろを向いてしまう。

「だったら、もう一度、やってやればどうだ？　前回みたいに」

「うるせえ！　ひとのうちのことだと思って、好き勝手言ってんじゃねえよ！」

拓也は、激昂して叫んだ。

「俺がなあ、あれ以来、どんな目に遭ってきたと思ってんだ……！」

言葉が詰まる。

「なあ、あれ、返せよ」

「だめだ」

秀一は、にべもなく言った。

「ふざけんなよ。あれは、俺のナイフじゃねえか！」

「だったら、警察にでも、どこでも、訴えろ。今のお前には、危なくて返せない」

拓也は、喉の奥に何かが詰まったような音を発すると、手に持っていた商品を、力いっぱい床にたたきつけた。

プラスチックのパッケージが割れ、クリームやプリンのかけらが床に飛び散った。

拓也は、ヘルメットを被ると、そのまま出ていった。

秀一は、拓也のバイクが爆音を残して消えるのを見守ると、床に散った残骸を片づけた。

それから、レジでパッケージのバーコードを読んで、その分の金を支払った。

第三章　龍恋の鐘

目覚めると正午前だった。鳴る寸前で、しっかりと目覚まし時計を止める。

嫌な夢を見ていた。

最近、よく見る夢、誰かを殺した夢だった。すでに、殺害の実行行為は終わっていて、その死体を、どうやって処理しようか迷っているのだ。大きな肉の塊は、どうにも始末に困る。今のところは、ガレージの中に隠してあるが、このまま放置しておけば、夏場には、腐臭を放ち始めるはずだ。一刻も早く切り分けて、少しずつ搬出しなければならないと、真剣に悩んでいた。

奇妙なのは、まだ、殺人のことは発覚していないはずなのに、警察の捜査が、どんどん進展していることだった。その雰囲気は、時々刻々と伝わってくる。

唐突にシーンが変わり、秀一は、134号線をロードレーサーで走っていた。少しスピードを上げようとしただけで、逆風が力を増し、押し戻されてしまう。無限の悔恨と恐怖を感じながら、懸命に前に進もうとする。堅牢(けんろう)なはずのロードレーサーのフレームが、ゴムのように頼りなく曲がり、やがて、足が地面につかえて、それ以上、漕(こ)ぐことができなくなってしまう……。

夢だとわかったときには、馬鹿馬鹿しいと思いながらも、心からの安堵を覚えた。まだ、頭がすっきりしなかった。コンビニの夜勤明けには、いつも六時間前後しか寝られないため、非常に眠い。だが、せっかくの休日を、いつまでも、だらだらとベッドの中で過ごすつもりはなかった。

秀一は、気合いを入れて起き出した。大きく伸びをして、嫌な気分の残滓を振り払う。窓の外は、このところ続くはっきりしない天気で、今にも俄雨が降り出しそうだった。

いつも通り、丁寧に歯を磨き、さっとシャワーを浴びると、昼食の席に着く。疫病神は、今日も平塚だろう。願わくば、同じような屑と、些細なことで喧嘩にでもなり、刺し殺されればいいのにと思う。

昼食は、炒飯だった。飯の照り加減といい、卵の膨らみかたといい、細かく切ったソーセージやネギの焦げ具合といい、相変わらず見かけは完璧である。秀一としては、自分で作った焼き飯の方が、圧倒的に見場は悪いものの味は上ではないかと、ひそかに思っていた。

食事中、遥香の口数が少ないのが、気になった。

「体の具合でも悪いのか？」

二階の部屋に入る前に声をかけると、遥香は、黙って首を振った。

「まさか、昨日、何かあったんじゃないよな？」

今朝早く帰宅したときには、当然ながら、みな、寝静まっていた。事件が起きた場合には、電話で連絡があっただろうと考えて、そのまま眠りについたのだが。

「そんな……たいしたことじゃないけど」

「いいから、言ってみな」

「昨日の晩、トイレに行きたくなって、ドアを開けたら……」

遥香は、不安そうに、ドアノブをいじくった。

「そしたら、そこに、立ってて……」

誰がなどとは、聞くまでもなかった。同じ家にいては、どうしても、無防備になる瞬間ができてしまう。何か、早急に策を講じる必要があった。

「それで、どうした?」

「すぐにドアを閉めて、鍵をかけたんだけど」

「まだ、何かあるのか?」

「うん。しばらくたってから、ノックする音がして」

「あいつが、ドアを叩いたのか?」

「うん。そうだと思う」

「それで?」

「……それだけ。じっとしてたら、聞こえなくなった」

あの外道は、いったい、どういうつもりなのだろうか。秀一の中で、激しい怒りと疑問が同時に渦巻いた。まさか、いい年をして、本気でこんな子供を狙っているのか。

遥香は、内心の動揺を紛らわせるためか、しきりに爪立つような動作を繰り返している。

「……とにかく、この鍵だけじゃ、不安だな。昨日、さいか屋で新しい鍵買ってきたから、今から付けてやるよ」

「ほんと？　よかった」

じっと待ち伏せをされて、出てきたところを狙われたら、どんな鍵を付けても用をなさない。だが、今は、少しでも妹の不安を取り除いてやりたかった。

秀一は、ガレージから道具箱を取ってくると、遥香の部屋のドアに、新しいラッチ錠を取り付けた。デッド・ボルトを受ける金具の強度が、少々不安だったので、ドリルで壁に穴を開け、別の金具をネジ止めして、上から補強した。

ドアは年代物だが、分厚い欅の一枚板で、蝶番も非常に頑丈な造りだった。これなら、ピーター・アーツでも、容易に蹴破ることはできないだろう。

遥香は、嬉しそうな顔で、何度もラッチを回しては、重いボルトが出たり引っ込んだりする様子を眺めていた。

妹を不憫に思う気持ちが、湧き上がってきた。

とにかく、このまま放置するわけにはいかない。ガレージまで聞こえるようなブザーや、場合によっては、スタンガン、ペッパー・スプレーなども必要だろう。

明日、秋葉原か新宿へでも行って探そうかと考えかけて、思い出した。すでに、先約が入ってしまっている。

日曜日は、爽やかないい天気だった。テレビの天気予報によれば、関東地方の近くに、熱帯低気圧の残骸である低気圧が居座っており、午後からは再び大気が不安定になる可能性があるということだったが、見る限りでは、湘南の空は、真っ青に晴れ渡っていた。

地元の中高生に人気のバーガーキングは、真正面に、江ノ島大橋を望む位置にあった。去年まで同じ場所には、通称「江ノ島マック」というマクドナルドの優良店があったのに、ある日突然、ライバルに衣替えしてしまったという謎の店でもある。

紀子は、二階席の窓から、こちらを目敏く見つけて、手を振った。

秀一は、階段を上った。

「よう。早かったな……」

言いかけて、絶句する。

「どうかした?」

「いや、何でもない」

見慣れない私服姿の紀子を見て、思わずどきっとしてしまったとは、言えなかった。

それにしても、こいつは、何を考えてるんだろうか。上から下まで白一色で決めているところは、ほとんど、アイドル・タレントのノリだった。いくら何でも、白いベレーのような変な帽子は、やりすぎだと思うが。

現に、店内でも、異様なまでに注目を集めているではないか。こちらは、普段着丸出しの、茶色いワークシャツにチノパンという格好なのに、不調和も甚だしい。

「……さあ、行こうか」

「ちょっと、待って」

紀子は、あわてて、ストロベリー・シェークを飲み干す。

「それで、どこ行くの？」

にこにこしながら訊く。いつもこういう態度だと、こいつも可愛いのだが。

「決まってるじゃないか。何のために、こんなとこで待ち合わせしたと思うんだ」

「え？」

「そこだよ」

秀一は、窓から、江の島を指さした。ここからだと、鬱蒼と茂った木々の塊のように見える。

「ははは。冗談は、いいから。で、本当は、どこ行くわけ？」

「江の島」

「嘘でしょ」

「何で、嘘なんか、つかなきゃならないんだよ」

「だってねえ……」

紀子は、眼筋の動きだけで、「どうかしたんじゃないの？」というメッセージを巧みに表現した。

「江の島の、どこが悪いんだよ。湘南有数の観光スポットだし、みんな、東京から、わざわざやって来るんだぞ」

「それは、県外の人の話でしょう。地元のわたしたちが、今さら江の島行って、どうするのよ?」

「そこが、案外、盲点なんだよな。お前、この前江の島行ったの、いつだった?」

紀子は、考え込んだ。

「そうだろ? な? 言うほど、行ってないんだよ。きっと新しい発見があるぞ。だから、江の島。決定!」

本当は、遠出するのが面倒で、可能な限り近場ですませたかっただけだが、もちろん、そんなことは口が裂けても言えない。二人は、バーガーキングを出て、134号線の地下をくぐり、歩行者用の江ノ島弁天橋を歩いた。

空には、鳶が何羽も舞っている。湘南の空では、鳶とカラスが制空権を争っているが、さしもの気の強いカラスも、大きな鳶は恐れているらしく、相手が群れている場所には、ある程度以上は接近しようとしなかった。

紀子は、上を見上げた。

「このへんのトンビって、すごい。ヒッチコックの『鳥』みたい」

「そこらの店で、餌付けしてるらしいからな」

「へえー」

「お前、地元民じゃなかったのか？」

「だって、うち、北鎌倉だし」

「ほおー」

「何、それ。超感じ悪い」

「それに、トンビなら、学校の近くにもいるだろうが？」

「でも、何か、ちょっと感じ違くない？　このへんのと、種類、別なんじゃないかな」

「あのなあ。直線距離で、5キロぐらいしか離れてないんだぞ？」

「あ。でも、もうここ鎌倉じゃないしね。辺境の、何とかいう市でしょ？」

「……悪かったな。藤沢は田舎で」

「そうでもないけど。でも、ほら、うち、北鎌倉だから」

ジャブのような軽口の応酬をしながら歩いていると、だんだん、鬱屈(うっくつ)していた気持ちが晴れてくるのを感じる。来る前は気が進まなかったのが、嘘のようだった。

久しぶりの好天に恵まれた上に、横にいるのは、黙ってさえいれば、すれ違った人が振り向くくらいの美少女なのである。客観的に見れば人も羨(うらや)む状況なのかもしれない。

日曜日ということもあって、カップルや家族連れの姿が多く目に付いた。

青銅の鳥居をくぐって、両側に土産物屋が建ち並ぶ急坂を登ると、江ノ島神社に出た。

男女の厄年の一覧表が張り出してある。紀子は、いかにも興味なさそうに通り過ぎようとしたが、秀一は立ち止まった。

「何、どうしたの？」

「たいへんだ。これを見てみろ」

秀一は、女性の厄年の欄を指さした。

「お前、来年は、十八歳だろう？　つまり、受験の時は、ちょうど前厄に当たるわけだ。かわいそうに。これで、一浪は、ほぼ確定的だな」

紀子は、一瞬ぐっと詰まった。

「そんなの……現役受験生は、大半がそうじゃない！」

「そうとも言うな」

歩いて上まで登るのも、妙に高い靴を履いている紀子には辛そうだったので、江ノ電のエスカーと称する乗り物に乗った。要するに、屋根付きのエスカレーターである。

「『ナル』なら、たぶん、途中から転げ落ちるな」とつぶやく。

エスカーを降りると、紀子が訊ねた。

「ねえ、前から聞きたかったんだけど、なぜ、宮地香織ちゃんのこと、『ナル』って言うの？」

「何だ。まだ、知らなかったのか？」

「全然。あと、なんで、杉山大輔くんが『四郎』で、B組の窪田誠くんが、『三島』とか『ザー』なのかも……」

「そうか。誰も教えてくれないか。お前、友達少ないもんな」

「なこと、ないわよ！　ただ、この話題だけ、みんな、嫌な顔して避けるから」

「誰に聞いたんだ？」

「え？　杉山くんたちだけど……」

本人に直接訊ねるという、紀子の融通のきかなさに呆れたが、命名者としての責任上、歩きながら、レクチャーしてやることにした。

「『四郎』というのは、『眠り狂四郎』に由来している」

「眠狂四郎……？」

名前くらいは聞いたことがあっても、イメージが湧かないらしい。

「杉山はずっと学年トップだけど、その分、遅くまで勉強してるんだろうな。一年生の時には、一時間目も二時間目も三時間目も寝るという荒技を得意にしていた。あまりにも、授業中、眠り狂ってたから、眠り狂『四郎』と命名した」

「…………」

「ここまで来れば、『ナル』というのが、どういう意味かわかるな？」

「どこが、ここまでなのかわからないけど……。でも、やっぱ『ナルシスト』の略？」

「ブッブー。『居眠り病』の略に決まってるじゃないか」

「ナルコレプシーって？」

「時と場所を選ばずに、突然、眠ってしまう病気だ。あいつも、いつでもどこでも、瞬間的に眠りに落ちるんだ。どんな厳しい先生の授業のときでもな。不眠症の人間には、もう、憧(あこが)れの的だ」

「……君が一年生のときのクラスでは、授業中、誰も起きてなかったの？」

「もちろん、誰かは起きてたさ。考えてもみろよ。そうでなきゃ、誰が寝てたのか、わからないだろう？」

「はいはい。わかりました。その通りね。……で、『ザー』くんというのは？　その人も寝てたわけ？」

「いや、あいつは、起きてたな。練習でそれほど疲れてないときは、だが」

窪田誠は、並はずれた長身で、一年生のときからバレー・ボール部のレギュラーだった。

「『ザー』はだな、最初は『ゲイザー』と呼ばれてたんだが、『ゲイッ』と紛らわしいんで、『ザー』だけになったんだ」

「『ゲイザー』って、何よ？」

「『ゲイザー』は、『スターゲイザー』から来ている」

「『星を見つめるもの(スターゲイザー)』？　ＳＦアニメか何かだっけ？」

「違う。お前、『ザー』の顔、知ってるか？」

「ううん……名前だけ」

「一年の時の英語の副読本に、『スターゲイザー』という魚が出てきたんだが、その写真が、あいつにそっくりだったんだ。特に、目が上向きに付いてるところとかがな。和名は『ミシマオコゼ』で、『三島』というのは、これが語源だ」

「目が、上向きに付いてる……？」

「カエルとか、ムツゴロウみたいな感じかな」

「でも、人間なのに、それ、どんな顔……」

紀子は、理解に苦しむ表情だった。

秀一は、紀子の困惑している顔も、なかなか可愛らしいことを発見していた。

ほぼ一年前の、彼女の姿を思い出す。あのときは、凄い目で睨まれて、内心、びびったものだった。今とは、まったく、別人の観がある。

福原紀子と初めて会ったのは、中学三年のクラス替えのときだった。ウェーブのかかった茶色い髪と派手な化粧、レッグ・ウォーマーのようなルーズソックスが印象に残っている。

クラスの中でも浮いていて、多くの生徒からは、明らかに、怖がられていた。放課後や週末は、わざわざ電車を乗り継いで渋谷まで行き、そこで知り合った仲間と遊んでいるという話だった。援助交際をしているのではないかという、無責任な噂さえ飛んでいた。

より確度の高い情報によれば、紀子の父親は一流商社マンだが、女癖が悪く、家庭内では喧嘩が絶えないのだという。その後、母親も、張り合うかのように、外を出歩いて浮気をするようになったそうだ。そうした環境を反映して、中一のときは真面目だった紀子も、しだいに荒れるようになったらしい。

秀一は、初対面で、なぜか、彼女が自分を偽っているのではないかという疑いを抱いた。

本当は、もっと女らしく優しい子なのではないか。それが、傷つくのが怖くて、棘だらけの殻に閉じこもっているような気がした。

今でもそうだが、秀一は、しばしば、思ったことをそのまま口にしてしまうことがある。そのときも、つい何気なく、「福原は、本当は、女らしい優しい子なんじゃないか？」と言ってしまった。

聞いていた級友たちは、みな、呆気にとられたが、一番激烈な反応を見せたのは、当の紀子だった。どぎまぎした様子で、耳まで赤くなり、顔をそむけたのだ。

面白い、というのが、秀一の第一印象だった。これは、面白い。

頭にあったのは、『ドルシネア』のことだった。

『ラ・マンチャの男』というミュージカルの挿話である。主人公のドン・キホーテは、自分が騎士であるという妄想の中で、安酒場の売春婦をしているアルドンザという女が、『ドルシネア』なる気高い姫君だと思いこみ、以降、彼女を『ドルシネア』姫と呼んで、恭しく接する。アルドンザはもちろん、最初は当惑し、馬鹿にされていると思って怒り、ドン・キホーテを激しく罵る。

だが、この後、奇妙な逆転が起きるのである。

ドン・キホーテが、治療によって妄想を失い、同時に生きる気力をもなくして瀕死の床についたとき、駆けつけたのは、アルドンザだった。そして、自らを『ドルシネア』だと名乗り、懸命に、ドン・キホーテの妄想をよみがえらせようとするのである……。

人間は、毎日、同じことを言い続けられれば、その気になるのかもしれない。ましてや、それが、無意識の願望と一致していれば。

それ以来毎日、秀一は、機会を捉(とら)えて紀子に話しかけ続けた。下心があるとか、阿(おもね)っていると誤解されそうな言辞は避けた。ただ、普通にしゃべりながら、「本当の」彼女は、ツッパリ少女などではなく、心優しい女の子だということを、さりげなく強調し続けたのである。

紀子は、思った通り、表面上は苛立(いらだ)ち、反発を見せた。だが、内心がそうでないことは、動揺している態度と顔色に表れた。特に、秀一が、周囲の人間の反応をまったく気にしないことを知って、驚いているようだった。

紀子が、自分に惹(ひ)かれ始めているらしいこともわかった。人の心を弄(もてあそ)ぶような行為に、まったく気が咎(とが)めなかったわけではない。自分のやっていることは、本質的に洗脳実験と変わらないのだから。

だが、少なくとも、この実験は、彼女を「善導」するものであるという確信はあった。さらに、秀一自身、毎日同じことを言い続けることによって、もはやそれが、実験なのか、本当にそう思っているのか、わからなくなりつつあったのだ。

一年後、思わぬ別離が待っていた。中学を卒業すると、紀子は、関西の高校へ進学したのである。両親の離婚に伴い、母親の実家のある神戸に引っ越すためらしかった。

別れの場面は、短かった。

紀子の服装や髪の色は、一年前とほとんど同じだった。だが、その目つきは、以前より、ずっとやわらかく、優しくなっていた。

またどこかで会おうぜという秀一の言葉にも、紀子は、ただ黙っていた。だが、最後に教室を出るとき、こちらを振り返った。秀一は、その目に、何か光るものを見たような気がした。

こうして、『ドルシネア効果』を実証するための実験は、未完のまま終わった……かに思えた。

それから一年後、今月の初めに、紀子が、突如として由比ヶ浜高校に編入してくるまでは。

背景には、紀子の両親の復縁があった。父親のいる鎌倉に引っ越しするということで、特別に編入試験を受けられたらしい。とはいえ、学区内で二番目に偏差値の高い由比ヶ浜高校にすんなり入れたということは、向こうで、かなりの猛勉強をしてきたに違いなかった。

そして、秀一は、一年ぶりに再会した紀子を見て、その変貌ぶりに目を見張った。

男子三日会わざれば、刮目して見よというが、女の子の変わり様は、その比ではないのではないか。

紀子は、髪を黒く染め直し、生徒手帳のモデルかと思うような、きちんとした制服姿で登校してきていた。秀一と目が合うと、後ろを向いてしまったが、黒髪の間から覗いている色白の耳が、赤くなっていた。

あのとき、たしかに、秀一の心臓は、一度だけ激しく高鳴った……。

「何、トリップしてるの？　変な薬かなんか、やってない？」

紀子が、秀一の目の前で、掌を何度か横切らせた。

「うん？」

「この前みたいに、怖い顔で考え込んでるのも嫌だけど、遠い目をしながら、にやにやしてるのも、相当不気味だよ」

「どっちにしても、ダメなんじゃないか」

「さあさ、こっち行くわよ」

紀子は、いつのまにか先に立って歩いていた。石段になったなだらかな坂の前に、立て看板がある。

新名所、江の島。恋人の丘入り口……龍恋の鐘？　たしか、前に来たときには、こんなものはなかったと思う。

「なあ、向こうの方が面白いんじゃないか？」

「だめ。こっち」

紀子は、取り合わず、どんどん先に坂を登っていく。秀一も、仕方なく後に付いていった。

海を一望にできる、見晴らしのいい場所に出た。

海岸からそれほど離れているわけではないのに、ここから眺めると、なぜか、相模湾が太平洋と繋がっているという実感が湧いてくる。島のこちら側では、カラスや鳶の姿は、ほとんど見えなかった。波は穏やかだったが、崖の下を見ると、間断なく岩礁にぶつかって砕け散るため、一面に白くなっていた。

丘の突端には、二枚の衝立に屋根を付けただけの、小さな鐘楼が建っていた。屋根には『龍恋の鐘』という文字が刻まれ、小さな釣り鐘が下がっている。

大学生くらいの男女が、何か冗談を言って笑い合いながら、二人で鐘を鳴らしていた。意外に澄んだ音色だった。二人は、ちらりと秀一たちの方に視線を向けてから、坂を降りていった。

秀一は、鐘楼の案内板を、声に出して読んだ。

「昔むかし、鎌倉の深沢山中の底なし沼に五つの頭をもつ悪龍が住みつき、村人を苦しめていました。子供をいけにえに取られることから、この地は子死越と呼ばれて、恐れられていました……。げえっ。腰越って、そういう意味だったのか」

ひとつ勉強になったなと、うなずきながら踵を返すと、紀子に背中をつかまれた。

「そんな、中途半端なとこで納得しないでよ。その後にちゃんと、ハッピーエンドがあるじゃない」

しかたなく、案内板の続きに目を走らせる。要約すると、ある日海上に密雲がたれ込め、天地が揺れ動いた後に、天女が現れ、江の島が誕生していたという。五頭龍は、たちまち天女の美しさに魅せられてプロポーズするが、悪行を理由に断られる。その後、五頭龍は改心して天女と結婚するという物語だった。

「これはおかしい」

　秀一は、即座に断じた。

「何でよ。伝説なんだから、少々理屈に合わないのは、当たり前でしょ？」

「それにしても、めちゃくちゃだ。こんなにさんざん悪いことをした悪龍が、どうして、罪を償うこともしないで、簡単に天女と結婚できるんだ？」

「いいじゃん。ちゃんと改心して、悪行を止めたんだから」

　紀子は、なぜか悪龍の肩を持つ。

「それ以上におかしいのは、この話は、そもそも、江の島が誕生したいわれを説明するものだろう？　だけど、江の島は、ストーリーラインには、全然関係ないぞ」

「いいのよ。そんな些細なことは」

　紀子は、強引に秀一の疑問を圧殺した。

「問題は、ここを訪れた男女は、必ず一緒に鐘を鳴らさなくてはならないということよ。さもないと、それは恐ろしい五頭龍の呪いが、その身に降りかかってくるんだって」

「どこに、そんなこと書いてあるんだよ？」

　紀子は、鐘の下についている、ロープを握った。

「ほら。君も持って」

しかたなく、一緒にロープを振って波打たせる。さっきよりも、景気のいい音が響く。

「はい。これでＯＫ。二人のうち一方が、嘘をついたり、相手に言えないようなことをしたときには、この鐘が自然に鳴り出して、教えてくれるというわけね」

「だから、どこに、そんなこと書いてあるんだって」

紀子は、ふいに真面目な顔になった。

「君に、ひとつ、聞きたいことがあるんだけど。……いい？」

反射的に、「だめだ」と答えそうになったが、紀子の真剣な態度に、思わずうなずいてしまう。かすかに、鼓動が早くなる。

「……石岡くんのことなんだけど」

秀一は、ひどくがっかりしている自分に気がついた。

「その話か」

「ごめん。だけど、どうしても、気になって」

秀一は、鉄柵に両手をかけて相模湾を見下ろした。相変わらず、太陽は照っていたが、少し、波が大きくなってきている。雲も出てきたようだ。

「この前も聞いたけど、君が石岡くんをけしかけて、彼の両親とお兄さんを殴らせたっていうのは、本当なのね？」

「そういう言い方をすれば、本当だな」

「なぜ？」

秀一は、溜め息をついた。本来なら、この話は、ずっと自分の胸にしまっておくべきものなのだろう。だが、自己中心的な理由ではあるが、これ以上、彼女に誤解を受けたままなのは耐えられなかった。

「拓也は、両親と兄貴を、ナイフで刺し殺す計画を練っていたんだ」

「えっ」

紀子は、衝撃を受けたようだった。

「ただの空想じゃない。あのままだと、間違いなく実行していた。俺は、あいつとは古い付き合いだったから、それが確信できた。あいつが持っていたナイフというのが、また、洒落んならないっていうか、殺傷力充分というヤツだった。だから、俺は、そのナイフを取り上げた。でも、それだけでは、不充分だ。あいつは、必ず、別の凶器を使ってやるに決まってる。だから……」

「だから、代わりに、殴らせたの？」

「あいつの腕力だったら、それで誰かが死ぬとは考えられない。素手で殴っただけなら、よくある、ただの家庭内暴力だし、取り返しがつかないことにはならないと思った」

「でも……そんなこと。ほかの解決方法は、なかったの？」

「あいつの中では、家族に対する憤懣が鬱積して、爆発寸前になっていた。だから、どうしても、一度、何らかのアクションを起こさせて、ガス抜きをする必要があったんだ」

紀子は、考え込んでいた。

どうやって石岡を動かしてたのか、紀子が聞かないでくれたことに、秀一はほっとして
いた。その方法を聞けば、当然、彼女自身のことにも思いがいたるからだ。
秀一は、毎日、石岡に向かって囁き続けたのだった。
優等生の兄貴だけを可愛がり、成績の悪い弟は人間扱いしない。そんな下らない親は、
殴ってやって当然だ。両親のロボットみたいな兄貴も、一回ぶちのめしてやれば、少しは
まともになるんじゃないか。
だが、得物を使って勝っても、向こうは、そんなものに頼らなきゃ反抗できないのかと、
せせら笑うだけだ。両の拳だけで打ち倒してこそ、本当の勝利になる。そんなヤツらが相
手なら、楽勝だろう。人間の顔面は、骨の上を薄い肉が覆ってて、ほどよい弾力があるぞ。
力いっぱい鉄拳を喰らわせてやったら、きっと、すかっとするって……。
秀一の中には、もしかすると雨降って地固まるのではないかという、淡い期待もあった。
あえて暴力という最終手段に訴えることによって、いかに、拓也が家族の中で辛い思いを
していたかを、両親にわかってもらえるかもしれない。
だが、おといコンビニに現れた拓也の様子では、物事は、そう都合よくは運ばなかっ
たようだ。拓也は、暴力を振るったことに対するペナルティのみを科され、どうしてそう
せざるを得なかったかという理由については、誰にも斟酌してもらえなかったのだろう。
だったら、拓也に家族を殴らせるという思い切った手段は、誤りだったのか。
いや、そうではない。あれは、緊急避難だった。崖から飛び込もうとしている人間を見

つければ、とにかく引き戻すのが先決だろう。それを指して、問題の根本的な解決になってないと非難するのはお門違いだ。

紀子が、口を開いた。彼女の中でも、ようやく結論が出たらしい。

「わたし、櫛森くんがやったこと、間違ってるとは言えない」

秀一は、うなずいた。

「でも、やっぱり、暴力は、何も解決しないと思う」

紀子が言葉を続ける前に、秀一は遮った。

「それは、同義反復(トートロジー)だろ」

「どういうこと?」

紀子は、戸惑った表情を見せた。

「最初っから、『暴力』と規定してるじゃないか。『暴力』というのは、いわば、不正な力の行使だろう? 物事を解決する力は、不正じゃない」

「でも、わたしが言いたいのは……」

「少林寺拳法に、こんな言葉がある。力無き正義は無力なり。正義なき力は暴力なりって。正義に裏打ちされた力は、最も効果的に問題を解決するんだよ。いや、力以外に、実効性のある解決方法が、いったいどこにあるんだ?」

「…………」

「昔、ヨーロッパでテロが横行していたとき、アメリカは、リビアを爆撃した。国家によるテロだと、喧々囂々の非難が起こったが、結果、問題となっていたテロ行為は激減した。イラクがクウェートに侵攻したときも、多国籍軍が軍事力を行使したから、撃退できたんだ。ユーゴスラビアでも、結局は、同じ結果になると思う」

「アメリカのやってることは、全部、正しいの？」

「そうは言ってないよ。たとえば、広島と長崎への原爆の投下は、アウシュビッツなんかと並ぶ、人類史上の汚点だ。あれは、明らかに、不必要で、過剰かつ残虐な暴力だった。……だけど、だからといって、力の論理そのものが、間違ってるということにはならない。現実の世界では、空想的な平和主義なんか通用しない場合が多々ある。常識が通用しない相手、話してわからない相手には、もう、実力行使しかないだろう？　今の日本にだって、殺す以外には、どうしようもない屑野郎が、そこら中に充満してると思わないか？」

秀一は、言葉を切った。紀子は呆気にとられている。

「……もしかして、退いてる？」

「ちょっとね」

秀一は、自分が我知らず熱くなってしまったことに、当惑を覚えていた。自分の中には、常に、曾根の問題が、しこりとなって残っている。そして、そのことを思い出すたびに、怒りのほむらが、めらめらと燃え上がるのだ。

「やめようぜ。今日は、こんな議論をしにきたわけじゃないもんな」

楽しいはずの時間にも、無意識のうちに、あのことが影響しているのだろうか。

「ごめん。わたしが、石岡くんの話なんか、振っちゃったからかな」

紀子は、頬を膨らませた。

「でも、初デートで熱く語る話題は、ふつう、国際政治じゃないんじゃない？」

曾根の傍若無人さは、まるで、秀一の我慢の限界を試しているかのようだった。居間でリクライニング・チェアに座り、新聞を読みながら、まるで自分の家であるかのようにくつろいでいる曾根の姿を見ると、秀一は、名状しがたい不快感を感じた。

幸いというべきか、曾根は、居間の洗練された調度に、むしろ居心地の悪さを感じるらしく、二階の突き当たりの部屋にとぐろを巻いていることの方を好んだ。

だが、最近では、ドアが開け放たれたままのことが多い上に、台所にあったCDラジカセを勝手に持っていって、夜中でもおかまいなしに、大音量で演歌のテープをかけることがあった。祖父母の仏壇も置かれていて、神聖で静謐だったはずの場所は、いつしか、櫛森邸の中で、近づきがたく忌まわしい場所になってしまった。

秀一と遥香は、二階にいる時間そのものを、極力、短くするようになっていた。勉強も、居間かガレージで行い、自分の部屋に戻るのは、寝るときだけだった。

遥香は、なんだかんだと理由を付けて、眠りにつく時間を、できるだけ後回しにするようになっていた。そのために、寝不足が重なって辛そうな顔だったが、気持ちが分かるだけに、友子も秀一も、早く寝ろとたしなめることはできなかった。

二階に上がるときには、遥香は、必ず秀一のエスコートを頼んだ。秀一は、妹が部屋に入って鍵をかけるまで、見守ってやった。トイレに行きたいときなどは、遥香は、境の壁を、三回叩くことになっていた。

だが、いくら秀一が気をつけていても、二十四時間、遥香をガードすることは不可能である。

火曜日の夕方だった。たまたま秀一が先に部屋に入り、後から遥香が階段を上ってきたとき、運悪く、奥から出てきた曾根と出くわしてしまったのだ。

遥香は、立ちすくんだが、曾根の横をすり抜けて、自分の部屋に逃げ込もうとしたらしい。ところが、その前に、曾根が立ちふさがった。

「お前は、帰ってきて、父親に挨拶もできんのか？」

ドスの利いた声は、秀一の耳にも届いた。弾かれたように、猛然と部屋を飛び出す。

「おい。何をやってる？」

秀一の声に、曾根の巨体が、ゆっくりと振り向いた。四角い大きな顔。その目が、秀一の持っているものに吸い寄せられる。

秀一は、手元を見下ろし、自分が、無意識のうちに金属バットを握りしめて出てきたことに気がついた。まったく偶発的に、全面対決になりそうな雲行きだった。秀一は、即座に肚を決めた。

「何をやってるって、聞いてんだよ。答えろ！」

ここは、絶対に退くことはできない。戦うしかない。

「お兄ちゃん……」

遥香が、泣きそうな声で呼んだ。

曾根は、無表情なままだった。物を見るように秀一を一瞥すると、再び、遥香の方に近づこうとする。

「きさま……！」

秀一が一歩前に出ると、曾根は、ぐるりとこちらを向いた。

「何だ？　何を喚いとるか。この糞餓鬼が」

視線の高さは、かなり違う。八の字眉の下で、黄色い肉食獣のような目が煌々と光っていた。

秀一は、怯みそうになる気持ちを叱咤した。ここで負けたら、だめだ。戦うんだ。汗ばんだ手で、金属バットを握り直す。

「遥香に手を出すな！　この……変態爺い！」

激昂してつかみかかってくるのではないかという予測に反して、曾根は、薄ら笑いを浮かべた。

「父親が、娘に礼儀を教えて、何が悪い。妙な気を起こしてんのは、お前の方じゃねえのか？」

「何だと？」

「けっ。色気づいた餓鬼が。発情した犬コロみてえに、四六時中、遥香のケツにべったりまとわりつきやがって。やりてえのか？　え？　だったら、やりてえって言ってみろ？」

何だ。こいつは、何を言ってるんだ。秀一は、混乱した。俺を怒らせて、先に手を出させようとしてるのか。

だが、今なら、負けるとは思えない。このバットを振り下ろせば、勝負はつく。まてよ。向こうは、それを狙ってるのか。バットをかわすか、受け止めるかして、接近戦に持ち込もうとしているのかもしれない。

だったら、こちらは、その先まで用意してやろう。バットを脳天に振り下ろしながら、体当たりし、足払いをかけて、階段の下に突き落としてやる。酔っぱらいの反射神経では、スピードについて来られないはずだ。それに、この角度なら、遥香を巻き添えにする心配はない。

殺してやる。

階段から落ちたのなら、事故ですむ。こいつの血中からは、高い濃度のアルコールが検出されるはずだ。母も遥香も、絶対に、口裏を合わせてくれる。

今が、チャンスだ。

秀一は、バットを八双（はっそう）に構えた。殺気を感じたらしく、曾根の顔色が変わる。間合いをうかがうように、横に移動した。そのために、曾根と遥香が一直線上に来てしまった。

だめだ。これでは、体当たりするわけにはいかない。

だったら、フェイントをかけて、膝頭を打ち砕いてやる。

こうなったら、もはや、事故ではすまないだろう。だが、妹を守るためという理由なら、正当防衛にならないか。だめだとしても、こちらには、少年法という味方がある。たとえ撲殺したとしても、死刑も、長期刑も、ない。

「この餓鬼が……。本気でやる気か？」

曾根が、吠えた。

覚悟を決めたはずなのに、どうしても、一歩が踏み出せない。最後の一歩。闇の中への一歩、殺人者となる一歩を。この期に及んで、まだ、常識や良心が邪魔をするのか。それとも、俺はまだ、この屑野郎を恐れているのだろうか。

一触即発の膠着状態が続いた。だめだ。このままでは、バットを持っている手が疲れたところで、逆襲を喰らってしまう。こちらが有利なうちに、先制攻撃をかけるしかない。

なのに……。

秀一が動かないのを見て、曾根の表情に変化が表れた。明らかに、先ほどより余裕が感じられる。

「どうした、糞餓鬼？　威勢が良かったのは最初だけか？　ふん。ブルって、ションベン漏らしそうなツラだな」

秀一は、真正面から曾根の姿を見据えた。この人間の屑が、いったい、この家で何をしてるんだ。このダニが。寄生虫が。腹の底から燃え上がった凶暴な怒りが、全身を熱くした。金属バットの先が、武者震いで小刻みに揺れている。

「お兄ちゃん、だめ！」

　遥香が叫んだ。

　そのとき、下で、何かが床に落ちる音がした。買い物から帰ってきた友子が、袋を落としたのだ。血相を変えて、階段を駆け上がってくる。

「何してるの？　あなたたち！　やめなさい！　やめて！」

　友子は、秀一と曾根の間に割って入った。

「秀一！　バットを下ろしなさい」

　秀一は、動かなかった。曾根に睨まれ、身体が硬直していたのだ。

　友子は、曾根の方に向き直った。

「あなたも、やめてください！　約束が違うじゃないですか！」

　約束というのは、何のことだろう。秀一は、ぼんやりとそんなことを考えていた。

「俺は、何もしてねえよ。この餓鬼が、いきなりわけわかんねえこと喚いて、飛び出してきやがったんだ。頭がおかしいんじゃねえのか？」

　曾根は、平然とうそぶいた。

「とにかく、もう、やめてください。お願いですから」

　友子が必死に懇願する。腕にかかったままのバッグから財布を出して、ろくに確かめもせずに何枚かの札をつかみだし、曾根の手に握らせた。

「これで、気分転換でもしてきてください」

曾根は、ふんと鼻で笑うと、秀一に鬼のような視線を向けてから、ゆっくりと階段を下りていった。

秀一は、バットを下ろした。指先が痺れて、ほとんど感覚がなかった。

「お兄ちゃん……」

遥香が、泣きながらしがみついてきた。

秀一は、「だいじょうぶだよ」と言いながら妹の頭を撫でてやったが、胸の中は、苦い敗北感でいっぱいだった。自分の無力さを、歯がみするほど悔しいと思った。


パソコンのデスクトップでは、マスコット・キャラクターであるピンクの3Dウサギが、『今日はみどりの日・お休みだよぉー!』というプラカードを持って、跳ね回っていた。プラカードの下に表示されている時計は、午後一時八分を指している。

加納弁護士が来るのは一時半の予定だから、まだ少し、時間がある。

わざわざ、ガレージに勉強道具を持ち込み、通信添削の問題に取り組んでいたのだが、なかなか気持ちを問題に集中することができなかった。

マグカップに、コーヒー粉の入った紙のフィルターを載せて、電気ポットの湯を注いだ。芳しい香りが立つ。

CD-Romドライブに、サラ・ブライトマンのCDを入れる。ランダム再生にしてあるので、どの曲から始まるかわからない。哀調を帯びたイントロから、澄み切った歌声が流れ出した。“So Many Things”だ。一番好きな曲から始まったことで、少し気をよくする。

コーヒーをブラックのまま啜り、もう一度、英文の読解問題に挑戦した。

途中で、“Last straw”という表現が出てくる。「最後の藁」とは、何のことだろうか。考えても意味が推測できなかったので、英和辞典を引く。

“Last straw／the straw that breaks the camel's back”とある。「駱駝の背中をへし折る藁」とは、ますます奇怪な表現だった。日本語訳では、「いやな事が重なる、泣き面に蜂」となっている。

だが、意味的に、今ひとつ、しっくりこない。秀一は、英語の長文を最初から読み返した上で、駱駝の背中と藁の関係について考えてみた。

そうか、と思う。これは、臨界点のことだ。駱駝の背中に、一本ずつ藁を乗せていく。やがて、どこかで耐えられる荷重の限界がやって来て、駱駝の背中はへし折れる。その、最後のとどめとなる一本の藁が、“Last straw”なのだ。

だとすれば、ここでは、「我慢の限界」とか、「堪忍袋の緒が切れる」とでも訳した方がよさそうだ。

前に書きかけた訳を消しゴムで消して、新しい解答を書き込む。テーブルの前半分にはコルクのシートを貼ってあるため、下敷きを使わないと、鉛筆が紙を突き破ってしまいそうだった。

再び3Dウサギのプラカードを見やると、一時十八分だった。さっきから、まだ十分しか経っていない。

秀一は、鉛筆を置くと、問題の制限時間を計るのに使っている、チェス・クロックを止めた。ネジを回して、ダミー・パソコンの筐体(きょうたい)の蓋(ふた)を開ける。I・W・ハーパー101の残量を確認すると、この間、『ゲイツ』から買ったばかりなのに、もう残り少なかった。最近、明らかにアルコールの消費量が増えている。

酒瓶を元に戻し、代わりに、厳重に梱包(こんぽう)した包みを取り出した。ガムテープを剝(は)がし、何重にも巻いてある包装紙を、丁寧に取り除く。中から出てきたのは、三十センチほどの長さの、黒いナイロンの鞘(さや)に収まったナイフだった。

柄を留めているスナップを外すと、灰色の柄を握って引き抜いた。左右対称になった、両刃のナイフだった。刃渡りは、定規で測ったら、17・5センチもあった。しかも、途中には、刃がギザギザになった部分がある。こんな物で刺されたら、どんな人間でもひとたまりもないだろう。

あの屑(くず)野郎も、瞬時に絶命するはずだ。

しばらく、ナイフの刃の放つ危険な光に見とれていた。ナイフには、たしかに、魔力のようなものが備わっている。錯覚かもしれないが、力の感覚を与えてくれるのだ。自分が、実際より強く、大きな存在になったかのような気がする。

拓也から取り上げなければ、石岡家で惨事が起きていたことは明らかだろう。いずれは返さなくてはならないが、その時期は、よほど慎重に見きわめなくてはならない。

ナイフを鞘に戻したとき、表で足音がした。続いて、玄関の呼び鈴が鳴る。

加納弁護士だ。ウサギのプラカードは、一時三十三分を示していた。

秀一は、シャッターの前まで行って、耳を澄ませた。

ドアが開く音。加納弁護士に応対しているのは、母だ。低い声で、お休みの日なのに申し訳ありませんとか、たいへんご迷惑をおかけしてなどと言っている。

祝日にもかかわらず、加納弁護士に頼んで来てもらったのは、明日からはまた、曾根が日中は出かけてしまうからだった。弁護士に直接話をしてもらえれば、曾根も態度を変えるのではないかという、淡い期待があった。

すべては秀一の独断で、友子には事後承諾であるだけに、かなり当惑している様子がうかがえる。

秀一は、テーブルの前に戻ると、スピーカーの音量を下げて、耳にイヤホンを入れた。

昨日のうちに、応接間には盗聴器を仕掛けてあった。FM電波を飛ばす市販の機器ではなく、電話機の中に高性能のマイクを隠し、電話線と一緒にラインをガレージまで引き込んであるのだ。したがって、関係のない他人に、偶然傍受される危険性はない。

「……秀一くんは？」

応接間のマイクが拾った、加納弁護士の声が聞こえる。感度は良好なようだ。

「外出しております。子供たちには聞かせたくない話なので。遥香も、友達の家に遊びに行かせました」

こっそりと舞い戻って、母親の話を盗み聞くことに、罪悪感を感じないわけではない。

だが、立ち会いたいという秀一に対して、友子は強硬に反対し、とりつく島もなかった。

なぜ、母は、曾根に対して、もっと毅然とした態度をとれないのか。

まず、それがわからなければ、どんな対策も立てることができない。

「何だ、てめえは？」

イヤホンの中に、いきなり曾根の声が響いた。どきりとする。

「弁護士の、加納といいます。ずっと以前に、離婚調停のときにも、お目にかかっているはずですが」

「知るか……。けっ。弁護士が何様だ？　しょせん示談屋だろうが」

曾根の声は、破鐘のように響いた。

「休みの日に、人がせっかく寛いでるとこを、邪魔しやがって。何しに来た？」

「話し合いですよ」

「てめえと話すことなど、何もねえ！」

「しかし、あなたがこの家にいることで、子供さんたちが、迷惑を蒙っているということなんでね」

「あんな餓鬼が何を言おうと、知ったことか。この家の主は、友子だろうが？　友子が、何か不都合があるって言ってんのか？」

「いや、しかしですね……」

「だったら、家族の問題に、クチバシを突っ込むんじゃねえ！　おい、てめえ！　つまらねえイチャモンつけやがって、カスリでも取ろうってのか？」

『話し合い』は、ほんの数分で終わった。曾根が、加納弁護士に対して、一方的に、聞くに耐えない罵声を浴びせかけ、席を立ってしまったからだ。

秀一は失望していた。予想していたこととはいえ、曾根に対しては、どんな交渉も通用しないことが、これで、はっきりとわかったからだ。多少は、弁護士という肩書きに効果があるかとも思ったが、それも、希望的観測にすぎなかったようだ。

応接間に残された加納弁護士のところに、友子が戻ってきたようだ。

「先生。……たいへん、申し訳ありません」

「いや、私は別に」

さすがに、加納弁護士も苦笑しているようだ。

「ですが、あの男をこのままにしておくのは、お子さんの教育上も、よくないとは思われませんか？　私には、秀一くんの心配が、よくわかるんですが」

「……はい」

「ああいう男は、情けをかけたからといって、それを恩義に感じるようなことは、ありませんよ。逆に、いったんカモと見ると、搾れるだけ搾ろうとする」

友子は無言だった。かつては結婚していたのだ。そのぐらいのことは、よくわかっているのだろう。だとしたらなぜ、と秀一は思った。

「とにかく、曾根に、この家からの退去を求めてはいかがですか？　その上で、応じないようなら、しかるべき法的措置を執ります。とにかく、まず、櫛森さんが意思表示をしてくれないことには」

「はい」

「何か、問題がありますか？　こんな事をお聞きして失礼ですが、あの男に脅されているとか？」

「……いいえ」

嘘だ、と秀一は直感した。母は、曾根に脅迫されている。だから、何一つ有効な手を打てないでいるのだ。だが、あの外道は、いったい、どんな脅し文句を使っているのか。

「もしかして、娘さんのことが、ネックになってるんじゃないですか？」

友子は、答えなかった。ほとんど、肯定したに等しい。秀一は、狐につままれたような気持ちだった。遥香のことが、なぜ、ここで問題になるのだろう。

「……もし、曾根が、親権を求めてきたら、どうなるんでしょう？」

沈黙の後、友子が訊ねた。秀一には、しばらく、シンケンという言葉の意味が理解できなかった。

「だいじょうぶですよ。裁判所が、あんな男に、遥香ちゃんを委ねるようなことはありませんから」

「でも、戸籍上は……」

「まだ、曾根の籍に入ったままなんですか？」

「ええ。離婚のときに、私と秀一だけが抜けて」

「じゃあ、住民票では、この家の『同居人』になってるわけですね？」

「はい」

秀一は、初めて知る事実に、打ちのめされ、茫然自失していた。遥香が曾根の娘だった……。もし、それが事実なら、どうして、今まで気づかなかったのだろう。

母親が再婚したときには、自分は四歳だった。遥香は一歳だったはずだ。曾根の連れ子としてやって来たのなら、それなりの記憶があってもよさそうなものだが、思い出したくない不愉快な事実として、無意識のうちに封印していたのかもしれない。

秀一は、できうる限り、昔のことを思い出そうとしてみた。だが、遥香が本当の赤ん坊だったころの記憶は、何一つよみがえってこなかった。自分も、まだ三、四歳なら、覚えていなくても、不思議はないかもしれないが。

「……離婚後、真剣に養子にすることも考えたんですが、どうしても、曾根に連絡が付きませんでしたから」

「なるほど。あんな男でも、一応は実父ですから、承諾が必要ですね」

「先生。曾根が承知しなければ、どうしても、遥香を養子にすることはできないんでしょうか？」

初めて、友子の口調が熱を帯びたものになった。

「実の親に著しい不行跡などがある場合には、特別養子という手もあるんですが、それには、養親が夫婦揃ってないとだめなんです。ただ、遥香さんは、今、いくつでしたっけ？」

「十四歳です」

「だったら、あと一年で、自分の意思で、養子になることができるようになりますよ」

「自分の意思で、ですか……」

友子の口調が、弱々しくなる。

「遥香さんには、まだ、このことは知らせてないんですね？」

「ええ。折を見てとは、思ってたんですが」

友子の口調は、歯切れが悪かった。

「就学のときとかは、どうされてたんですか？」

「教育委員会からは、『曾根遥香』として就学通知が来ました。私は、小学校に頼んで、『櫛森遥香』という通称名で通えるようにしてもらったんです。中学校でも……」

家族の中で遥香の名字だけが違っているとすれば、思い当たることがある。今まで、不思議に思っていたが、深く考えたことはなかった。

これまで、自分と遥香のどちらかが風邪を引いたときなどは、必ず、病院まで母が付き添ってきた。一人でだいじょうぶだと言っても、わざわざ仕事を休んでまで来てくれた。単に、過保護というか、心配性なのだとばかり思っていた。要するに、この年齢になるまで、保険証を持たしてもらったことが一度もないのだ。修学旅行の時でさえも。

「先生。もし、曾根が、遥香の親権を求めて裁判を起こしたら、遥香には、すべて知られてしまうんでしょうか？」

「そうですね。もう十四歳だという事を考えると、家裁での審判では、遥香さんも意見を聞かれることになるかもしれません」

「そうですか」

「ですが、もう、打ち明けてもだいじょうぶな年だと思いますよ。いつまでも、隠しておくわけにもいかないでしょうし」

「……ええ」

母が恐れていたのは、遥香に、自分が曾根の娘であり、母とも自分とも血の繋がりがないことを知られることだったのだろうか。

いや、それだけではないはずだ。

もし、曾根が本気で遥香を引き取ろうとしているのなら、裁判所から親権を認められなくても、黙って引っ込むとは思えない。もっと強引な手段、脅しや暴力に訴えることも、当然考えられる。

加納弁護士が帰るまで、友子は、曾根に退去を求めるかどうかについて、はっきりした答えをしなかった。答えることができなかったのだろう。

秀一は、思考に沈んでいた。

遥香が曾根の娘だというのは、ショッキングな事実だった。だが、曾根の狙いは、本当に、遥香なのだろうか。

あの男に、娘への愛情などあるとは思えない。もしあれば、離婚のときに、遥香を引き取ろうとしたはずだし、今までほったらかしにしておくはずがない。

おそらく、曾根が本当に欲しいのは、金だけだ。遥香の親権についてちらつかせることで、母の動揺を誘い、再び、なにがしかの金を引き出せると踏んでいるのだろう。

何という親だ。人間の屑め。

イヤホンを外しかけると、再び、音声が飛び込んできた。

「帰ったのか？」

曾根の声だった。二階から、降りてきたのだ。

「……ええ」

「弁護士を呼ぶってか。ふざけやがって。あの餓鬼が！　ちょっと痛い目を見せてやらんといかんようだな」

「やめてください！　秀一に手を出すっていうなら、警察へ行きますよ！」

友子の剣幕に押されたように、曾根は黙った。

「あなたは、これ以上、私たちに、どうしろっていうんですか？　部屋だって提供したし、お金だって……」

「あんな端金で、がたがた抜かすな。小遣いにもならんわ」

曾根は、鼻で笑った。

「でも、私たちにとっては、大切なお金なんです」

友子は、大きく息を吸ってから言った。

「通帳を、返してください」

「何のことだ？」

「とぼけないで。あなたが箪笥から勝手に持っていった、遥香の通帳のことです。あれは、遥香の進学のために積み立てたお金なのよ」

「知らんな。おおかた、あの餓鬼が持ち出したんじゃねえのか？」

「そんな……」

何か物を叩きつけるような大きな音が聞こえ、秀一は息を呑んだ。立ち上がって駆けつけようかと思ったとき、再び、母の声が聞こえた。声の調子からすると、曾根から、直接、暴力を振るわれたわけではないらしい。

「子供の金を親が活用して、何が悪い？」

「活用って……？　まさか、あのお金を？　え？」

「俺はただ、可愛い遥香のために、金を倍にしといてやろうと思っただけだ。あのカスが落車さえしなきゃ、鉄板だったんだが」

「使ったんですか？　全部？」

「うるせえ。四の五の言うんじゃねえ。家族が助け合うのは当たり前だろうが」

「あなたとは、もう、離婚して、赤の他人です」

「俺は、まだ、別れるのを承知したわけじゃねえぞ」

曾根は、うそぶいた。

「今でも、俺たちは家族だ。死ぬまで、一蓮托生なんだよ」

「そんな……私たちは」

「いいか。これ以上、俺を怒らすな。こっちは、もう、怖い物はねえんだ。舐めた真似しやがると、まず、あの糞生意気な餓鬼から、ぶっ殺すからな」

そして、何の音も聞こえなくなった。

秀一は、イヤホンを取ると、ガレージを出て、母屋に入った。

そっと応接間に向かう。そこには、誰もいなかった。加納弁護士に出したらしい紅茶が、テーブルの上に置かれたままになっている。

曾根は、二階の部屋に帰ったらしい。母は、どこにいるのだろうか。

階段を上がる。無意識のうちに、足音を忍ばせていた。

曾根の部屋へ行こうとする途中で、母親の寝室から、物音が聞こえるのに気がついた。

ドアの、すぐ前まで行く。ノックをしようとして、やめる。ためらってから、厚いドアに耳を押し当てた。

聞こえてきたのは、信じられないような音声だった。

秀一は、雷に撃たれたように全身を硬直させた。怒りと恥辱に、手足が顫え、目の前が赤く染まる。馬鹿な……そんな、馬鹿な。

次の瞬間、ガレージに取って返していた。自分が何をしようとしているのかに、ようやく気づいたのは、パソコン・テーブルの上に置いたままになっていたナイフを抜き、固く握りしめたときだった。

生まれて初めて経験する、血液が沸騰しそうな激怒に襲われていた。怒りは、紅蓮の炎のように燃えさかり、目の前がうっすらと赤く染まる。おそらく、今までにも、何度も。

あの屑が、母を……。よくも……。

殺してやる。ずたずたに、切り裂いてやる。

母屋へ通じるドアに手をかけたまま、秀一は、膝から崩れ落ちた。

ちくしょう……ちくしょう……。

母は、自分たちを守るために、甘んじて、曾根の要求に従ったに違いない。

もし、自分があの場に飛び込んでいけば、どうなるか。何もかもを、一番知られたくなかったはずの子供に知られてしまえば、母は、どれほどショックを受けるだろう。

ましてや、曾根を刺殺すれば、自分は、殺人犯として警察に逮捕される。センセーショナルな事件は、たちまち血に飢えたマスメディアの好餌となり、日本中に喧伝されることだろう。そうなれば、遥香の将来まで、閉ざしてしまうことになる。

だめだ。そんなことはできない……。

秀一は、自分が泣いているのに気がついた。

あの屑が来たことで、櫛森家のささやかな幸福は、めちゃめちゃになってしまった。

俺はいったい、何を見ていたんだろう。本当に守らなければならなかったのは、遥香ではなく、母の方だったのに。

自責の念が、ぎりぎりと心を苛んだ。

心の中で、何かが、音を立てて切れるのを感じる。

『最後の藁』。そして、駱駝の背骨は、轟音とともに破断した……。

涙は、いつのまにか、乾いていた。

秀一は、テーブルの前に座り、空のパソコンの筐体から、101のボトルを取り出した。

ラッパ飲みすると、食道が焼けるような刺激があった。胃袋から、熱い感覚が上ってくる。

パソコンの画面が、フリーズしているのに気がつく。ピンクの3Dウサギは、瞬間冷凍されたように固まっていた。

のろのろと、マウスを動かしてみる。ポインターも固まったままで、クリックしても、反応がない。再起動しようとしたとき、ふいに、画面上にメッセージが現れた。

『このプログラムは不正な処理をしたので、強制終了されます』

そして、ウサギは消滅した。

「この人間は不正な行為をしたので、強制終了されます……」

曾根という人間は、生きている限り、周囲に害毒を垂れ流し続けるだろう。

あの男の人生など、『強制終了』させられて当然だ。

もはや、そのことに疑いはなかった。

だが、その実行には、限りない危険が伴う。本当に、それだけの覚悟が、自分にはあるだろうか。闇の中へ一歩を踏み出すという……。

秀一は、椅子の背にもたれて、目をつぶった。

静かな激怒が、ひたひたと心を満たしていく。それは、今までの、真っ赤な炎のような怒りとは、異なっていた。秀一の脳裏で輝いていたのは、鮮やかなブルーの炎だった。最も深い思索を表す色。だが、その冷たい色相とは裏腹に、青の炎は、赤い炎以上の高温で燃焼する。

秀一は、すでに、自分が決断を下しているのに気づいた。残されている問題は、技術的なことにすぎない。

第四章　最後の藁

土曜日は、誰もが、無条件で開放的な気分になる。まして、明日からのゴールデン・ウィークを控えていれば、日頃は真面目な生徒たちが、浮き足立っていたのも、無理はなかった。

それでもまだ、一、二時間目は、いつもよりざわついているという程度だったが、最後のロング・ホームルームの時間になると、ほとんど収拾がつかなくなってきた。誰もが、心ここにあらずという状態で、頻繁に私語をかわし、果ては紙礫(かみつぶて)が飛び交う始末だったが、担任の『飼犬』こと犬飼教諭は、ろくに注意を与えることもなく、文字通りの座視を決め込んでいた。

議長と副議長に選ばれた生徒も、いつものことと割り切っているらしく、喧噪(けんそう)の中で、粛々と議事を進行していく。

秀一は、騒ぎには加わらなかったが、さりとて、ホームルームの内容（または無内容）にも、まったく関心を払っていなかった。目を半眼に閉じ、席に座ったまま、胸像のように身じろぎもしない。

紀子が、隣の席から何度も話しかけてきたが、ほとんど上の空で、返事もしなかった。

腹を立てた紀子は、細かく切った消しゴムのかけらをぶつけてきたが、頭に命中したときにも、うるさいなと思っただけで、特に反応は返さなかった。

長く退屈な時間がついに終了すると、どっと歓声が上がった。たまたま掃除当番だった不運な生徒たちを残して、潮が引くように帰っていく。

「ちょっと、君。どうしたのよ？」

紀子が、露骨な不満を滲ませた顔で、秀一に詰め寄った。

「え？」

「え、じゃないわよ。昨日は、一人でさっさと帰っちゃうし、今日は、一日ボーッとしてるじゃない？　何か、悪いもんでも食べたの？」

「別に」

夢から覚めたように立ち上がると、秀一は、帰り支度を始めた。

「あ。そうだ。ねえ。今日は、これから、どうすんの？」

「用がある」

「そう……」

紀子は、一瞬、がっかりした表情になったが、すぐにまた、目を輝かせる。

「じゃあ、今日は、しょうがないわね。あのさ、ゴールデン・ウィークのことなんだけど、時間が空いてたら、今度、新しい……」

「悪いな」

秀一は、途中で遮った。

「俺、やることがあるんだ。この連休中、ずっと」

「え。そうなの？」

「うん」

何をするのか聞きたそうな様子だったが、秀一は、とりつく島を与えなかった。教室を出ていくときに紀子の顔を見ると、ひどく、寂しそうだった。

空は快晴だった。ロードレーサーで134号線を走ると、日射しが強く、首筋が熱かった。海がきらきらと輝いている。

いつもと変わらない帰宅風景だったが、唯一の違いは、秀一が自転車を漕ぐピッチだった。終始、全力疾走の七、八割くらいの速度を維持した。腕時計で途中のタイムをチェックする。登校時ならともかく、下校の際に、これほど飛ばしたことは、かつてなかった。

鵠沼の自宅に着いたときに時計を見ると、十六分四十三秒かかっていた。目標タイムと比べると、一分以上遅い。やはり、登校時よりも上り坂が多い上に、途中で信号に引っかかったのが痛かった。だが、まだ余力が残っている。直線では、もっとスピードに乗れるはずだ。まあいい。まだ、練習する時間はある。

玄関には、曾根のドタ靴はなかった。予定通り、今日もご出勤らしい。

曾根の七月いっぱいまでの行動予定は、すでに、パソコンの中の計画表にも、詳しく打ち込まれていた。

インターネットで『競輪』というキーワードで検索したところ、『南関東自転車競技会』のHPが見つかった。そこには、四月から九月までの、上半期の開催日程が載っており、四月の三十日から五月の五日までは、平塚競輪場でレースが開催されるらしい。

曾根が競輪に通っていることは、早くから見当がついていた。もともと博打に目のない男が、週末を含む三日ほど、きまって朝から外出するとなれば、行く先は公営ギャンブルしか考えられない。自転車が趣味であるため、秀一は、競輪に関して、ある程度の予備知識があった。

着替えると、三人でテーブルを囲み、昼食を取った。

秀一は、辛くて母親の顔を直視できなかった。だが、かといって、あまり態度が不自然だと、気取られる恐れがあった。それで、いつもよりよけいに遥香にかまってやった、からかったりあやしたりして、何とか間を持たせる。

昼食が終わると、ほっとした。本来は楽しい団欒であった時間も、今は、早く過ぎ去ることばかり念じている。

これからやろうとしていることが、すべて終われば、何もかもが旧に復するはずだった。今は、それを信じて頑張るしかない。

秀一は、ガレージに行って、セカンド・マシーンを起動した。パスワードを入力して、計画表を呼び出す。ネットに接続してあるメイン・マシーンは、クラッカーによって盗み見られる可能性もゼロではないため、計画にあたっては、あえて、LANを外してスタンドアローンに戻した、古いペンティアム・マシーンを使っていた。

計画表で、今日、やるべきことだけを確認すると、ウィンドウズを終了させた。

母屋の自分の部屋に戻り、一番目立たなそうな、白いシャツとチノパンに着替えた。念のため、ブルーのキャップをかぶることにする。大きなナイロン製のスポーツバッグに、以前に買った背広の上下と黒いウォーキング・シューズ、ワイシャツ、ネクタイ、ベルト、サングラス、財布を入れて、家を出た。

江ノ電で終点の藤沢まで行った。駅舎を出ると二階で、そのまま陸橋を渡って小田急やＪＲに行けるようになっている。陸橋の途中で、横浜銀行藤沢支店のＡＴＭに立ち寄って、当座の計画の遂行に必要な金を引き出す。小田急線に乗って新宿に到着すると、二時半を回っていた。

前回と同じく、新宿駅の西口から出て、新宿センタービルの中地階のトイレに入った。このあたりは完全なオフィス街であり、土曜日の今日は、この前より、ずっと閑散としていた。

背広に着替え、髪の毛をムースで七三に固め、薄茶色のサングラスをかけて、トイレを出る。二度目であるせいか、それほど動悸が早くなることもなかった。

ガードをくぐって歌舞伎町へ行き、私設私書箱のある雑居ビルを訪れた。エレベーターを降りると、黙って鉄のドアを開けて入った。契約したときと同じ男が、奥から顔を覗かせたが、こちらをちらりと見ただけで、すぐに引っ込んだ。

秀一は、鍵穴にキーを差し込んで回し、ボックスの扉を開けた。

茶色い小さなクッション封筒に入った包みが、届いている。差出人の名前は、なかった。

“K's Convenience Pharmacy”なるHPがどこまで信用できるものかわからなかったし、金を騙し取られることも、なかば覚悟していただけに、嬉しい驚きだった。

秀一は、『松岡四郎』という宛名だけを確認すると、包みをスポーツバッグに入れて、その場を後にした。

思いがけず薬がすんなりと手に入ったことで、少し気分が高揚していた。このぶんなら、もう一つの計画の方も、案外うまくいくかもしれない。

まず、紀伊國屋書店の本店に行き、法医学関連の書籍を探してみることにした。死体のリアルな写真が載っているものが多く、思わず目をそむけたくなる。何冊かピックアップして購入すると、次は、同じ紀伊國屋書店の南口店へと向かう。思ったより距離が離れていたので、けっこう時間を食ってしまった。

購入した本をコイン・ロッカーに入れると、都営新宿線に乗って、神保町に向かった。三省堂や書泉グランデなどをまわりながら、本の中身までチェックしていると、あっという間に時間がたってしまった。欲を言えば、八重洲や渋谷、池袋などにも足を運びたかったのだが、今日は、諦めるしかないだろう。

再び新宿に戻り、元の服に着替えて、ロッカーから本を出す。神田で購入した分と合せてスポーツバッグに詰め込むと、腕が抜けそうな重さになった。法医学関連の本を購入したなどという記録は、書店に残したくなかったので、宅急便で送るわけにはいかない。

それでも、何とか、夕食の時間までに帰り着くことができた。ムースで固めたヘアスタイルを帽子で隠して家に入ったのも、この前と同じだった。

連休の初日は、昨日に引き続いていい天気だったが、秀一は、終日ガレージに籠もって過ごした。

早急に考え、決定すべきことが、山積していた。のんびりしている暇はない。今回は、絶対に失敗は許されないのだ。

昨晩に引き続いて、朝から、買ってきた法医学書に読み耽る。全部で十一冊もあった。合計で四万円以上の痛い出費である。分厚い本が多く、重要と思われる箇所に付箋をつけ、メモを取りながら、一枚ずつページを繰っていく。昼食を挟んで、ちょうど七時間経過したときには、さすがに目が疲れ、根気も失われていた。読み終えたのは、ようやく全体の三分の二というところだった。

だが、それだけ苦労した甲斐があり、法医学が、どういう方法論で犯人に迫るかについては、かなりつかむことができたような気がする。もし、これが中間試験の範囲だったら、かなりの高得点が期待できるはずだ。とはいえ、この時点では、まだ、かんじんの計画は、まったく形を現してはいない。アイデアを産むための、苗床を拵えたにすぎないのだ。

秀一は、椅子に座ったまま、大きく伸びをした。

曾根を『強制終了』させる計画と並んで、母親を曾根から守るための計画も必要だった。すべてが完了するまで、母を獣の餌食にしたままにはできない。だが、幸いなことに、遥香を守るという目的で考え出した計画を、そっくりそのまま転用することが可能だった。

気分転換もかねて、こちらの準備を進めておくことにする。

秀一は、見られてはまずいものをまとめて隠してある、パソコンの筐体の蓋を開けた。中から、焼酎の1・8リットルのパックと、私設私書箱に届いていた包み、それに、少々汚れた感じのプラスチックの注射器を取り出す。

焼酎のパックは、牛乳のパックより頑丈そうな造りで、しかも、透明なビニールで包まれていた。上には開け口があり、プラスチックの蓋がついている。

秀一は、まず、パックを仔細に観察し、どこから薬液を注入すべきか検討した。穴から焼酎が漏れ出すようでは論外なので、高い位置にするしかない。結局、最も目につきにくいであろう、三角形の窪みの一番奥の部分に決めた。

送られてきた包みを開けると、中からは、水薬の入った容器が出てきた。ビニール製で、瓶の形をしており、側面には目盛りが入っている。

秀一が、怪しげなHPを通じて注文したのは、シアナマイドという薬品だった。

シアナマイドというのは、抗酒剤、つまり、アルコール依存症の治療に使われる薬で、アセトアルデヒド脱水素酵素を阻害するという作用がある。

体内に入ったアルコールが、二段階の酸化作用を経て分解されるというのは、『化学I』で学んでいた。

C_2H_5OH（エタノール）→CH_3CHO（アセトアルデヒド）→CH_3COOH（酢酸）

アセトアルデヒドを充分に分解できなければ、猛烈な二日酔いに似た症状、すなわち、顔面紅潮、悪心、嘔吐、激しい頭痛、極度の心悸亢進、呼吸困難、血圧低下などに見舞われる。

つまり、飲酒によって極度の不快感を味わい、条件反射によって、飲酒の習慣を断ち切ろうというのが狙いらしい。

用量は、一日一回、5ccから10ccだった。秀一は、注射器に透明な水薬を吸い込もうとして、ふと、ためらった。

この容器の中身が、本当にシアナマイドであるという保証は、どこにもない。入手経路がイレギュラーなだけに、単なる蒸留水かもしれないし、致命的な毒物が混入されている可能性すらあった。

ふっと、笑みが漏れる。それならそれで、別にかまわないではないか。

もし、この中に青酸化合物のような毒物が含まれており、それで曾根が死んだとしたら、自分は、あくまでもシアナマイドだと信じて、一服盛ってしまったという言い訳が成り立つはずだ。もちろん、それで無罪放免というわけには行かないだろうが、殺人犯は、薬を送ってきた、『K』なる人物である。自分ではない。

本物のシアナマイドであっても、服用者の二割には薬疹（やくしん）が発生するという。そのため、昔はアルコール依存症の患者に黙って、味噌汁（みそしる）などに混ぜて飲ませたりしていたらしいが、現在では、そういうやり方は行われていないらしい。

この注射器も、秀一が小学生のころに、昆虫採集に使ったものだった。暴れ回るセミやバッタを秒殺した、あの毒々しい赤色の液体の正体は今もって不明だが、注射器の筒は、ざっと水洗いしただけなので、中にはまだ、人体に有害な物質が付着しているかもしれない。

まあ、いいやと思う。今さら、曾根の健康を心配することもない。

焼酎1・8リットルを一日で飲み干すと計算して、10cc入れれば充分だろう。だが、曾根が大酒呑（の）みで、二日酔いにも耐性があること、人並みはずれた体軀（たいく）であることも考慮して、念のため、20cc注入しておくことにした。

透明なビニールを必要以上に破らないように気をつけながら、針の先端をコーティングされた厚紙に突き通し、ピストンを押して薬液を注入する。均等に混ざるように、パックを振ってみたが、針の穴から焼酎が漏れ出るようなことはなかった。

あとは、曾根が母と二人だけになる可能性がある日の前の晩にでも、この焼酎を曾根に呑ませるようにすればいい。たぶん、借りてきた猫のように、おとなしくなるはずだ。

シアナマイドは充分な量があるため、この作戦は、状況を見ながら、何度でも繰り返し実施できる。秀一は、これを、『禁酒作戦(ドライ・キャンペーン)』と名付けることにした。

その日の残りは、再び、法医学書を読破することに費やした。特に、これといった発見はなかった。午前零時を回ったところで、本を閉じた。まだまだ、先は長い。

ナイトキャップとして、グラス二杯のバーボンを飲んで、母屋に戻った。二階に上がると、曾根が帰っているかどうか確かめる。ドアに耳を近づけるまでもなく、豚のような鼾(いびき)が聞こえていた。

自分の部屋に入り、ベッドに身を投げ出しても、神経が興奮しているため、なかなか寝付けない。

一番手軽な入眠儀式として、マスターベーションをすることにした。とりあえず、周囲にいる女性で思い浮かべられるのは、紀子しかいなかった。想像の中では、本人が知ったら激怒しそうなことをいろいろとさせたが、あまり変なことを考えると、会ったときに気まずいので、ほどほどにしておく。

肝心なところになると、なぜか、遥香が現れては邪魔をした。さらに、曾根と母のことが頭をよぎりそうになったため、あわてて打ち消す。

なかなか気分は乗らなかったが、そこそこの絶頂感は得られた。終わると、四肢の先から、気怠(けだる)い疲労が押し寄せてきた。使ったティッシュペーパーは、気づかれないように、ビニール袋と紙袋で二重に包んでからゴミ箱に捨てる。

秀一は、寝返りを打ってうつぶせになると、深い眠りの中に沈み込んでいった。

翌五月三日は、薄曇りの天気だった。秀一は、朝食をすませてすぐ、ロードレーサーに乗って出かけた。無心にペダルを漕いでいるときは、血流が活発になるせいなのか、良いアイデアが浮かぶことが多い。それに、あまりガレージに閉じこもりっぱなしだと、母や遥香が心配するかもしれないからだ。

とはいえ、それほど遠出するつもりもなかった。とりあえずは、いつも学校へ通うのと同じ道を走り、由比ヶ浜から材木座海岸を経て逗子市に入った。

本当にサイクリングを堪能したいときには、同じ逗子へ行くのでも、山側の道を通り、幽霊が出るという噂のトンネルから山道を登って、緑がいっぱいの池子弾薬庫跡で休憩して帰ってくるというのが、お気に入りのコースだった。

ロードレーサーは、朝の涼しい空気の中を、軽やかに疾走する。

肝心の、曾根の『強制終了』計画については、まだ、糸口も見えていない。昨日一日で、あまりにも大量の法医学の知識を吸収しようとしたために、消化不良を起こし、かえって混乱してしまったようだ。

だが、こうしてリズミカルにペダルを漕ぎながら考えると、問題点は、自然に整理され、煮詰まってくるのがわかる。

すでに、何度も、空想の中で検討してきたことでもあった。

曾根を殺害するとすれば、家の中でやるしかない。泥酔して人事不省の状態で寝ているときなら、文字通り、赤子の手を捻(ひね)るようなものだ。逆に、外で仕留めるということになれば、相当な困難を覚悟しなくてはならないだろう。

だが、その場合に、最大のネックになるのは、死体の始末である。あれだけの巨体を、そのまま家から外に運び出すのは、まず不可能だ。かといって、母や遥香に見つからないように、バラバラにするというのも、現実味に欠ける。

つまり、曾根の死体は、必然的に、家の中で発見されるということになる。だとすれば、それは、絶対に殺人事件であってはならない。病死か事故死と誤認されるような殺し方が、不可欠ということになるのだ。

その二つのうちでも、病死の方がより望ましい。事故死なら、警察が一応、現場検証を行うだろうし、事件性が疑われる可能性も増すからだ。一方、曾根がアルコール性の肝炎に罹(かか)っており、健康状態が最悪だというのは、素人目にも明らかだ。かりに突然死するようなことがあっても、それほど不思議ではないだろう。

つまり結論としては、曾根の生命の『強制終了』にあたっては、できるだけ、その痕跡(こんせき)を死体にとどめないような、クールでエレガントな方法を見つけなくてはならないことになる。

だが、死因が明らかでない遺体は、必ず、検死官か警察医による検死を受けるはずだ。素人に、プロの目を欺くということが、はたして可能なのだろうか。

突然、法医学書の中にあった記述が、いくつもよみがえってきた。可能性のあるやり方は、いくつもある。その中には、きっと正解があるはずだ。

やれるかもしれない……。

真剣に殺害方法を検討しだしてから、初めて、手応えのようなものを感じていた。

逗子市に入ってからは、すでにトンネルを二つ抜けて、TBS披露山庭園団地まで来ていた。ここでUターンして、元来た道を引き返すことにする。

家に帰り着くと、秀一は、超特急でシャワーを浴びた。体を拭くのももどかしく、バスタオルを首にかけ、トランクス一枚の姿で、着替えを小脇に抱えてガレージに戻る。

二階ですれ違った遥香が、「お兄ちゃん！　そんな格好で、うろうろしないでよ！」と言ったが、かまっているような暇はなかった。

半裸のまま、法医学書をめくり、付箋をつけた箇所を、丹念に読み返す。

気になっていたのは、『窒息』の章だった。

『紐状の物体を用いて首を絞める、いわゆる〝絞殺〟では、首筋の皮膚に、明らかな痕が残ることが多い。だが、ガウンの紐のような幅広の柔らかい凶器を使えば、それほど索条痕を目立たせずに殺害することも、場合によっては可能である』

『紐などを用いずに、素手で窒息させる〝扼殺〟の場合、比較的弱い力で長時間圧迫し続け、頸部の皮膚にはっきりした跡を残さないまま、殺害に成功した例もある』

……面白いことは、面白い。だが、どちらも確実さに欠ける上、司法解剖が行われて、筋肉内の出血まで調べられた場合、発覚する可能性が大であるようだった。

『鼻と口を同時に塞ぐ、いわゆる〝鼻口閉鎖〟の場合、絞殺や扼殺のような、一見してわかる痕跡は残らないことが多い』

濡れた紙で新生児の顔を覆うようなやり方である。相手が成人の場合は、クッションを使うのが、一般的らしかった。

だが、こんな方法で、いくら泥酔状態にあるとはいえ、あの曾根を殺害できるだろうか。

また、心臓麻痺のような突然死と比較すると、窒息死には、特有の違いが見られると言う。

『急性窒息の場合には、酸素の欠乏のため、全身を流れる血液の量が著しく増大し、その結果、内臓の鬱血が多く見られる。急性心臓死の場合にも鬱血は見られるが、これは、静脈血が心臓に還流できなくなるためであり、むしろ、静脈系の鬱血が強くなる』

必ずしもよく理解できたわけではないが、要は、法医学の知識を持って調べられた場合、両者は区別しうるということらしい。

さらに、痕跡がほとんど残らない死亡の例を探していくと、『反射作用』という項目が目にとまった。

『顔面を冷水につけたような場合、三叉神経を介して、嚥下運動と呼吸停止が起きることがある。→エベック反射』

『眼球に圧力が加わると、三叉神経−迷走神経系の刺激で、遅脈から、まれに心停止が起きる。↓アシュナー反射』

『強く息を詰めると、循環障害から、意識の消失にいたることがある。↓ヴァルサヴァ反射』

『腹部を強打した場合、迷走神経の興奮が心臓に伝わり、遅脈や心停止につながることがある。↓ゴルッ反射』

『大きな塊を呑み込んだ場合、上喉頭神経が刺激され、反射的に迷走神経が興奮して、遅脈が起こり、心停止から死亡にいたることがある。↓上喉頭神経の反射』

　こうした反射は、扼殺を図った場合などにも起こるらしい。

『頸動脈洞が圧迫されることにより、迷走神経の刺激から、血圧低下、遅脈、心停止が起きることがある。↓ヘーリングの頸動脈洞反射』

　これらの『反射作用』により死亡した場合、遺体に急性窒息の特徴は現れないということだから、検死官や警察医の目を欺くことも、可能だろう。問題は、偶然に頼らないで、『反射作用』を確実に引き起こす方法が、見当たらないことだった。

　窒息の項目の最後に、囲み記事のような形で、十九世紀の、著名な大量殺人者の逸話が載っていた。

『英国人ウィリアム・バークと、その相棒のウィリアム・ヘアは、当時の医学校で解剖用の死体が払底しており、高く売れることを知り、連続殺人を企てた。経営していた宿の宿泊客を、次々に殺害したのである。このときにバークらが用いた殺害方法は、酩酊状態にある犠牲者の胸部に馬乗りになり、胸郭全体を圧迫しながら、鼻口閉鎖を行うという、特異なものだった。この方法は、バークの名を取ってバーキング（Burking）と呼ばれる。ちょうど土砂などに埋まった状態と同じように、胸郭が拡張できず、呼気状態で固定されるために、静脈血が心臓に帰れなくなって、循環障害で死亡するのである。バーキングの犠牲者たちの遺体は、ほとんど、殺害された痕跡を残していなかったという』

……すばらしい。もしかすると、これは、理想的かもしれない。

たまたま英和辞典がそばにあったので、引いてみると、『burke』という動詞があった。「窒息させる、絞め殺す」という意味である。アングロ・サクソンは、伝統的に、著名なシリアル・キラーを輩出しているが、新しい動詞まで作ってしまった殺人者というのは、稀有な例ではないだろうか。

だが、よく考えてみると、やはり、これをそのまま実行に移すのは、難しそうだった。第一に、この方法は、かなりの熟練を要するような気がする。バークにしても、何人も殺害していくうちに、独自の『型』を完成させたに違いない。

また、いくら酩酊しているとはいえ、バーキングを行うには、殺害する側が、体格的に優位であることが絶対条件ではないだろうか。窒息しそうになれば、曾根は異状を感じて目覚め、暴れるだろう。それを完全に押さえ込むのは、至難の業に思える。

最後に、これが決定的だが、バーキングによる連続殺人が奏功したのは、十九世紀だったからという可能性が高い。現在の進歩した法医学で、こんな単純な方法での殺人が見破られないとは、考えにくかった。

またもや壁にぶつかったところで、正午になった。

連休だというのに、昼食の席には、一家三人が、きちんと揃う。遥香も、どこかに遊びにでも行けばいいのにと思うが、そんな気にはなれないらしい。たぶん、家族と離れて、一人だけになるのが、不安なのだろう。

昼食のメニューは、スパゲッティと野菜サラダだった。ミートソースは、市販の缶詰に赤ワインを加えただけだが、きちんとアルデンテに茹(ゆ)で上がっているので、食欲を誘った。

午前中、かなり頭を使ったので、脳が、エネルギー源であるブドウ糖を欲しているのだ。炭水化物は、最も手っ取り早く、そのブドウ糖を供給できる。

食事が終わると、遥香が遊んで欲しそうな顔をして寄ってきたが、つかまらないうちに、さっさとガレージに戻る。

このところ、ずっと法医学関連の本ばかり読んでいたために、食傷気味な感じがする。気分転換もかねて、少し学校の勉強をすることにした。今月の十八日からは、中間試験が始まる。成績が急落でもすれば、教師や同級生からは、よけいな注目を浴びるだろうし、疑惑を抱かれないとも限らない。緊急事態であるとはいえ、最低限の試験勉強だけはやっておく必要があった。

『新国語II』のテストの出題範囲である、中島敦の『山月記』を読む。明らかな漢文調だが、独特のリズムと風格のある文章で、初めて目にしたときから、秀一は惹(ひ)かれるものを感じていた。

ストーリーは、いたってシンプルだった。隴西の李徴は、秀才の誉れも高く、若くして科挙に合格し、江南の副長官に任ぜられた。だが、俗悪な役人の世界を嫌い、詩人として後世に名を残そうとする。しかし、文名は容易に上がらず、懊悩の末、夜中に寝床から起きあがると、訳のわからないことを叫びながら、闇の中へと駆け去ってしまう。

翌年、李徴の友人であった袁傪という男が、任地へ赴くために、たまたまこのあたりを通りかかり、危うく、人喰い虎に襲われそうになる。だが、虎はなぜか、袁傪を殺さずに、身を翻して藪の中に隠れる。虎が人語で、「危ないところだった」とつぶやくのを聞いた袁傪は、それが李徴であることに気づく。

そして、李徴は、袁傪に向かって、自分が虎に変身してしまった顚末と、現在の心境を語るのである。

『今から一年ほど前、自分が旅に出て汝水のほとりに泊まった夜のこと、一睡してから、ふと目を覚ますと、戸外でだれかが我が名を呼んでいる。声に応じて外へ出てみると、声はやみの中からしきりに自分を招く。覚えず、自分は声を追うて走り出した。無我夢中で駆けていくうちに、いつしか道は山林に入り、しかも、知らぬ間に自分は左右の手で地をつかんで走っていた。何か体じゅうに力が満ち満ちたような感じで、軽々と岩石を跳び越えて行った。気がつくと、手先や肱のあたりに毛を生じているらしい。少し明るくなってから、谷川に臨んで姿を映してみると、すでに虎となっていた。自分は初め目を信じなかった。次に、これは夢に違いないと考えた。夢の中で、これは夢だぞと知っているような夢を、自分はそれまでに見たことがあったから。どうしても夢ではないと悟らねばならなかった時、自分は茫然とした。そうして懼れた。まったく、どんなことでも起こりうるのだと思うて、深く懼れた。しかし、なぜこんなことになったのだろう。わからぬ。まったく何事も我々にはわからぬ。理由もわからずに押しつけられたものをおとなしく受け取って、理由もわからずに生きていくのが、我々生き物のさだめだ。自分はすぐに死を思うた。しかし、その時、目の前を一匹の兎が駆け過ぎるのを見たとたんに、自分の中の人間はたちまち姿を消した。再び自分の中の人間が目を覚ましたとき、自分の口は兎の血にまみれ、あたりには兎の毛が散らばっていた。これが虎としての最初の経験であった。それ以来今までにどんな所行をし続けてきたか、それはとうてい語るに忍びない。だが、一日のうちに必ず数時間は、人間の心が返ってくる。そういう時には、かつての日と同じく、人語も操れれば、複雑な思考にも堪えうるし、経書の章句をそらんずることもできる。その人間の心で、虎としてのおのれの残虐な行いの跡を見、おのれの運命を振り返るときが、最も情けなく、恐ろしく、憤ろしい。しかし、その、人間に返る数時間も、日を経るに従ってしだいに短くなっていく。今までは、どうして虎などになったかと怪しんでいたのに、この間ひょいと気がついてみたら、おれはどうして以前、人間だったのかと考えていた。これは恐ろしいことだ。今少したてば、おれの中の人間の心は、獣としての習慣の中にすっかり埋もれて消えてしまうだろう。ちょうど、古い宮殿の礎がしだいに土砂に埋没するように。そうすれば、しまいにおれは自分の過去を忘れ果て、一匹の虎として狂い回り、今日のように道で君と出会っても故人と認めることなく、君を裂き食ろうて何の悔いも感じないだろう……』

秀一は、顔をそむけた。少し前までは非常に気に入っていた文章なのに、なぜか今は、虫酸が走るような不快感を感じる。いや、それは、単なる不快感というより、恐怖に近い感情だった。

それ以上、読み続ける意欲を失い、『新国語II』の教科書を閉じて、遠くに押しやる。

秀一は、マグカップにコーヒーのフィルターを載せ、電気ポットの湯を注いだ。時間を無駄にはできないが、法医学の本に戻るのも、気が進まない。

足下にあるカバンから、数学の問題集を出そうとして、母屋の部屋に置いてきたのに気がついた。わざわざ取りに行くのも、面倒だった。代わりに、『物理ＩＢ』の参考書を抜き出す。

混乱した気分を元に戻すには、何であれ、理科系の教科の方がいい。とりあえず、余計なことを考えずにすむ、整然としたロジックの世界へと逃避したかった。

中間試験の範囲は、『運動と力』だった。力学系、中でもリニアな運動は、そういう意味で、最も単純明快であり、曖昧な解釈を許さないところが好きだった。

開いた参考書をテーブルの端に置いた。コーヒーのフィルターに追加の湯を注ぐうちに、机の端で微妙なバランスを保っていた参考書は急に滑り落ちた。

拾い上げるときに、後半部分が開き、太字で書かれた公式が目に飛び込んできた。

『Q＝IVt』

元のページを開こうと思ったが、なぜか公式の意味が気になって、説明文を読んでみた。

『導体に電流が流れたとき、熱が発生する。これを、**ジュール熱**という。導体の両端の電位差がV[V](ボルト)であるとする。ここを1[C](クーロン)の電荷が通過すると、V[J](ジュール)のエネルギーを、熱運動エネルギーの形でイオンに与える。電流がI[A](アンペア)だとすると、t秒間に流れる電気の量はIt[C](クーロン)になる。したがって、与えられる熱エネルギー、つまり、ジュール熱Qは、Q＝IVtの式で表される』

電流……。

秀一は、機械的な動作で、コーヒーに砂糖とクリープを入れ、スプーンで掻(か)き回した。

電流とは、煎(せん)じ詰めれば、エネルギーそのものである。英語でも、『electric power』ではなく、単に『power』と言うことの方が多いではないか。

金属バットで殴りつけるような力学的で単純な力ではなく、より、ソフィスティケートされた力なら……。

　はっとして、危うく、口元までもってきたコーヒーを、こぼしそうになった。たしか、そういう記述があったような気がする。テーブルに山積みになった法医学の本を、片っ端から手にとって、付箋（ふせん）をつけた場所を読み返す。

　あった。それは、六冊目の本の、『感電』の章に書かれていた。

『……感電死の場合には、必ず、電流の入り口と出口とが、存在しているはずである。すなわち、遺体には、後述するような電流斑が、二箇所残ることになる。ただし、家庭用電源に代表されるような交流電流では、プラス極とマイナス極が一瞬毎に入れ替わるため、どちらが入り口でどちらが出口かを区別する必要はない』

　腹の底から、身震いするような興奮が沸き上がってきた。ようやく、正解に近づきつつあるのではないか。試行錯誤して数学の難問を解いているときのような、ひらめきに似た嗅覚（きゅうかく）が、そう告げている。

『人間の身体内部の持つ電気抵抗は、高電圧の場合、たかだか100オームにすぎない。したがって、電流に対しては、ほとんど無防備と言えるが、唯一、皮膚の電気抵抗だけが著しく大きいために、人体を効果的に保護し得ている。皮膚の電気抵抗の値は、体の部位、皮膚の角化の度合い、湿り気、電気端子の接触面積、時間、電圧によっても、それぞれ異なるが、通常、4万オームから10万オームの間である』

　それが、抵抗としてかなり大きな値であるということは、想像に難くなかった。そこをどうやってクリアーするかが、計画の正否を決定づけるのかもしれない。

『電流による作用で、最も致命的なのは、心臓への影響である。したがって、人体内を流れる電流の経路が心臓を通っていた場合に、死に至る危険性は最大になる。たとえば、左手から左足にかけて流れた場合、両手の間を貫流した場合などは、きわめて危ない』

なるほど。ターゲットは、曾根の心臓だ。

『では、なぜ、電流が心臓を直撃すると、危険なのだろうか。一般に想像されるように、心臓全体が一瞬にして麻痺し、動きを停止するわけではなく、いわゆる〝心室細動〟の状態に陥るからなのである。心臓を形成する心筋線維一本一本の動きは、ペースメーカーと呼ばれる洞房結節が周期的な電気パルスを発生させることにより、一つの動きに集約され、心臓全体が統一した拍動を行うことができる。だが、その電気パルスよりはるかに強力な電流により、このリズムが攪乱されると、それぞれの心筋線維がバラバラに収縮する状態になり、全体として心臓の機能を果たすことができなくなる。これが〝心室細動〟である。この状態が五秒から十秒続くと意識が消失し、十秒以上で呼吸も停止する。除細動を行わないまま三分以上経過すると、脳に不可逆変化が生じて、死に至る可能性がある』

さらに、終末呼吸期に起きる、アダムズ・ストークス症候群と呼ばれる症状についても、詳しく解説されていた。

無呼吸期が、一、二分続くと、通常とは異なる呼吸中枢が働きだし、終末呼吸を始める。これは、あえぎ呼吸や、下顎呼吸とも呼ばれ、下顎を突出させて、文字通りあえぐように呼吸するらしい。

想像すると、総毛立つような気分に襲われる。ここは斜め読みして、ページをめくることにした。すると、二つの朗報が、相次いで目に飛び込んできた。

『電流が生体にもたらす作用は、機能的なものであり、後にはっきりとした痕跡は残さないことが多い。したがって、遺体を解剖しても、死亡原因が電流によるものだと特定することは、困難である』

これこそが、秀一の求めていた情報だった。うまく電流を使って心臓を止めさえすれば、いっさい痕跡を残さない、完全殺人が完成するということではないか。

『同じ電流でも、直流と交流とでは、後者の方が、はるかに危険である。直流の場合、心臓を流れる電流が200ミリアンペアを超えれば、〃心室細動〃が起きる可能性が高いが、交流では、半分の100ミリアンペアで、危険水準となる。また、偶然ではあるが、商用周波数である50ヘルツから60ヘルツが、心筋線維に対して、最も効果的に刺激を加えることにも留意すべきだろう』

つまり、家庭用電源は、そのままで、人為的に心室細動を起こすのに、理想的な環境を提供していることになる。秀一は、日本の電力会社に感謝したいような気分になっていた。

ただし、皮膚の持つ大きな電気抵抗を乗り越えて、効果的に心臓に通電するためには、100ボルトでは、少々心許ない感じだ。市販の変圧器を使って、せめて200ボルトにしておくべきだろう。この点でも、交流である家庭用電源の利用は好都合だ。バッテリーなどの直流電流は、変圧できないからである。

曾根を『強制終了』する計画には、もはや、何の障害もないかのように思われた。だが、その次の記述が、浮かれ気分に冷水をかけた。

『電流そのものは、生体に特徴的な変化をもたらすことはないが、電流によって発生する熱は、電流斑と呼ばれる特有の痕跡を残す。これは、電気の端子が皮膚に直接接触した部位に見られ、皮膚の電気抵抗が際立って大きいがために、そこに大きな熱が発生して、独特の形の火傷を作るものである』

そのページには、典型的な電流斑の写真も掲載されていた。へこんだ中央部は焦げたような黒褐色をしており、逆に、まわりは盛り上がって、陶器のように青白い色だった。

死体にこんな痕が残っていれば、感電死だというのは、おそらく一目瞭然に違いない。

もちろん、電流斑というのは、どんな場合にもできるものではなく、たとえば、皮膚に接触している端子の面積が大きくて単位面積あたりの電流が小さかった場合、塩水に濡れるなどして、皮膚の電気抵抗そのものが低下している場合などには、感電死しても、はっきりとした電流斑はできないこともあるのだという。

とにかく、これで、問題点ははっきりした。

いかにして、電流斑を作らないようにするかが、勝負の分かれ目なのだ。皮膚の巨大な電気抵抗をかいくぐる形で、電流の入り口と出口さえ作り上げれば、あとは、何の痕跡も残さずに、心室細動を引き起こして、曾根を葬ることができる。

これは、もしかすると、誰も解いたことのないパズルかもしれない。だが、そこには、必ず、何か答えがあるはずだと思う。

大筋が決定した。曾根の生命を『強制終了』するための計画には、『電撃作戦（ブリッツ）』と命名することにした。


秀一は、ゆっくりと目を開けた。快適な目覚めにはほど遠かった。一晩中、ひどい悪夢を見続けていたような気がする。覚醒（かくせい）しても、なお、その悪夢の一部が継続しているような気持ちだった。

枕元にある、目覚まし時計を見る。午前九時三十三分。だが、部屋の中は、依然として薄暗かった。

立ち上がってカーテンを開けると、陰鬱（いんうつ）な雨が、音を立てて庭に降り注いでいた。

ゆっくりと歯を磨きながら、昨晩立てた計画を、頭の中で反芻（はんすう）する。電流斑を作らない経路だけは、まだ確定していなかったが、そのほかの点では、かなり具体的なプランが、形を現しつつあった。

秀一が遅くまで勉強していると思っているのだろう。キッチンのテーブルには、一人分の朝食が、ラップをかけて残されていた。母は、洗濯をしているらしい。

冷たいミルクと紅茶、ハムとトーストと野菜サラダの朝食をすませる。食器を流しに運ぶと、居間で電話をかけた。

『ゲイツ』は、すぐに携帯電話に出た。背後の雑音からすると、どこか外にいるらしい。

「商品を発注したい」

秀一は、切り出した。『ゲイツ』は、電話の向こうで、にんまりとしているだろう。

「何がいい？　101は、まだ入荷未定だぞ」

「焼酎だ。『百年の孤独』って、あるか？」

『ゲイツ』は、驚いたようだった。

「お前が、焼酎かあ？　ずっとバーボン党だったのに、どうして、また？」

「別に、いいだろう。年とともに、嗜好も変わるんだよ」

「それはいいが、『百年の孤独』っていうのは、なかなか、手に入らないんだぜ。知ってるのか？」

「ないのか？」

「いや、実は、ある」

再び『ゲイツ』がほくそ笑んでいる様子が、目に見えるようだった。

「だけど、こいつには、相当プレミアがついてるからなあ。お得意さんたちから、相当、せっつかれてるんだが、本数が足りないから、どっちに回そうかと頭が痛いらしい」

「いくらだよ？」

「これ一本だけ、仕入れることはできないんだよなあ。お前は知らないだろうけど、他の焼酎との、抱き合わせ販売になっててだな……」

「だから、いくらなんだって？」

『ゲイツ』は、しばらく考えてから、「六千円」と言った。秀一が、昨晩ネットで調べたところでは、二千五百円から、七千円というところが相場だった。いずれにせよ、定価を考えれば、暴利である。

しばらく交渉し、結局、四千五百円まで負けさせることができた。

『ゲイツ』は、店番をしている間に、しつこい客が来て、どうしても断りきれずに売ってしまったという筋書きにするらしい。
I.W.ハーパー101のときも、いつも同じ手口なので、そのうち、悪行がバレるのではないかと思うが、他人のことなので、放っておくことにした。
『百年の孤独』は、曾根を確実に人事不省の状態にするための、『餌(ベイト)』の一つだった。『餌(ベイト)』は、もう一つ必要である。酒飲みには、絶対に抗しきれないような組み合わせにしなければならない。

秀一は、ビニール傘を持って家を出た。目的地は、鎌倉にある高級食料品店だった。

悪天候の日などに江ノ電で通学するときは、沿線に並んでいる三つの高校、鎌倉高校、七里ガ浜高校、由比ヶ浜高校の生徒たちがいっぺんに乗り合わせるため、耳がおかしくなるような喧噪(けんそう)を我慢しなければならない。

今日は、雨が降っているためか、観光客もそれほど多くなく、ずっと静かだった。

秀一は、たくさんの水滴がついた窓ガラス越しに、灰色の風景を見つめていた。無数の雨滴が、垂直の線となって、鈍色の空から落下し、複雑なうねりを繰り返す海の表面に、縮緬皺のような細かい模様を作り出している。

　俺は、本当に、やるつもりなのだろうか。

　何度、同じ問いを、自らに繰り返したかわからない。だが、まだ、この期に及んでも、自分が曾根を殺すのだということに実感が湧かないのも、また事実だった。

　計画は、着々と完成に向かいつつある。だが、計画を立てるのと、それを実行に移すのとでは、天地の開きがある。

　本当に、やれるのか。

　いざとなると怖じ気づいて、今までの準備がすべて無駄だったなどということには、ならないのか。

　曾根のことを思い出すたびに、憎悪が、青い炎となって吹き出してくるのを感じた。さんざん母や自分たちを食い物にしたあげく、なおも甘い汁を吸おうとしてしがみついてくる、醜い寄生虫。あの屑野郎は、母に対して許し難いことをした。死んだ方が、世のため、人のためだと思う。

　だが、それでもやはり、殺人の実行行為となると、非現実感が湧くのが否めなかった。

　遥香のことが、頭をよぎる。

　曾根は、曲がりなりにも遥香の実の父親だった。その命を、遥香がまったく知らないうちに、奪ってしまっていいものだろうか。

つい先日、二階の廊下で危うく殺し合いに発展しそうになったことを思い出した。あのときは、曾根が、遥香に対して性的な欲望を抱いているのだとばかり思い込んでいたが、実際には、そうではなかったらしい。もっとも、絶対に違うという確信までは持てないが。あの男は、下司なりに、自分の血を分けた娘に対する感情のかけらくらいは、どこかに残していたのだろうか。夜中に遥香の部屋のドアをノックしたのも、あの晩、廊下で遥香に声をかけたのも、単に、話がしたかっただけなのかもしれない。

一瞬、秀一は、感傷的な気分に囚われかけた。だが、すぐに思い直す。あの男が、遥香の幸せに寄与するとは、とても思えない。

いや、それどころか、近い将来、必ず、遥香の人生に破滅的な悪影響を及ぼすに決まっている。遥香も、あんな男とは早めに縁を切った方が、傷つかずにすむだろう。

自分がここで弱気になることは、家族みんなの将来に、禍根を残すことになるのだ。今は、強くならなくてはならない。今だけは。これがすめば、また、普通の高校生としての生活を送れるのだから。

曾根を『強制終了』する方針には、微塵も揺らぎはない。揺らぎがあってはならない。

鎌倉駅で江ノ電を降りる。東口を出るところで、次々と、色とりどりの傘の花が開いた。雨は、家を出たときより、むしろ勢いを増しているようだった。

乾物を中心に、高級食材ばかりを売っている店は、若宮大路にあった。

秀一は、自分の姿が場違いであることを自覚しながら、ショーケースの間を見て歩いた。見事な乾し鮑が目を引いたが、もちろん、調理しなくてはならないため、使えない。

お目当てのカラスミは、桐の箱に入って売られていた。『最高級・長崎産』のラベルが貼られている。『台湾産のものと違い、卵粒が小さく、ねっとりとした旨味をご賞味いただけます』ということだった。『餌』としては、これほど魅力的なものもないだろう。

だが、値段を見て、目を剝きそうになる。一腹が、四千五百円もするのだ。サイズを考えると、二腹は買いたい。ふと隣に目をやると、一桁近く値段の安いカラスミがあった。そちらにしようかと、心が動く。だが、よくよく見ると、そちらは、鮫の卵を使った代用品らしかった。

ここまできて、出費を惜しむべきではない。

秀一は、カラスミの味を思い出していた。焼いても旨いが、生で食べると、海そのものの風味がしたのを覚えている。あんな屑に喰わせるのは、あまりにも、もったいなかった。だが、死刑囚に与える最後の食事だと思えば、腹も立たないだろう。

秀一は、大枚九千円を投じて、カラスミ二腹を購入し、『御礼』という熨斗紙をつけてもらった。

帰りに、東急ストアで、『ブリッツ』の実験用にリストアップした品々を買った。鶏を一羽丸ごと（もちろん、羽根と内臓、首は取り除いてある）、粉末のゼリーの素を一ダース、牛のレバー、それに、食塩である。レジを打った女性店員も、まさか、これらが、殺人計画のために購入されたとは、夢にも思わないことだろう。

帰宅すると、すぐに、鶏とレバーを冷蔵庫に押し込んだ。冷凍室の温度設定を『強』に直す。大事なカラスミは、パソコンの筐体の中にしまった。

昼食を取ってから、ガレージに戻ると、かなりの重労働が、待っていた。だが、とにかく、片づけるしかない。連休も、今日を入れて、二日しか残っていないのだから。

まず、買い集めた法医学関連の本をもう一度チェックし、必要な情報が載っていると思われるページは、すべて、フラットヘッド・スキャナーで読みとり、パソコンの外部記憶装置である光磁気ディスクに記録した。

次に、すべての本を分解し、表紙と紙の束に分ける。がっちりした装丁の本を腕力で引き裂くのはとても無理なので、電動式の糸鋸を使って、表表紙と裏表紙、背表紙を、それぞれ切り取った。

秀一は、十一冊分の紙束と表紙、それにマッチを持って、ガレージを出た。裏庭の隅には古い焼却炉があったが、ダイオキシン問題がうるさく言われるようになってからは、ほとんど使っていなかった。

秀一は、焼却炉に紙の一部を入れて、火を点けた。柄の長い十能でつつきながら、煙が目立たないように、少しずつ燃やす。

最後の紙束が、ほとんど真っ黒に燃え尽きたころ、母屋から、遥香が出てきた。

「あー。お兄ちゃん、何してるの？」

「要らない紙を、燃やしてるんだ」

「この焼却炉、使っちゃだめなんでしょう？　前、お母さん、そう言ってたよ」

「うーん。でも、もう終わった」

秀一は、燃えても原形を保っている灰を、十能の先で完全に壊してから、遥香が覗き込んでいる焼却炉の扉を閉じた。

「何、燃してたの？　本みたいだったけど」

「今まで秘蔵してきた、エッチな本だ」

「ええ？　ほんと？」

「嘘に決まってるだろう」

表紙も焼却炉で燃やせるかどうか、実験してみようと思っていたが、遥香に見つかってしまった以上、止めた方が無難だった。秀一はガレージに戻り、グラインダーを使って、表紙の文字を削り取った。哀れな本の残骸を紐で縛ると、再びビニール傘を差して外へ出る。坂を下り、商店の間を抜けて境川橋まで来ると、雨が降り続いているせいか、人通りはほとんどなかった。

境川は増水して、茶色い濁流が渦巻いている。秀一は、周囲に人がいないことを確かめると、欄干から下に、邪魔なお荷物を投げ捨てて、家に戻った。

今日中に、実験の下準備をしておかなければならない。

最初に用意したのは、古い密閉型のヘッドホンだった。以前はよく、これで、ラジオの深夜番組などを聴いたものだが、接触不良のため、左耳の方に雑音が混じるようになってからは、まったく使わなくなっていた。

ためしに、ヘッドホンで左肩を挟んでみた。やや心臓まで遠い感じがする。次に、左腕の下、脇腹の方から挟む。今度は、耳に当たる部分が、ぴったり心臓の上に来た。

秀一は満足し、ヘッドホンを分解し始めた。耳当てや振動板、コイルなどを取り外し、空っぽのお椀（わん）二つだけを残す。お椀の中央に残ったコードの先には、針金を蚊取り線香のように巻いて作った電極を付けた。さらに、ヘッドホンのコードの先端にあるジャックを、大型のカッターで切り落とすと、代わりに電気コンセント用のプラグを接続し、絶縁テープで補強した。

秀一は、足音を忍ばせて母屋へ入った。母は買い物にでも出かけたらしい。二階の部屋にいるのか、遥香の姿もなかった。そっとキッチンに入り、水をいっぱい入れたやかんと大型のボウル、掻（か）き混ぜるためのヘラ、ポリエチレンのラップを持ち出す。

ガレージに戻ると、さっき買ってきた粉末ゼリーの素をボウルに空ける。大量の食塩を加え、上から水を注いで、ヘラを使ってよく攪拌（かくはん）した。

改造したヘッドホンのお椀を、二つとも同じ側に向けて、ビニールテープで固定した。その中に、塩入りゼリーの液体を縁まできっちりと注ぐ。針金の電極の上を、粘りけのある液体が、うっすらと覆った。上からラップをかけ、液体をこぼさないよう気をつけながら、冷蔵庫に入れた。

次に、牛のレバーを取り出す。平べったい切れ端をぐるぐると巻いて、凧糸(たこいと)で結んだ。それぞれ赤と黒のコードのついた計測器(テスター)の探針(プローブ)を、二センチほどの間隔を置いて、巻いたレバーに突き刺す。

今度は、中空になった鶏に千枚通しで四つの穴を開け、十文字に紐を通した。紐の交点が、ちょうど空洞の真ん中に来るようにする。そこに、先ほどの巻いたレバーを、探針(プローブ)をつけたまま固定する。紐を通した穴は、たっぷりと接着剤を垂らして密閉した。

接着剤が乾くのを待ってから、空洞に、塩入りゼリー液の残りを、すっかり注ぎ込んだ。それだけでは、満杯にならなかったので、もう一度、ボウルにゼリーの素と塩、水を入れて掻き混ぜ、同じ液体を作り、つぎ足した。

鶏の空洞がいっぱいになると、上からラップをかけ、ガムテープで隙間を塞(ふさ)いだ。こちらも、液体がラップの間から漏れないよう、細心の注意を払いながら、冷蔵庫の奥に納める。

これで、実験の準備は整ったことになる。あとは、ゼリーが固まるまで、待つしかない。

秀一は、使ったボウルやヘラなどを、きれいに洗った上で、キッチンに返しておいた。その日の残った時間は、中間試験のための勉強に費やすことにする。まだ、二週間あるが、この先、あまり時間をとれない可能性が高いのだ。

連休最後の日は、昨日通り過ぎた低気圧の影響で、どんよりとした曇り空だった。

朝起きたときから、実験の正否のことで頭がいっぱいになっていた。頭の中でプランを立てた段階では、うまくいきそうな気がしていたが、なにぶん、ニコラ・テスラのようにコンピューターシミュレーション並みの精密な思考実験ができるわけではないので、実際にやってみるまでは、何とも言えなかった。

気もそぞろの状態で朝食を終え、ガレージに直行する。

冷蔵庫を開けて、ゼリーがうまく固まっているかどうか、確認した。

ヘッドホンのお椀には、半球形の透明なゼリーが、しっかりと詰まっている。鶏の方は、サイズが大きいだけに心配だったのだが、特に問題はないようだった。

鶏は人体の代用品だった。皮には、少なくとも、人間の皮膚並みの電気抵抗はあるだろう。空洞の中央で、塩入りゼリーによって固められたレバーは、心臓の代わりだった。レバーに突き刺した探針（プローブ）を計測器（テスター）に繋（つな）げば、そこに流れた電流を測定することができる。

そして、改造したヘッドホンが、心臓に致命的な電流を送り込む、凶器になるのだ。

秀一は、計測器（テスター）のスイッチを入れた。液晶画面には、0mA（ミリアンペア）と表示される。

ゼリーの詰まったヘッドホンのお椀で、鶏を挟む。そして、コードに付けたプラグを、コンセントに差し込んだ。

きっかり五秒間通電し、プラグを引き抜いた。瞬間、テスターの画面には、いくつかの数字がちらついた。成功だ。電流は、たしかに心臓を流れた。

だが、数字は、すぐに0に戻ってしまった。なぜなのだろうか。

その答えは、ヘッドホンを見れば、一目瞭然だった。

ゼリーは、日なたに置いたクラゲのように溶け出ている。わずか五秒という短時間にもかかわらず、発生した熱によって電極を覆っていた部分が溶けてしまい、通電がストップしたらしい。

もっと悪いことには、鶏の皮には、渦巻き状の模様が、うっすらと写ってしまっていた。ゼリーが溶けた後で、電極が、皮に直接触れてしまったのだ。

秀一は、落胆した。これでは、まったく使い物にならない。もっと確実な方法を、考え出す必要があった。

塩入りのゼリーは、皮膚の電気抵抗という関門をくぐり抜けるために考えた、ひとつの解答だった。第一に、端子と皮膚の接触面積が大きい方が、電流が流れやすくなるということ。第二に、皮膚が塩水などで濡れていると、抵抗が小さくなるという事実。これらを巧みにミックスしたアイデアのつもりだったのだが、残念ながら、現実には、うまく機能しなかった。

ネックは、やはりジュール熱である。『ブリッツ』においては、最後まで、熱の問題がついて回るようだ。

秀一は、腕組みをした。医療機関で、検査や除細動などに使う、通電用のクリームが手に入ればと思う。

だが、かりに、本物のクリームが入手できたとしても、皮膚に、まったく痕跡を残さないという保証はなかった。検査でこれほど大きな電流を流すことなど、あり得ないからだ。一方、救命のかかった除細動の際には、多少の火傷など気にもしないだろう。

今回の実験では死んだ鶏を使ったために、端子が直接触れたところ以外には、目立った痕は残らなかったが、これが生きた人間であれば、皮膚が赤くなっていてもおかしくない。いや、ゼリーが、あっという間に溶けるくらいの高温だったのだから、第一度の火傷は、当然負うと考えるべきだろう。ましてや、それが左胸の前後についていれば……。

秀一は首を振った。これ以上、このアイデアにこだわってみても、うまくいくとは思えなかった。

本番は一発勝負であり、絶対に失敗は許されない。潔くあきらめ、もう一度、最初から考え直すしかなかった。

皮肉なことに、連休が終わった六日の天気は、雲ひとつない快晴だった。

ロードレーサーのペダルを踏み込みながら、秀一は、懐疑心にとらわれていた。電流斑を作らないですむ新しい経路は、まだ見えてこない。もしかすると、この五日間、自分がやってきたことは、まったくの徒労だったのではないだろうか。『ブリッツ』などというのは、しょせん、絵に描いた餅でしかなかったのかもしれない。そう簡単に、完全犯罪など、なし得るわけもないのだ。

どこまでも、気分が落ち込んでいくような気がする。秀一は、もう一つの作戦のことを考えることにした。こちらは、うまくいくはずなのだが……。

昨晩、すでに第一回の『禁酒作戦』を開始していた。といっても、曾根が帰ってくる前に部屋に行って、焼酎のパックを、シアナマイド入りのものと、取り替えてきただけである。

だが、抗酒剤が予想通りの効果を発揮すれば、今日、学校から帰ったときには、曾根の様子はさぞかし見物になるはずだった。

教室に入った秀一に、紀子が、隣の席から声をかけてきた。

「お、は、よ。元気してた？」

「まあな。そっちは？」

「うん、元気元気」

紀子は、何か言いたいようだったが、妙に遠慮がちな素振りだった。

「それでさあ……うまくいったの？」

「ん？」

「ほら、連休の間、やることがあるって言ってたじゃん」

「ああ。あれは……全然、だめだった」

「そうなの？　でも、それってさあ」

紀子が身を乗り出そうとしたとき、後ろから、誰かが秀一の肩を叩いた。

「ほれ。デリバリーだ」

『ゲイツ』が手渡した紙袋の中を見て、秀一は思いだした。電話で注文した、レアものの焼酎に違いない。

「おう。ごくろう」

「ごくろう、じゃない！　金だ！　キャッシュ・オン・デリバリー！」

「ツケでいいだろ？」

「ふざけろよ」

『ゲイツ』が、紙袋を取り返しそうな様子を見せたので、秀一は、渋々財布を出して、四千五百円を支払った。

目立った成果を上げられないまま、資金だけは、どんどん流出していく。

弱気になってはいけないと思うが、そもそもが無謀な企てに挑戦しているのではないかという思いは、消し去ることができない。

授業中も、ずっと電流斑の問題が頭を離れなかった。秀一の意識は、授業内容とは別のところで、フル回転を続けていた。

だが、四時間目ともなると、さすがに根気が続かなくなってきたことは否めなかった。脳が、大量のブドウ糖を消費したために、血糖値が下がり、激しい空腹を感じていた。

秀一は、思考を中断し、目の前に開かれている教科書に意識を戻した。

『英語II』の時間だった。諺のような文章が、網膜に飛び込んでくる。

"It is easier for a camel to go through the eye of a needle, than for a rich man to enter into the kingdom of God."

「……富者が神の国に入るよりは、ラクダが針の穴を通る方が容易である。平たく言えば、金持ちは、成仏できねえということだな」

ちょうどいいタイミングで、白神教諭が、その文章の意味を解説した。

秀一は、通信添削の問題で出てきた、"the last straw"という成句を思い出した。最後の藁によって、駱駝の背中はへし折れる。英米人は、駱駝が好きらしい。

「新約聖書のマタイ伝にある章句だ。ここから転じて、"the eye of a needle"というのは、『不可能な企て』という意味になる。こういう言葉を一個知らないだけで、長文読解が、とたんに難しくなるからな」

不可能な企て……。まさに、自分が今、行っていることだ。秀一は、自嘲気味に思った。電流斑を作らずに人体に大きな電流を流そうとするのは、針の穴を通り抜けるような難事なのかもしれない。

白神教諭は、チョークのかけらを飛び散らせながら、黒板に別の文を書き連ねた。

"to look for a needle in a haystack"

「同じ『needle』を使ったイディオムだから、まとめて覚えておけ。藁の山の中で、一本の針を探す。これも、『できそうにないことに挑戦する』という意味だ。来年の今ごろになったら、お前らにも、この意味が、身に沁みてわかるようになるぞ」

白神教諭は、皮肉屋として知られていた。秀一は、最初の授業で、彼が言った言葉を、よく覚えていた。君たちは、英語ができないのは、頭が悪いからだと思ってるかもしれません。まあ、たしかにそれもありますが……。

それにしても、『藁の山の中で一本の針を探す』というのは、まさに、今の自分のためにあるような言葉だと思う。正解は、必ず、どこかにあるはずだ。だが、今の時点では、それは、藁の中に埋もれた一本の針でしかない……。

そのとき、頭の中で、突如、白い閃光が爆発した。

秀一は、思わずあっと叫びそうになった。

そうか。簡単なことじゃないか。こんなことを、どうして、今まで思いつかなかったのか。

この瞬間、『ブリッツ』は、完成した。秀一はとうとう、電流斑を作らずに、曾根の心臓に電気ショックを与える方法を思いついたのだった。

第五章　ブリッツ

秀一が学校から帰ったとき、曾根は、二階の突き当たりの部屋で寝ていた。特に珍しいことではなかったが、やがて夕食の時間になり、さらに夜が更けても、曾根は一歩も部屋から出てこなかった。

母も遥香も、曾根が現れないことで、かなりほっとしているようだった。原因は、単なる飲み過ぎぐらいとしか思ってないだろう。

秀一は、夕食後しばらくたってから、トイレに立つような格好をして、曾根の様子を確かめに行った。二人は、居間でテレビの連続ドラマを見ていた。

相変わらず、ドアは開け放したままだった。だが、いつものような高鼾が聞こえない点だけが、少々異なっている。

戸口に立って、そっと中を覗き込んだ。

曾根は、床に敷いた万年床の上で、仰向けになって寝ていた。顔色が、不自然に赤い。

枕元には、焼酎のパックと中身が少し残っているコップ、袋に入った鯣や柿の種の残りなどが、雑然と散らばっていた。

猫のように足音を忍ばせて、部屋に入る。焼酎のパックは、半分くらいが空になっていた。つけっぱなしの電灯に透かして見ると、注射器の針の穴が確認できた。

熱いものが、ひたひたと秀一の胸を満たしていた。そこには、単なる満足感や達成感だけではなく、明らかな勝利の感覚が含まれていることを自覚する。

『禁酒作戦(ドライ・キャンペーン)』は、自分が曾根に対して行った、事実上、初めての反撃であり、しかも、それは、計算通りの戦果を挙げたのである。

秀一は、苦しげに横たわっている曾根を見下ろした。

この屑(くず)は、自分が攻撃を受けたことにすら、気がついていないだろう。いくら凶暴でも、こいつは、ただの脳味噌(のうみそ)が空っぽな動物にすぎない。シアナマイドなどという薬品があるという知識もなければ、だらしない生活習慣のために、それを盛られるという弱点が自分に存することにも、まったく無自覚だ。

そもそも、緻密(ちみつ)な計画を立てて、それを遂行するなどというメンタリティとは、無縁の生き物なのだ。これまでの四十数年、ただ、目先の快楽だけを追って、獣か昆虫のように、ただ刹那(せつな)的に生きてきたのだろう。

だったら、幕切れもそれにふさわしく、獣のように、虫けらのように、死ねばいい。

曾根の姿は、まさに、寝穢(いぎたな)いという形容がぴったりだった。常に口を開けっ放しで寝ているため、汚物の色をした乱杭歯(らんぐいば)だけでなく、安物の銀冠がはまった奥歯までが覗ける。

秀一は、そっと部屋を出て居間に戻った。テレビを見ながら、下らないギャグで笑っていると、遥香が、一度だけ、不思議そうな顔をしてこちらを見た。

目覚めるとすぐに、意識がはっきりと焦点を結ぶ。

今日は五月八日、土曜日。『ブリッツ』のための、最後の準備を整える日である。

すでに、計画は、何度も頭の中でリハーサルされ、細部に至るまで練り上げられていた。

目覚まし時計を見ると、十時二十六分を指していた。

『ハート・トゥー・ハート』の深夜勤から帰ったのが、午前五時十分頃だったから、五時間ちょっとしか眠っていないことになる。にもかかわらず、全身に意欲がみなぎっているせいか、それほど眠気は感じなかった。

秀一は、一本一本、ていねいに歯を磨きながら、昨晩、コンビニで考えた内容を反芻(はんすう)した。

最後まで残っていた問題は、曾根の心臓に心室細動を引き起こした後、どうやってそれを確認するかということだった。だが、それも、ほどなく解決を見た。Z会の通信添削で苦しんだときのように、ひとつの問題が片づくと、インスピレーションが冴(さ)えて、次々に良いアイデアが浮かぶものだ。

電流斑を残さない電流の経路についても、より一層の進展があった。最初は、『英語II』の時間に思いついた方法で、電流の入り口と出口の両方をまかなおうと思っていたのだが、さらにいいやり方を考えついたのだ。これで、検死の際に発覚する危険性は、さらに極小になったと言えるだろう。ヒントになったのは、おとといの晩に見た、曾根が寝ている姿だった。

一刻も早く活動を開始したいと気が逸(はや)ったが、昼食を取ってから出かけることにした。今日も、曾根は一日中、家にいるはずだった。次の競輪が平塚で開催されるのは、今月半ば、十四日からである。だが、物事が計画通りに進めば、その時には、曾根は、もはやこの世には存在しない。

曾根が家でとぐろを巻いているときに外出するのは、かなり不安だった。留守中、何かがあったら、取り返しがつかない。そのため、昨晩、二度目の『禁酒作戦(ドライ・キャンペーン)』を実施していた。

部屋の入り口まで行って、様子をうかがう。一昨日とまったく同じように、苦しげな様子で横たわっている姿が、目に飛び込んできた。

本当に良い曾根隆司とは、死んだ曾根隆司だけだが、血中に充分なアセトアルデヒドを残している曾根隆司も、そう悪くはないものだと思った。

いずれにせよ、害虫(バグ)は駆除(デバグ)するしかないのだが。

秀一は、背広の上下と、ワイシャツ、靴などをスポーツバッグに入れ、ふだんはあまり穿(は)かないジーンズと、濃紺のトレーナー、前回と同じキャップにサングラスという、いでたちで出かけた。

JRの東海道本線で、藤沢から新橋まで行き、山手線に乗り換えて、秋葉原で降りる。土曜日ということもあって、秋葉原(アキバ)の電気店街は、かなり混雑していた。

顔なじみの店員がいる、行きつけのパソコンショップなどは、避けなければならない。

秀一は、駅のそばにある、ラジオストアーという小さなアーケードに向かった。

ここでは、単価の安い、様々な電器部品を売っていた。

メモを見ながら、三メートルの電気コード（百六十円）、スイッチ（10Ａ用、三百五十円）、充電用クリップ（30Ａ用、百二十円）、ミノ虫クリップ（三十円）を購入する。

次は、変圧器だった。１００Ｖを２２０Ｖに変圧するための、なるべく小型で安価のものを探したが、見つかったのは、黒いメラミン塗装を施した、高級感あふれる機器だった。値段を見ると、五千二百円もする。片手で持てるサイズのわりには、相当持ち重りがした。以前は、もっと安物も売っていたような気がしたのだが、あまり長時間物色して、店の人間の注意を引くようなことは避けたかったので、それを買うことにする。

最後は、血圧計である。さすがに、ラジオストアーには、ほとんど種類がなかったので、家電の大型安売り店へ行くことにした。

健康ブームは今も続いているのか、実に様々な機種が並んでいる。最近は、手首で測るカフ一体型が主流のようだった。迷ったが、持ち運びの便と、後で始末することを考えて、コンパクトさを優先することにした。

そこにある中で、一番小さかったのは、オムロンの「ゆびあつくん」という機械だった。細い輪に指を通す方式のもので、値引き後でも、一万四千八百円もした。痛い出費である。それを稼ぎ出すために、コンビニで何時間、深夜勤をしなければならなかったかは、あえて考えないことにする。

秋葉原での買い物は、思ったよりも短時間で終わった。

秀一は、総武線に乗って新宿へ行った。西口から出て、新宿センタービルの中地階にあるトイレで、背広に着替えた。ここのところ、すっかり恒例となった感のあるコースだが、あまり、同じパターンの行動を続けるのは、危険かもしれなかった。今度、着替えるときには、別の場所を選ぼうと思う。

そのとき、『今度』というのはあり得ないことに気づいて、苦笑した。今日で、準備は完了する。二度と再び、こんなことをする必要はないのだ。

新宿駅へ戻り、脱いだ服と秋葉原で購入した器具類を、コイン・ロッカーに保管する。ぶらぶらと新宿通りを歩き、新宿御苑前までやって来た。

インターネットで見つけておいた店は、ビルの五階にあった。

ガラス戸を押して中に入る。店内には、数人の客がいたが、ほとんど話し声も聞こえず、静かな雰囲気だった。

正面には書棚があり、専門書が並んでいた。『漢方概論』、『鍼灸入門』、『鍼灸の実際』、『鍼灸治療の基礎』、『実用経穴学』、『はり治療の理論』……。

マニュアルも、一冊、購入しておいた方がいいかもしれない。秀一は、何冊か抜き出して、中身を見てから、一番初心者向けで、わかりやすそうな一冊を選んだ。

次は、肝心要の『鍼』である。『ブリッツ』の正否は、これにかかっているので慎重に選択しなくてはならない。

すでに、『鍼』について、インターネットと百科事典で、ある程度の基礎知識を得ていた。

漢方では、人間の全身に、三百六十五の経穴（いわゆる、ツボ）が存在し、それらを結んだ、十二の経絡というラインが存在するのだという。（これらは正経と呼ばれ、その他にも、奇経という八本の経絡があるらしい）気血という人体のエネルギーは、この経絡を循環しているが、その流れに過不足、停滞などがあると、病気になる。

鍼治療は、この経穴を、金属製の鍼によって刺激し、気血の流れを正常に戻すことで、病気を治療しようというものらしかった。

そのために使われる鍼には、中国鍼と日本鍼とがあり、通常、日本の鍼灸院では、より細い日本鍼が使われている。

鍼治療に使われる鍼は、髪の毛ほどの細さであり、縫い針などとは比較にならないくらい鋭く研いであるので、皮膚から刺入しても、ほとんど痛みを感じず、また、痕も残らないのだという。

あまりにも鍼が細いために、秀一は、当初、充分な電流を流すことができるかどうか、危ぶんだ。電流も、流れるという点では、水流と同じ理屈であり、経路の断面積が狭いということは、結局、抵抗が大きいのと同じことになるからだ。

だが、『理科年表』に載っていた金属の体積抵抗率を参考にして、計算してみたところ、

『一番』と呼ばれる、最も細い直径0・16㎜の鍼でさえも、抵抗は、無視できるくらい小さいことがわかった。

鍼灸用品の棚には、何種類もの鍼が並んでいた。ディスポ鍼。リング皮内鍼。円皮鍼。平軸皮内鍼。小児鍼……。

ディスポ鍼というのは、使い捨ての鍼のことである。近年、エイズや肝炎などの感染症が鍼を通じてもうつるのではないかという心配が増してきたため、ほとんどの鍼灸院では、このディスポ鍼を使っているようだった。

秀一は、箱入りのディスポ鍼を手に取ってみた。普通の鍼は五十本単位で売られているらしいが、ディスポ鍼は、百本単位となっている。

『ブリッツ』に必要なのは、たった一本の鍼だった。練習用も含め、一ダースもあれば、充分なのだが……。

ネットで得た情報によると、鍼の材質には、ディスポ鍼などの普及型の鍼に用いられるステンレス以外に、金鍼や、銀鍼というものも存在しているようだった。

秀一は、銀鍼に惹かれるものを感じていた。銀は、金属の中でも際立って導電性が高い。つまり、それだけ効率的に、電流を流せるということである。

漢方では、銀鍼は邪気を払うと言われているらしい。西洋でも、魔物を退治する際に、銀製の武器を使う。曾根のような邪悪な存在を抹殺するには、まさに、うってつけの気がした。

ただし、鍼灸医の作っているHPに、「銀の鍼は折れやすく、金の鍼は曲がりやすい」という記述があったのが、少し気になっていた。作戦の途中で鍼が曲がっても、それほど困らないが、途中で折れて、取れなくなってしまったら、致命的である。

その意味では、銀と同様に優秀な導電性を持つ金の鍼の方が、より望ましいのかもしれなかった。ただし、高価な金鍼は、一般的に、注文しなければ、入手することはできないという。この店のHPでも、銀鍼は普通に売っているようだが、金鍼は注文によると書かれていた。

秀一は、一寸（長さ3㎝）、一番（直径0・16㎜）の銀鍼を買うことにして、さっき選んだ本と一緒に、レジへ持っていった。

銀鍼は、五十本セットで、二千七百円だった。レジには、カートリッジ式の管も売っていた。そこに鍼を入れて、上から叩くようにすると、折らずに刺入することができるらしい。こちらは、百八十円から六百五十円まであった。一番高いものを、買うことにする。

レジにいたのは、五十代の品のいい女性だったが、『初歩のはり治療』という題の本と銀鍼を見ても、特に不審を抱いた様子はなかった。一般人に対して鍼を販売すること自体は、違法ではないが、医療事故を恐れるためか、鍼灸医以外に売っている店は少なかった。ここは、数少ない例外なのである。

金を払おうとしたとき、秀一は、銀鍼の入っている袋に、気になる注意書きがあるのに気づいた。

『*銀鍼は、通電治療には向きません』とある。

通電治療というのは、鍼に弱いパルス波を通すことによって、継続的に刺激を与えるという療法のことだった。

あまり言葉を交わしたくはなかったが、レジの女性に、注意書きの意味を訊ねてみた。

「電気鍼に使うと、銀鍼は電気分解を起こすので、すごく折れやすくなるんです」

レジの女性は、こともなげに答えた。

秀一は、はっとした。これも、昨年、『化学ⅠB』で学んだばかりの知識ではないか。電気分解の際に、銀や銅などの酸化されやすい金属を陽極に用いると、極自体が溶解してしまうのだ。

$Ag \rightarrow Ag^{+} + e^{-}$

もしかすると、臨床でも、確かめられていることなのかもしれない。

「それは、どのくらい使うと、危険なんですか?」

「さあ……。たとえ一回でも、安全とは言えないと思いますよ」

『ブリッツ』での通電時間は、たかだか数秒に過ぎない。ただし、電気鍼などとは比較できないくらいの大電流を流すことになる。万一の危険性を考えると、銀鍼は避けた方が賢明だろう。

秀一は、レジの女性に謝って、ディスポ鍼に変更することにした。百本入りだったが、二千八百円と、五十本入りの銀鍼と、ほとんど変わらない値段である。

念のため、箱に書かれている注意書きにさっと目を通す。二つの角度で研いであるため、無痛切皮と刺入が容易という。オールステンレスのため、電気鍼にも向いているらしい。ブリスターパックによる個別包装であること、鍼管がポリエチレン製であることも、使いやすそうだった。

鍼灸用品店を出ると、秀一はスポーツショップへ寄って、サイクリング用のウェアなどを買い揃えた。さらに、世界堂で、新しいキャンバスと、ルフランの油絵の具を数色分、購入する。

リストを見ると、残っている買い物は、ただ一つだけだった。

秀一は、新宿駅でコイン・ロッカーから荷物を取り出し、駅のトイレで元の服装に着替えた。山手線で品川へ行き、横須賀線に乗り換えて、鎌倉まで戻ってくる。

江ノ電に乗り換える前に、鎌倉駅近くの花屋で、花束を届けてくれるよう注文した。毎年、遥香と小遣いを出し合っていた。明日の、母の日には、真っ赤な薔薇(ばら)が食卓を飾ることだろう。

気の毒なことに、曾根はまだ、ひどい二日酔いの症状に苦しんでいるようだった。夕食が終わると、秀一は、安心してガレージへ直行した。

作業机の上に、秋葉原で買ってきた、電気部品を並べる。

三メートルの電気コードと、充電用クリップ、ミノ虫クリップ、スイッチ。

まず、電気コードの、プラグのついていない方の端から、コードの中央の窪んだ部分にカッターナイフを入れた。コードの中を通っている二本の導線が被覆ごと分かれるように、正確に中央から二つに切り分けていく。

三メートルのうち、一メートル二十センチを二つに分離すると、Y字型のコードができあがった。

今度は、二つに裂いたコードの各々の端で、鮮やかな銅色の線を剝き出しにすると、充電用クリップと、ミノ虫クリップとを取り付ける。

どちらも、電気回路を接続するための器具だが、充電用クリップは洗濯バサミそっくりの形で、車のバッテリーに付いているような太めの端子を挟むのに用いられる。対照的に、ミノ虫クリップは、ハサミムシほどの大きさしかなく、主に、細い導線の中途をクリップするためのものだった。

アンバランスな二つのクリップを取り付けたコードは、シオマネキのハサミを彷彿とさせた。

ひとつ、心配なことに気がついた。ミノ虫クリップは、先端の五ミリほどを残して、黒い絶縁用のビニールで覆われているが、充電用クリップの方は、赤いビニールがカバーしているのは柄の部分だけである。このままでは、関係のない箇所にクリップの一部が接触し、電流が漏出する恐れがあった。

　工具箱の中を探すと、四色の絶縁テープがあった。赤いテープを選び、充電用クリップに幾重にも巻き付けた。端子を挟む鋸歯(のこば)の上だけ、カッターナイフでテープを切り取って、金属を露出させる。

　最後は、スイッチだった。コンセント用のプラグと、コードが二股(また)に分かれている箇所の、ちょうど中間あたりを切断し、導線を、スイッチを介して接続し直す。

　これだけだった。前人未到の完全犯罪を目指すにしては、シンプルそのものとも言える仕掛けである。

　秀一は、ディスポ鍼のパッケージを開けて、一本取り出してみた。実に細く、頼りなく見える。どこかに突き刺そうと思ったが、椅子の背もたれに刺すのでさえ針が折れそうで、適当な場所が見つからなかった。柄の部分を、ミノ虫クリップで挟んでみる。予想以上にしっかりと固定されることに、満足した。

　そのとき、母屋に通じるドアに、ノックの音がした。

　秀一は、飛び上がりそうになった。

「何……？」

　母だろうか。もしかして、何か、あったのか。

「わたし」

　遥香の声だった。秀一は、あわててY字型のコードやディスポ鍼などをスポーツバッグの中に放り込んでから、ドアを開けに行った。

「何だ？　どうかしたのか？」

遥香は、戸口のところに立ったまま、もじもじしていた。

「バラの花。どうしたかと思って」

「ああ……。帰りに、鎌倉で頼んどいた」

「そ。よかった」

遥香は、物珍しそうに、ガレージの中を見回した。意地悪をするつもりはなかったが、余計なものに触られたり、壊されたりするのが嫌だったので、これまで、ほとんど入れてやったことがなかった。

「入るか？」

そう聞くと、嬉しそうにうなずく。ガレージの中での特等席である、パソコン・テーブルの前に座らせてやった。

「……ねえ、何で、パソコンの本体が三つもあるの？」

遥香は、興味津々といった面持ちで、テーブルの上を見ていた。

「使い分けてるんだ。一つは、インターネット専用で、もう一つは、ゲームやワープロに使ってる。ネットに繋いでると、どうしてもウィルスが入る可能性があるから、接続してないんだよ。もう一つは……」

まさか、空っぽのダミーだとは言えない。

「まあ、何ていうか、バックアップ用だな」

「ふうん」

遥香は、かなり無理のある説明にも、全然、疑った様子はなかった。感心したように、ガレージの中を見回す。

「そっかあ……。お兄ちゃんは、いっつも、この部屋の中で、いろいろ悪さをしてるわけだね」

「それほど悪いことは、してない」

「でも、ある程度悪いことは、してるんだ？」

「死刑になるようなことは、してない」

未成年だからなと、心の中で付け加える。

「でも、最近、閉じこもってばっかじゃない。何してるの？」

冗談めかしてはいるが、遥香の目の光を見たとき、それが聞きたくて来たのだということがわかった。

「まあ、いろいろだよ」

「たとえば、どんなこと？」

「お前は、母親か？」

突っ込みを入れたが、遥香は笑わなかった。

「お母さんが、すごく心配してる」

「そうか？」

少し、心が痛んだ。

「お兄ちゃんが、何だか、一人だけで悩んでるんじゃないかって」

「うん」

「でも、どんなことだって、みんなで考えた方が、絶対に、いい知恵が浮かぶと思うよ。この世でたった三人しかいない、血のつながった家族なんだからさ」

秀一は、遥香の顔から目をそらした。その中で、自分だけがそうではないのだと知ったら、妹はどう思うだろうか。

それにしても、こんなに素直で優しい子が、曾根の娘だというのは、いまだに信じられなかった。何かの間違いではないのかと思う。

「だからさ……」

秀一は、妹の言葉を遮った。

「わかった。これからは、ガレージにばっかり閉じこもらないようにするよ」

「ほんと？」

本当だと、秀一は心の中でつぶやいた。すでに、準備はほとんど完了している。あとは、曾根を実際に『強制終了』させる作業くらいだろう……。

「別に、何にも、悩んでたんじゃないって。ここんとこ、いろいろ嫌なことがあったから、パソコンで、ストレスを解消してただけだよ」

「また、エッチなゲームとかで?」

「最近の18禁ゲームは、泣けるんだぞ。知らないだろう?」

「知らないよ。……それに、18禁だったら、お兄ちゃん、ダメじゃん」

「あれは、数え年で、決められてるからな」

その時、秀一は、まだ、時間のかかる作業が、一つだけ残っていることを思い出した。

「そうだ。今日と明日の晩は、やることが残ってたんだ。だから、今の話は、月曜日からだ……」

遥香は、子供のように膨れた。

「ああー! やっぱり、ゲームじゃないんじゃない。ほんとは、何してるのよう?」

「実は、絵を描かなきゃならない」

「もう。ウソつくんだったら、もっと、それらしいこと言えばいいのに……」

「本当だって。俺は、美術部なんだぞ? 絵を描くのに、何の不思議がある?」

秀一は、ガレージの隅に行くと、昨日、学校から持ち帰ったキャンバスが入っている、トートバッグを持ち出した。どうして、ここまでしているのか、自分でも不思議に思う。

妹が文句を言ってきたところで、却下すればいいだけの話なのに。

だが、代わりに秀一は、キャンバスを出して、遥香に見せてやっていた。

「ほら、見ろよ。傑作だろう? こいつを完成させるんだ」

それは、美術の課題である風景画だった。由比ヶ浜高校の美術室の窓から見た、湘南の海である。灰色の雨雲で覆われた空。バックライトのような、淡い太陽光。波のうねり。細かい雨滴のおりなす波紋。そして、風。こうしたものを表現するのに、かなり苦心したつもりだったが、一見して、まだ塗りが充分ではないのは、明らかだった。

「へえ……すごい。うまいね」

遥香は、本心から感嘆したようだったので、秀一は気をよくした。

ふと、この絵を遥香に見せたのはまずかったかもしれないと思ったが、心配することもないかと思い直す。それで、計画に齟齬を来すようなことは、まずないだろう。

「だから、今日と明日だけは、ガレージにいるからな？　そのあとは、また、遊んでやるから」

「ふん。別に、遊んでほしくなんかないね」

口振りとは裏腹に、遥香の表情は、来たときより、ずっと明るくなっていた。

妹が退場すると、秀一は、ガレージの中央に、二本のイーゼルを並べて立てた。一方に、遥香に見せたばかりの絵を載せ、もう一方には、すでに下塗りだけしてあるキャンバスを載せる。

それから、油絵の具を用意すると、自分で描いた絵を、精密に模写し始めた。

五月十一日、火曜日。

何であれ、『当日』というものは、想像しているよりずっと早く、やってきてしまう。

秀一は、いつもより三十分以上早い時間に起き出して、歯を磨いていた。

昨晩は、101の助けもあって、比較的早い時間に眠ることができたのだが、曙光とともにうるさく鳴き出した雀の声で、目が覚めてから、輾転反側するばかりで、どうしても寝つくことができなかった。

昨晩は、それほど何杯も、バーボンを呑んだわけではなかったが、なぜか胃にきていた。いつもならなんでもない歯磨き粉の味が、妙に喉を刺激しては、吐き気を催す。

秀一が、遥香より先にキッチンに現れると、友子は、驚いたようだった。

食欲は、まったくなかったが、今日一日のエネルギー消費に備えて、炭水化物だけは、きっちりと摂っておく必要があった。カーボ・ローディングというやつである。過去に、数回出場したロード・レースでも、これが充分でなかったために、後半、スタミナ切れに陥った苦い経験がある。

秀一は、ハムエッグをつつきながら、大量のコーヒーで、五枚のトーストを胃袋に収める。

「食べ過ぎじゃないの?」と、友子が心配する。

秀一の自棄食いに近い食べっぷりに、後から来た遥香も、目が点になっていた。

余計なことを聞かれないようにと、食べ終わると早々に、食卓から退散することにした。

すでに、制服の下には、レーシング用の派手なデザインのウェアとスパッツを着込んでいた。紙で包んだ油絵と、ヘルメット、ゴーグル、レーシング・シューズをデイパックに入れて背負い、通学カバンを持って、ガレージに向かう。

パナソニックのロードレーサーは、昨日のうちに、隅々まで、入念なメインテナンスを施してあった。外見にも多少は手を加えようかと思ったが、もともと、地味で目立たないバイクだけに、あまり余計なことはしない方がいいかもしれない。特に、駐輪しているときに、注目を浴びるようでは困る。結局、黒いハンドルのテープを、水色のものに換えただけだったが、それだけで、けっこう印象が変わって見えた。

鵠沼の家を出発した時刻は、いつもより二十分早い、八時ちょうどだった。

今朝は、北風が強く、薄曇りの天気だった。朝食が胃にもたれて、いつもほど快調に飛ばすことができない。それでも、十八分ほどの所要時間で鎌倉海浜公園までやって来た。左折すると、右前方に、由比ヶ浜高校の校舎が見える。登校する生徒は、まだ、ちらほら見える程度だった。

秀一は、誰にも見られていないことを確認すると、高校まで五十メートルほどの場所で、反対側にある建物の敷地に入った。

そこは、会員制のテニスクラブだった。時間が早いせいか、コートに人影は見えないが、すでに二台の車が駐車していた。

駐車場の隣にある駐輪場に、ロードレーサーを止めた。チェーンで、後輪とフレームをからめてロックする。

本当は、ここに着替えを置いておければ、非常に好都合なのだが。

以前、ビジターでプレイしたことがあったので、このテニスクラブのロッカールームが簡単に無断借用できることは、わかっていた。だが、正式会員ではない以上、見咎められる危険は冒せない。

もう一度、誰も見ていないことを確かめ、歩いてテニスクラブを出た。目立たないように、徒歩通学の生徒たちに紛れ込み、校門から入る。

教室へ行く前に、校舎の裏手に回って、文化系サークルのボックスが並んでいる場所に来た。この時間には、当然、誰もいない。

長屋のような建物の一番奥には、使われていない部屋があった。蝶番の取れかけたドアを開けると、壊れた机や椅子、文化祭で使ったらしい立て看板などが、雑然と積み上げてある。狭い間隙を縫うようにして奥まで進み、金モールが入っている段ボールの後ろに、デイパックを隠した。

時計を見ながら、しばらく、時間を潰す。

江ノ電で通学する生徒たちが、ぞろぞろやって来る声がした。タイミングを見計らって、裏から校舎に入る。玄関で、大勢の生徒に混じって、靴を履き替えている大門を見つけた。

後ろから肩を叩く。

「よ」

「あれ？　今の電車に乗ってた？」

「押忍」

「今日は、自転車じゃないんだ？」

「毎日じゃ、かったるいからな」

「へー。鉄人櫛森も、お疲れなんだ」

人のいい大門は、微塵も疑った様子がなかった。連れ立って階段を上がり、教室へ行く。

秀一は、教室の窓から、テニスコートの方を眺めた。出入り口の部分は、他の建物で遮られて、見ることができない。

いよいよ、これで、実行を待つのみとなった。

今は、祈るような思いだった。

今日一日が終わりさえすれば、もう一度、平和な朝が取り戻せるのだ。

一時間目から三時間目までは、ほとんど、意識を授業に集中することができなかった。両手を握り合わせながら、ひたすら、時間が過ぎ去るのを待っていた。永遠の苦行のような待ち時間が、いつまでも続くのは耐え難かったが、反面、その時が来るのが恐ろしくてたまらなかった。

今晩、家に帰ったときには、すべてが終わっているはずだ。絶対に、うまくいく。そのはずだ。検討に検討を重ねて、完全無欠な計画を立てたのだから。

だから、今は、我慢しなくてはならない。どんな出来事でも、終わってしまえば、あっという間だ。あとから振り返れば、これも、秘密の経験、誰も経験したことがないような特殊な想い出というだけのことだ。

　ほんの数時間の間だけは、気力を最高潮に保って、完璧にやり抜かなければならない。さもなければ、そのあと、一生、後悔することになる。

　落ち着かずに、何度も椅子の上で姿勢を変え、唇の間から、長い息を吐き出す。

　考えてみたら、こんな体験をした後では、大学受験なんて、なんのプレッシャーもないに違いない。失敗しても、また翌年がある。そんな生温い勝負で、死にそうな悲壮感を漂わせている連中は、社会に出てから、とても通用しないだろう。

　俺は、そいつらとは違う。どんな過酷な試練でも、やり抜いてみせる。その間だけは、感情を封印し、コンピューターのように与えられたタスクを計算し、そして、訓練された兵士のように、非情な果断さをもってやり遂げる……。

　三時間目の終わりを告げる、チャイムが鳴った。

　秀一は、大きく伸びをして、立ち上がった。

「櫛森くん」

　いきなり声をかけられて、動揺してしまう。

「君、どっか具合でも悪いの？」

　紀子だった。眉間に皺を寄せ、こちらを見ている。

「いや、別に。そんなふうに見えるか？」

「うーん。ていうか」

「次、美術だぞ。移動しようぜ」

「う、うん」

紀子は、釈然としない様子で、あとから付いてきた。

休み時間になったばかりだったので、美術室には、まだ誰も来ていなかった。

秀一は、針金でできた棚に歩み寄ると、描きかけの絵を抜き出す。

「その絵、さあ」

「うん」

「ずっと、ここに置きっぱなしだった?」

秀一は、ぎょっとして振り返った。模写のために持って帰ったのを、気づいていたのだろうか。

「ど、どうしたの?」

紀子は、むしろ、秀一の過敏な反応に驚いているようだった。

そうだ。そうだよな、と思う。かりに、絵を持って帰ったことを知っていたとしても、目的の見当がつくはずがない。

「何で、そんなこと聞くんだ?」

「う、ううん。まあ、別に、いいんだけど」

紀子は、また、耳が赤くなっていた。どうしてあんなことを聞いたのか、確かめたい気もしたが、他の生徒が、三々五々、美術室に入ってきだしたので、タイミングを逸してしまった。

チャイムが鳴ると同時に、『ミロシェビッチ』が入ってきた。おざなりに出席を採ると、ぼそぼそとした口調で、毎度お馴染みの口上をつぶやく。

「君たちの絵はですね、手で書こうとしてるから、だめなんですね。絵というのはですね、目で描くものです。小手先の技術はいらないから、対象を、よく観察することが、第一歩です。とにかく、一にも二にも、よく見ること。わかりましたか？」

律儀な生徒が何人か、はーいとか、ふーいとか返事をすると、『ミロシェビッチ』は、満足したらしく、黙って展覧会に出す自分の絵を描き始めた。すぐに自分の世界に入ってしまい、周囲のことは、何も目に入らない様子である。

「俺、ちょっと、出てくる」

秀一は、紀子に小声で囁いた。

「え？　どこへ？」

「曇ってるから、ちょうど、光がいい感じなんだ。空と海の色を、直接確かめてくる」

「でも……校舎の外へ出るのは、ヤバいんじゃないの？」

「だいじょうぶだって。ちょっと校庭をうろつくだけだから」

秀一は、キャンバスと絵の具類をまとめて手に持つと、堂々と教室から出ていった。

『ミロシェビッチ』は、顔も上げようとはしない。

秀一は、足音を忍ばせて階段を駆け下りた。

誰もいない廊下を、音もなく疾走する。もちろん、玄関を通るわけにはいかない。校舎の端にある、すべての教室から死角になっている窓から、外に出た。

一ヵ所だけ、危険な場所を通らなくてはならなかった。腰をかがめ、校舎にへばりつくようにして、移動する。上の階の教室からは、よほど窓から身を乗り出さないと見えないだろう。

文化系サークルのボックスに辿り着くと、キャンバスと絵の具類を置いて、手早く上着とズボンを脱ぎ、レーシング・ウェア姿になった。上履きからレーシング・シューズに履き替えると、ゴーグルを入れたヘルメットを小脇に抱えて、ボックスを後にする。

フェンスを乗り越え、学校の敷地の外へ出た。

小走りに、テニスクラブへと急ぐ。駐輪場で、チェーンを外しながら、時計を見る。

十一時五十三分、三十秒……。

四時間目の開始のチャイムから、すでに三分半が経過していた。タイミングとしては、ぎりぎりだろう。

秀一は、赤のゴーグルをかけて目元を隠すと、リアクターの赤いヘルメットをかぶった。流滴型のベンチレーション・ホールがいくつも開いた、最新のデザインである。

黄色と赤のツートンのウェアと、黒のスパッツは、キャノンデール、黄色と黒のレーシング・シューズは、ノースウェイブ……。134号線を走っているときは、むしろ上から下まで派手に決めた方が目立たないはずだと、計算してのいでたちだった。

ゆっくりと、ロードレーサーを発進させた。

車の切れ目を待って、134号線の海側へ渡り、東に車輪を向けてからは、一気に加速する。

地図の上で計測したところでは、鵠沼の自宅から由比ヶ浜高校まで、7・66kmあった。計画では、ここを、十五分から十六分で、走破しなくてはならない。かりに十五分としても、平均時速は30・64kmであり、自慢の脚力からすれば、けっして無理なペースではない。

たとえば、全日本選手権のA－1カテゴリーで優勝するには、一周5kmのコースを十二周する、つまり、60km走るのに、一周あたり、八分十二秒から八分三十秒の間でまとめなければならない。はるかに長い距離なのに、平均時速は35～36kmに達するのだ。

秀一自身、過去に何度か登校タイムアタックを試みていたが、早朝、ほとんど交通量のないときに、何カ所か信号を無視して作った、十三分十六秒というのが、今までのところ、ベストタイムだった。このときで、平均時速は34・64kmということになる。

ただし、登校時には、鵠沼から小動(こゆるぎ)までが下り坂になっていることや、現在の時間帯では、信号や車を気にせざるを得ないこと等を考えると、今、とても、そんなタイムは出せないだろう。

とにかく、計画通りのタイムで鵠沼の家に帰り着くには、信号待ちのない134号線で、可能な限り距離を稼いでおくほかはなかった。

秀一は、背中を丸めた前傾姿勢で、さらにスピードを上げた。ストラップでペダルに靴を固定しているので、踏み込むときだけでなく、足を引くときにも脚力を推進力に換えることができる。したがって、うまく両脚のバランスを取りながら回転させ、リズミカルなペダリングを維持しなければならない。

由比ヶ浜から、坂ノ下を経て稲村ヶ崎に向かうあたりは、緩やかな上り坂になっている。やや強い南風が吹いているのも、向かい風になるために、苦しかった。強い磯の香りが、鼻孔に伝わってくる。まだ五月で、しかも曇りの天気だったが、正午近いせいか、気温は高く感じられる。早くも、額に汗が滲み始めた。

右の肱すれすれの場所を、次々と車が追い抜いていく。四輪だけならいいが、同じ路肩を走るオートバイには、よりいっそう神経を遣わなくてはならなかった。

左側には、充分な幅を持つ、美しいタイル貼りの歩道があるので、そちらを走りたいという誘惑に駆られる。だが、この先、七里ガ浜高校のあたりからは、歩道に邪魔な車止めが多くなる。最初から路肩を走った方が、ロスが少ないのだ。

前方に見える稲村ヶ崎が、しだいに大きく見え始めた。スピードを維持するのが、いよいよきつくなってくる。

ドロップハンドルの一番下のポジションを、両手でしっかりと握りしめて、全身の力で風圧に立ち向かう。大腿筋だけではなく、背筋や上腕の筋肉も、めいっぱい駆使しなくてはならない。体が地面と平行になっていることもあって、四つ足で疾走する獣のような感覚だった。

『……無我夢中で駆けていくうちに、いつしか道は山林に入り、しかも、知らぬ間に自分は左右の手で地をつかんで走っていた。何か体じゅうに力が満ち満ちたような感じで、軽々と岩石を跳び越えて行った……』

稲村ヶ崎を切り開いた『磯づたいのみち』に入って、一時的に海への視界が遮られる。路肩の幅が狭くなっているので、ほとんど白線の上を走らなくてはならなかった。

歯を食いしばって、速度を落とさずに、坂の頂点に達した。

ふいに、ペダルの抵抗が消えた。重力の加速度をプレゼントされたロードレーサーは、一気に坂を駆け下り始めた。

前方にある横断歩道の信号は青だったので、ブレーキはかけずに、そのまま、速度が出るにまかせた。

突然、視界が開けると、左前方に江の島が見えた。その向こうには、うっすらとだが、富士山のシルエットが聳(そび)えている。

相変わらず、路肩には、ぎりぎりの幅しかなかったが、かまわず加速して、車の流れとほぼ同じ速度をキープする。

左手の海岸では、コンクリートの波消しブロックの上に、真っ黒なハシブトガラスが群れていた。少し離れた場所には、大きな鳶(とび)が羽を休めている。

その向こうでは、サーファーたちが、パドリングしながら波を待っているようだった。

千本に一本と言われている、本当の大波を待っているのかもしれない。由比ヶ浜周辺ではウィンドサーファーが多かったが、この辺りでは、サーファーばかりになる。

七里ガ浜高校のそばまで来ると、江ノ電が、134号線に並行して走るようになる。

ちょうど、一台の電車が、駅を出発したばかりだった。大正時代のヨーロッパの車両をイメージした、レトロ車両である。江ノ電でも導入したのだという。観光宣伝などで提携している京都の嵐電が、数年前にレトロ車両を作ったのを機に、江ノ電でも導入したのだという。

秀一は、スピードに乗り、のどかに走るレトロ車に追いつき、抜き去った。

速度が遅い上に、頻繁に停車する江ノ電では、由比ヶ浜から鵠沼までは、二十五、六分はかかる。したがって、江ノ電を使うかぎり、犯行は絶対に不可能だった。だからこそ、四時間目の、十一時五十分から十二時四十分までの間に、鵠沼までの往復と犯行を終えることができれば、立派なアリバイができるのである。

ロードレーサーのことが絶対にバレないという、前提付きの話ではあるが。

鎌倉高校の前を通過し、ついに、小動まで来た。その名の通り、岬に生えている松が、海からの風を受けて、かすかにざわめいているように見える。

江の島を左手に見ながら、江ノ電と一緒に腰越の方へ右折し、龍口寺(りゅうこうじ)から国道467号線を北上した。

江ノ島駅をすぎて、江ノ電と別れた。道路が狭くなり、信号が多いために、あまりスピードを出すことはできない。だが、もう少しだ。

１kmほど走って左折し、境川を渡る。商店の間を抜けると、江ノ電の線路と再会する。鵠沼の踏切を通過して、急な坂を登った。

家までは、残り、四百メートル足らずしかない。秀一は、勝手を知り尽くした、迷路のように狭い道を走り抜けた。

時計を見る。十二時九分。ここまで、十五分半で来ていることになる。ほぼ、予定通りだった。

もし、何かの理由で、大幅に遅れるようであれば、計画を断念して、引き返すつもりだったのだが……。

家が近づくにつれ、別の心配が、ちらつき始めた。曾根が、仕掛けておいた餌（ベイト）に食いついていないという可能性もあるのだ。その場合もやはり、計画は中止することに決めてあった。

『ブリッツ』は、いくつもの仮定と留保の上に成り立っていた。何か不都合が起きれば、その時点で引き返すというのが、鉄則なのである。安全性を第一に考えた結果だったが、もしかすると、自分自身、中止するための口実が欲しかったのかもしれない。

そんな思いが、頭をよぎった。

だが、ここまで来て、迷ってもしょうがない。秀一は、つい弱気に傾きそうになる心を、必死で引き戻した。

やるかやらないかの決断は、とうに下してあるのだ。

だったら、今は、最後までやり抜くしかない。

秀一はロードレーサーを止めた。慣れ親しんできたはずの自分の家が、ひどく禍々しい場所のように見える。

周囲には、まったく人通りがなかった。

秀一は、そっと黒い鋳鉄の門扉を開けた。

誰かが、こちらを見ているのではないかと思い、緊張する。だが、視界に入る家々の窓には、人影は見えなかった。

ロードレーサーを、門の内側の人目に付かない場所に止める。玄関の鍵を開けて、中に入った。

動悸が、耐え難いほどに、高まってきた。

家の中は、ひっそりとして、物音一つしない。

秀一は、赤いゴーグルを額に上げ、時計を見た。十二時十一分を過ぎている。帰りにも、トータルで二十分を要するとすれば、使える時間は、あと九分しかない。

意を決して、靴を脱ぎ、階段を上がっていった。

二階の自分の部屋に入って、クローゼットの中に用意してあった、道具の入ったカバンと金属バットを取り出すと、突き当たりの部屋へと向かう。

ドアは、開け放たれていた。

そっと、中を覗き込む。

　曾根は、もくろみ通り、泥酔状態で寝込んでいた。

　部屋に入り、枕元を確かめる。『百年の孤独』の瓶が、転がっていた。中を確認したが、完全に空になっていた。

　その横には、桐の箱があった。中には、カラスミの形をしたビニールの残骸しか残っていない。曾根は、二腹とも平らげたらしかった。

　計画通り、食いついてくれた。餌は、この男にとって、抗しがたいまでの魅力を持っていたのだろう。

　一家三人が出かけたあとで、曾根は、毎日のように、家中の食べ物がありそうな場所を漁っていた。高級焼酎とカラスミとは、贈答用の熨斗紙をつけて、応接間の洋酒棚に『隠して』あった。この男の意地汚さからすれば、文句を言われる前に、すべて胃袋に収めてしまうのは、当然の成り行きだろう。

　念のため、曾根の体を揺すってみた。これが最後の留保だった。もし、目が覚めるようなら、計画は延期と心に決める。

　だが、曾根は、完全に意識を失っている様子だった。鼾をかき、ぽかんと開いた口の端からは、よだれが垂れている。さらに強く揺すってみても、結果は同じだった。

　秀一は、緊張のあまり、吐き気を催していた。自分は、本当に、これをやるつもりなのだろうか。

　目の前に横たわっている人間は、計画を立てるときに思い描いた、ダミー人形のような無色透明な存在ではなかった。

それは、たしかに生きていた。鼾とともに空気を吸い込み、酒臭い息を吐き出すたびに、腹と胸郭が、ゆっくりと上下する。アルコールが饐えた体臭や、体温までもが、生々しく感じられた。

秀一は、カバンを開けて、道具を順番に床に並べた。血圧計。Y字型のコード。変圧器。パックに入ったディスポ鍼。

さっきから、心臓が、破裂しそうなくらい激しく鼓動を打っている。首筋や腕の皮膚に、ちりちりとした痒みを感じた。体毛の一本一本が逆立っているに違いない。

今、自分は、取り返しのつかない一歩を踏み出そうとしている。そう思うと、空恐ろしいような感情が湧き起こってきた。

できることなら、この場から、逃げ出してしまいたい。

だが、もはや、後戻りはできないのだ。

ここでやめたら、今まで、何のために準備してきたのかわからない。

今、この土壇場で腰が砕けてしまったら、この屑野郎に対して、全面降伏することになってしまう。家庭を好きなように蹂躙され、家族を不幸のどん底に突き落とされるのを、切歯扼腕して見ているしかなくなるだろう。

俺は、どうしても、この屑を『強制終了』させなければならない。

目をつぶってでも、やり抜け。

母と、遥香の顔が、脳裏に浮かんだ。

家族の幸せは、自分の行動次第なのだ。そう思うと、気持ちの振幅が、少し落ち着いてきた。

これほどのプレッシャーがかかるのなら、どうして101を用意しておかなかったのかと後悔する。だが、これから、ガレージへ取りに行く暇はない。もはや、残された時間は、ぎりぎりだった。

万が一に備える保険のつもりで持ってきた、金属バットに目をやる。この穀潰し（ごくつぶ）の頭を叩（たた）き潰すだけだったら、すべては、一瞬で終わっていただろう。その一瞬に向けて気力を集中し、暴力の衝動を爆発させるだけで事足りる。これからやることに比べたら、ずっと容易だったはずだと思う。

だが、今は、決められた手順通り、遂行していくよりない。

秀一は、血圧計を手に取った。すると、突然、汗がどっと噴き出してきた。筋肉が発散する熱量が、今になって、体をオーバーヒートさせようとしているかのようだ。

指が震えて、血圧計を取り落としそうになる。深呼吸し、数秒間、気分が落ち着くのを待った。それから、血圧計を曾根の指にはめようとした。

しまった……。

かっと、頭が熱くなる。

曾根は、固く拳（こぶし）を握りしめている。そのために、どうしても、指を血圧計に通すことができない。

自分の手抜かりを呪う。どうして、血圧計を選ぶとき、コンパクトさだけしか考えに入れなかったのだろう。これくらいのことは、当然、予想してしかるべきだったではないか。

心の一部は、むしろ、このアクシデントを喜んでいる。予想外の事態が起きたのだから、原則通り、中止するしかないのだろうか。

時計を見る。残り時間は、七分四十秒。

まだ、いける。秀一は、いったん部屋を出て、母親の寝室に向かった。一時期、高めの血圧を気にしていた母の誕生日に、血圧計をプレゼントしたことがあった。あれが、見つかれば……。

血圧計を持って、突き当たりの部屋に戻ったとき、残り時間は七分を切っていた。

電源を入れ、曾根の太い二の腕に腕帯を巻き付けてから、加圧のスイッチを押す。

血圧計は、鈍い唸り声を発して、腕帯に空気を送り込んだ。曾根は、相変わらず、無反応のままである。

液晶画面では、いったん『175』まで上がった数字が、ハートマークの点滅とともに、徐々に低くなっていった。最終的に、『130—94』で落ち着く。

数値そのものには、この場合、何の意味もなかった。要は、曾根に血圧があるかどうか測定できればよいのである。

秀一は、変圧器のプラグを壁のコンセントに差し、スイッチが『切』になっていることを確かめて、Y字型のコードを変圧器に接続した。次に、パックを開けて、ディスポ鍼と、ポリエチレンの鍼管を取り出した。

曾根はステテコ姿だったので、ズボンを捲りあげる手間は省けた。脛骨の外側と、膝関節の間にある窪みに、鍼管を通した鍼の先をあてがった。ここは、『足三里』と呼ばれる、最も一般的に使われるツボであり、万一、発赤などの痕跡が残ったとしても、怪しまれる可能性が一番低いはずだった。

直径が0・16㎜しかなく、きわめて鋭利なステンレス鍼は、皮膚から刺入する際も、ほとんど痛みを感じさせない。それだけ細いと、素人が刺すときには、折れてしまう危険性もあったが、それも、鍼管を使用することによって回避できた。

塩入りゼリーの実験に用いた鶏を流用し、さらに自身の脚を実験台にすることによって、すでに、コツはつかんでいた。

左手の親指と人差し指で鍼管を挟み、上から出ている鍼の柄の頭を、右手の人差し指の先で軽く叩く。短いリズムでタッピングしていると、柄は完全に鍼管に没した。すでに、針先は数ミリ、皮膚の中に侵入しているのだ。そっと鍼管を取り去ると、今度は、左手の親指と人差し指で皮膚をつまみ上げ、右手で鍼体と柄の中間を持って、少しずつ送り込むようにして刺入する。

三センチの鍼体のうち、二センチ以上が皮膚の中に入った。

ここまでは、成功だった。

細かい作業に没頭することで、むしろ、気分は、さっきよりも落ち着いていた。時計を見ると、残り時間は、ちょうど五分である。

Y字型のコードを手に取り、一方の端に付けられたミノ虫クリップで、曾根の脚から付きだしている格好の鍼の柄を挟む。

それから、充電用クリップを持つと、曾根の顔の上に屈(かが)み込んだ。

曾根は、鍼の痛みはまったく感じなかったのだろう。だらしなく、大口を開けて眠りこけていた。

汚い乱杭歯(らんぐいば)の奥に、金属の光を放つ部分があった。左の下側の奥歯に、銀のクラウンが被せてあるのだ。

まさに、理想的な端子というよりない。

充電用クリップの先を開き、銀冠をがっちりと挟んだ。

曾根が、かすかに身じろぎしたような気がした。もう、考えている暇はない。あとは、スイッチを入れるだけだ。

『この人間は、不正な行動を取ったので、強制終了されます……』。

脳裏に、青の炎が明滅した。秀一は、Y字型のコードの途中にある•スイッチを入れた。

とたんに、曾根の体が、弓なりにのけぞった。

この瞬間、220V(ボルト)の電圧により、左の奥歯から左脚まで電流が貫いているのだ。かりに、抵抗が、体内の100Ω(オーム)だけだとしたら、曾根の心臓は、心室細動を起こす危険水準の二十倍強に当たる、2200mA（ミリアンペア）の直撃を受けていることになる。

曾根は、かっと目を開けた。黄色い目が、驚愕（きょうがく）に見開かれ、秀一を見つめる。

恐怖に圧倒されそうになりながらも、秀一は、腕時計の秒針を凝視していた。法医学の教科書によれば、一秒から三秒で充分なはずだが、念のため、五秒間、通電を続ける。

スイッチを切る。曾根は、まだ、目を開けていた。

秀一は、固唾（かたず）を呑（の）んで曾根を見つめた。失敗だったのか……。

だが、数秒後、曾根の眼球は裏返り、半眼になった。意識を失ったのだ。

残り時間は、四分三十秒。

まだ、確認のための作業が残っていた。

秀一は、曾根の左腕に付けたままの、血圧計のスイッチを、もう一度入れた。

さっきと同じように、低いモーターの唸（うな）り声とともに、腕帯が加圧を開始する。

だが、『132』まで上昇すると、止まってしまう。再度、加圧しようとするが、いくつかバラバラの数字が現れた後に、再び停止した。

画面には、『Error』という文字が表示されていた。

エラー……失敗……。これは、血圧が、測定限界値未満にまで下がっていることを示している。つまり、曾根の心臓は、心室細動の状態に陥り、完全に機能を停止したのだ。

やった。成功だ。

暗い歓喜を感じたのは、一瞬のことだった。すぐに、足下から震えが這（は）い上がってくる。

とうとう、やってしまった。

殺してしまった……。

はっと、我に返る。残り時間は、三分四十秒足らず。早く撤収しなければならない。

顫える手で、曾根の奥歯を挟んでいる充電用クリップを外す。手が滑って、クリップが閉じ、かちんと音を立てた。

曾根は、もう、息をしていなかった。

ミノ虫クリップを外し、臑に刺さっているディスポ鍼を引き抜く。短時間なのに、もう肉が巻きつきかけていて、かなりの力で引っ張らなければ、抜けなかった。

曾根の腕から、血圧計の腕帯を取り外す。

変圧器を壁のコンセントから抜き、Y字型コードといっしょに、用意したナイロンの袋に詰める。もともとはレインコートを入れるための袋で、肩掛け用の紐が付いていた。

そのとき、背後で深い、溜め息のような声が、聞こえた。

秀一は電撃を喰らったように振り返り、信じられない光景を見た。

曾根が、息を吹き返している。

顎を上に突き出し、ふいごのような音を立てながら、喘ぐように呼吸している。

そんな……馬鹿な。いったん心室細動に陥った心臓が、再び、正常に動き出すなどということが、あるのだろうか。

ほとんどパニックに陥る寸前に、法医学の教科書に載っていた記述を思い出した。

これは……終末呼吸だ。

アダムズ・ストークス症候群。

無酸素状態に陥った脳で、ふだんとは別の呼吸中枢のスイッチが入り、必死になって、体内に酸素を取り込もうとしているに違いない。

しかし、しょせんは断末魔のあがきにすぎない。いくら肺に酸素を取り入れても、心臓が機能していない以上、それを体内に行き渡らせることはできない。

曾根は、たしかに、まだ生きているかもしれない。だが、数分のうちには、確実に絶命する運命にあり、それを見届けるような時間は残っていなかった。

秀一は、喘ぎ声を懸命に意識から閉め出すと、ナイロンの袋とスポーツバッグ、それに金属バットを持って、部屋を出た。

全身の毛穴に、粟を生じていた。廊下を歩きながら、背後の部屋を強烈に意識するが、振り返ることはできなかった。

スポーツバッグと金属バットを、自分の部屋に投げ込むと、階段を駆け下りる。

玄関のドアを少し開けて、通行人がいないのを確認してから、外に出た。

光が眩しい。空は相変わらず薄曇りで、あたりは、むしろ暗く感じる。にもかかわらず、雲を通して降り注いでくる光が、網膜を痛めつけるようだった。

気がついて、額に上げたままになっていたゴーグルを掛けた。

鉄の門扉を開けて、ロードレーサーを出し、漕ぎ始める。

妙に、下肢に力が入らず、ふわふわした感じだった。

時計を見る。十二時十七分、三十五秒。予定より、二分二十五秒上回っている。あせることはない。

そう思いながらも、何かに追い立てられるかのように、鵠沼の細い道を、めいっぱいの速度で駆け抜けていた。このペースは、危険ではないかと思う。スピードを出すのは、134号線に出てからでいい。ここでは、もう少しセーブすべきだ。だが、その危機感には、どこか、リアリティがなかった。まるで、ロードレーサーを走らせている自分と、それを傍観している自分とに、意識が乖離（かいり）してしまったような感じだった。

幸いにして、出会い頭に通行人にぶつかることもなく、そのままの勢いで鵠沼を出て、坂を下っていった。

134号線を、東に向かって走る。

スピードは、充分に出ているようだったが、身体の感覚が、不思議なほど、それにマッチしていなかった。

背中には汗が滲（にじ）んでいたが、海からの風が吹くと、悪寒のようなものを感じる。

七里ヶ浜にかかるころ、首筋に、ぽつりと冷たいものを感じた。

俄雨（にわかあめ）だ。水滴は、次々に落ちてきて、背中や腕、腿（もも）を濡（ぬ）らした。

見上げると、太陽は、依然として、薄い雲を通して地上を照らしている。通り雨というより、狐の嫁入りのような現象なのだろう。

このまま雨の勢いが増すことはないはずだと考えていると、案の定、すぐに上がる。

由比ヶ浜まで戻ってきたときに、時計を見た。十二時三十三分を回ったところだった。四時間目の終わりまでには、まだ七分ある。間に合った。これなら、余裕を持って戻ることができる。

砂浜には、たくさんの粗大ゴミが遺棄してあった。

秀一は、急ブレーキをかけて、ロードレーサーを止めた。

柵を乗り越えると、砂浜に飛び降りた。そこには、大小さまざまなゴミが散乱していた。古タイヤ、底の抜けたポリバケツ、壊れた植木鉢。青いビニールシートのかかった、得体の知れない物体……。

秀一は、周囲を見回した。雨が降ったせいか、人通りはあまりなく、誰もこちらを注目している人間はいない。

足下の砂地を手早く掘ると、Y字型のコードや変圧器、ディスポ鍼などが入ったナイロン袋を入れ、上から砂をかけた。

このまま、凶器を学校へ持ち帰った場合、誰に、どんなことで見られないとも限らない。それよりは、ここに埋めておいた方が無難だろう。ほとぼりが冷めてから、始末に来てもいいし、かりに、それまでに鎌倉市の清掃車が来て持っていったとしても、まさか、これが殺人の凶器だとは夢にも思わないだろう。

再びロードレーサーに乗って、走り始める。

心なしか、さっきまでより、脚に力が入るような気がした。

秀一は、美術室の戸を、そっと開けた。

生徒たちは、この部屋を出たときに見たのと、寸分違わぬ同じ場所で、絵を描いていた。『ミロシェビッチ』が、絵から顔を上げて、ちらりとこちらを見たものの、何も言わなかった。

まるで、タイムスリップしてきたような気分だった。どう考えても、あれから、丸一日以上が経過したような気がするのに、この部屋の中では、相変わらず、同じ時間が続いている……。

紀子が、こっちを睨んでいた。

秀一は、キャンバスを持って、彼女の方へ近づく。

「今まで、何してたのよ？」

「ちょっと見るだけのつもりだったんだけど、つい、熱中しちゃったんだ」

秀一は、キャンバスを彼女に見せた。

「へえ……。一時間で、よくこれだけ描けたわね」

「描いてたら、久しぶりに乗ってきてね。いい出来だろ？」

「うん。なかなか。でも、どこにいたの？」

「え？」

「わたし、校庭まで見に行ったけど、どこにもいなかったじゃない？」

「……実は、浜の方まで出てた」

「馬っ鹿じゃないの？」

紀子は、鼻の頭に皺を寄せて、秀一を見た。

「どうしたの？　ずいぶん、汗かいてるじゃない」

「外は、けっこう暑かったからな」

「ほんと、馬っ鹿みたい」

紀子は、馬鹿の一つ覚えのように言った。

秀一は、窓の外を眺めた。

あれは、実際に起こったことなのだろうか。そんな疑問すら、湧いてくる。

たしかに、俺は、『ブリッツ』を実行した。だが、曾根は、本当に死んだのか。

秀一は時計を見た。あと少しで昼休み、十二時四十分になる。通電してから、二十五分以上経過したことになる。その間、無酸素状態に置かれていたとすれば、今ごろは、完全に、脳細胞が死滅しているはずだ。

死体が発見されるのは、今日の夕方だろう。それから、警察がやってくる。

秀一は、唾を飲み込んだ。

完璧を期したつもりだった。だが、本当に、何も手抜かりはなかっただろうか。プロによる検死を受けたとき、あれで本当に、ごまかし通せるのか。

チャイムが鳴った。『ミロシェビッチ』が何か言ったが、もはや、聞いている生徒は、誰もいなかった。絵を棚に置くと、さっさと絵の具や筆を片づけて美術室を出ていく。

「ほら、早く行こうよ。昼休み、終わっちゃうよ?」

促されて、秀一は、ようやく我に返った。

紀子は、秀一のキャンバスを手に取って、眉(まゆ)をひそめた。

「あれ?」

「どうした?」

紀子は、人差し指で、絵の表面をなぞっていた。

「よっぽど、暑かったみたいね。絵の具が、もう、すっかり乾いてる……」

第六章　春の嵐

まったく食欲が湧かなかったので、昼食は、デニッシュ・ロール一個と牛乳だけですませた。

体調が悪いんじゃないかと心配する大門や紀子に、朝、食べすぎたせいで、胸焼けを起こしているのだと言い繕った。

秀一は、教室を出ると、もう一度、文化系サークルのボックスへ行った。レーシング・ウェア、シューズ、ヘルメット、ゴーグル、それに、描きかけの絵を回収する。放課後になると、クラブ活動で生徒が集まってくるので、回収するタイミングを逸してしまう恐れがあった。

ウェア類は、あらかじめ用意してあった紙袋に移して、廊下にある自分のロッカーに保管しておく。放課後までの間が危険だったが、校内の売店で買った新しいダイヤル錠を取り付けたばかりだったし、まさか、この間に盗まれるということはないだろう。

絵の方は、処分しなくてはならない。進行状態だけが違う、同じ絵が二枚あったのでは、不自然を通り越している。

美術の時間の終わりに紀子に見せた絵は、そっくりに模写した自分の絵に、あらかじめ、一時間分を描き足したものだった。だが、紀子が、絵の具の状態にまで気がつく細やかな神経を持っていようとは、思いもしなかった。

ロッカーに入れようとしたとき、キャンバスの裏側が目に入る。

何だ、今のは……。

秀一は、廊下の前後に目をやった。誰も、こちらに注目している人間はいない。

屈み込んで、キャンバスを少しだけ手前に引き出し、目を落とした。キャンバスの木組みの内側に、細かい茶色の字で、短い文が書きつけてあった。


『ボクは、クシモリ・シュウイチ。とってもバカだから、女の子のキモチなんて、よくわからないや♥』


そういえば、トイレに行って美術室に戻ってきたとき、紀子が、キャンバスを手に取っていたことがあった。あのときの紀子は、たしかに挙動不審だったし、薄茶色の絵の具を付けた細筆を手にしていた。文字と木の色が保護色に近く、光の角度によっては見えないことがあるので、今まで、気がつかなかったのだろう。

それにしても、あれから、二十日以上は経過している。自分の注意力のなさには、呆れるしかなかった。

秀一は、ロッカーを閉めて、ダイヤル錠をかけた。

これは少し、困ったことになったと思う。

今、美術室に置いてある絵の方には、当然、落書きはない。もし、紀子にキャンバスの裏を見られたら、そっくりに描かれた別の絵であることが、たちまちバレてしまう。

一番手っ取り早いのは、メッセージを消したことにしてしまうことだ。より信憑性を高めるのなら、こちらのキャンバスに書かれたメッセージを消して、どの程度の跡が残るか実験してから、向こうのキャンバスにも、同じような跡を付ければいい……。

だが、この方法には、難点がある。こちらの反応が冷淡すぎることで、紀子が、疑念を抱くかもしれない。

そもそも、このメッセージが、微妙である。単なるイタズラ書きのようにも思えるが、深読みをすれば、遠まわしな告白とも取れるからだ。

こうした場合、自分なら、大切な証拠を、あっさり消してしまうということは、まず考えられない。

かりにイタズラだと判断すれば、そのまま『ミロシェビッチ』に提出するような素振りを示して、紀子を動揺させようとするだろうし、愛情の表現だと解釈した場合には、やはり、そのまま『ミロシェビッチ』に提出するような挙動を取り、紀子にプレッシャーをかけるはずである。

それを、なぜ、あっさり消してしまったのかと、紀子は思うだろう。

一度疑い始めれば、芋蔓式に、様々なことを思い出すはずだ。今日の美術の時間、ほぼ丸々、所在が不明だったこと。戻ってきたときには、薄曇りの天気だったのに、かなりの汗をかいていたこと。そして、描いたばかりであるはずなのに、なぜか、すっかり絵の具が乾いていたこと。

……だとすれば、何らかの工作を行って、ごまかすしかない。

向こうのキャンバスにも、そっくり同じ文字を書き写そうか。

だが、紀子の文字には、かなり特徴がある。書いた本人の目を欺けるほど、うまく真似できるとは到底思えなかった。

だったら、どうすればいい。

秀一は、一心不乱に考えた。幸いなことに、午後の授業の間に、弥縫策を発見することができた。

手間はかかるが、やむを得ない。それよりも、問題は、それまで、どうやって紀子にキャンバスの裏を見る機会を与えないかだった。

その日の放課後、秀一は、久しぶりに美術部に顔を出した。

ホームルームが終わると同時に直行してきたので、美術室には、まだ、誰も来ていなかった。

絵を確認しようかと思ったとき、音を立てて、引き戸が開けられる。

「あれ？」

入ってきたのは、紀子だった。秀一を見て、怪訝(けげん)そうな顔をする。

「どうしたの？　何か用？」

「何か用、はないだろう？　俺も、立派な美術部員なんだぞ」

「どこがよ。幽霊部員のくせに。超怪しいわね。何か、成仏できないで、迷って出てくる理由でもあったわけ？」

「何とでも言え。真の芸術家の魂は、けっして凡人には理解されないんだよ」

秀一は、別のキャンバスを出してきて、絵を描き始めた。

紀子は、胡散臭(うさんくさ)そうな態度を隠そうともしなかったが、やがて、自分の絵に熱中し始める。

ほどなく、他の部員が集まり始めた。

秀一は、でたらめに絵の具をキャンバスに塗りたくりながら、思考の中に沈潜していった。

あまり早く帰宅するのは、得策ではない。だが、六時をすぎると、母や遥香が帰ってきてしまうので、その前には、戻っている必要がある。帰り道でウェア類を始末してから、五時四十五分に帰り着くためには、十五分に学校を出ればいいだろう。

そのあとのことを考えると、恐ろしさが込み上げてきた。帰って、自分で曾根の死体を発見し、通報しなくてはならないのだ。

いや、そもそも曾根は、本当に絶命したのだろうか。あの、喘(あえ)ぐような息は、終末呼吸だとばかり思っていたが、もし、そうではなかったら。

何かの拍子に、曾根の心臓が心室細動の状態を脱して、正常に機能し始めたのだったら。だとすれば、あの男は、自分が殺害されそうになったことに気づいているだろう。その場合、曾根が、警察に届けるなどということは、考えられない。

自らの手で、報復しようとするはずだ。

今ごろ、手ぐすね引いて、俺の帰宅を待っているのではないだろうか。

自らが作り出した幻影に、ぞっとする。

馬鹿な。そんなはずはない。曾根は死んだ。あの状態から、自然に回復することなど、考えられない。……妄想だ。俺は、妄想に取り憑かれそうになっている。しっかりしろ。まだ、『ブリッツ』は、完了していない。すべての後始末と、警察への通報と事情聴取が終わって、ようやく、一段落なのだ。

「……何、描いてるのよ？」

後ろから、紀子の声がした。

「見てわからないか？」

秀一は、そう言いながらキャンバスに目をやって、ぎょっとした。頭を空白にしたまま、絵の具を塗りたくっていたらしい。そこには、心の中で渦巻いていたものが、すっかりさらけ出されていた。

疾走する、虎のような動物のシルエット。だが、その姿は、どこか、前傾姿勢をとった人間に似ている。その背後では、黄色い虹彩のない双眸が、こちらを睨みつけていた。手前では、異様に細長いヘビが、赤と黒の二つの鎌首をもたげている。

そして、画面いっぱいに揺らいでいるのは、すべてを焼尽しようとする青の炎だった。

「ふざけてるの？」

「……抽象画だよ。いつもいつも、写生ばっかじゃ、つまんないだろ？」

「まったく。たまに出て来たかと思えば、」

紀子は、溜め息をついて、自分の絵の方に戻った。

秀一は、時計を見た。そろそろ、帰り支度を始めた方がよさそうだ。シンナーで絵筆を洗い、道具をしまうと、美術室の隅にある棚から、問題のキャンバスを取った。代わりに、さっきまで描いていたキャンバスで、空いたスペースを埋める。

紀子は、こちらの行動には、気がついていないようだった。

そっと、美術室を出る。

まだ、日没までには一時間半以上の間があったが、蛍光灯の点いていない校舎の中は、薄暗かった。

階段を下りると、バイオリンやサックスの音色が聞こえてきた。吹奏楽部の生徒たちが、一人ずつ教室にこもり、練習に励んでいるらしい。バラバラに、テンポを崩して演奏されている曲は、パッヘルベルのカノンのようだった。

ロッカーから、レーシング・ウェア類の入った紙袋と、紀子のメッセージ付きのキャンバス、それに空のデイパックを出した。誰もいない玄関の暗がりで、靴を履き替え、外に出る。

　校舎の中よりは明るかったが、それでも、薄曇りのせいか、すでに黄昏時のような感じだった。

　グラウンドから、キャッチャーミットに硬球が収まる、鋭く乾いた音が聞こえてきた。金属バットで球を打つ、脳天に響くような高音が、力強いアンサンブルを奏でる。

　二枚のキャンバスをデイパックに入れると、テニスクラブの駐輪場へ行った。ロードレーサーのチェーンを外し、片手に紙袋を抱えて、ゆっくりと漕ぎ出した。

　由比ヶ浜は、すっかり灰色一色の景色になっていた。もともと、この付近の砂浜は、白砂とはほど遠い色である。

　海風が吹きつけるので、昼間以上に、潮の香りが強かった。大きな鳶が二羽、翼をいっぱいに広げて風を受けながら、凧のようにホバリングしている。少し離れたところでは、三羽のカラスが、同じように強風の中で静止しようと試みていたが、こちらは、どうしても風の勢いに負け、押し流されてしまうようだった。

　砂浜には、数羽の鳩もいた。何か、地面に落ちている餌を、漁っているらしい。上空を飛ぶ強大な迫害者たちを避けるように、縮こまっている。飛ぶときも、卑屈なまでに地面すれすれで、けっして、舞い上がろうとはしなかった。

　稲村ヶ崎をすぎると、薄暗い空をバックに、江の島が、暗いシルエットになっていた。

富士山の姿は、完全に雲に隠れてしまっていた。

小動で右折し、467号線に入った。昼間とまったく同じコースを辿って、鵠沼の自宅に帰り着く。途中の景色は、まったく目に入らなかった。

午後五時二十四分。家には、灯りはついていない。

秀一は、あたりの目を気にしながら、門扉を開けた。ガレージにロードレーサーをしまうと、いったん外に出て、玄関から母屋に入る。

殺人者は、必ず、現場に舞い戻る。嫌な言葉が、頭に浮かんだ。

だが、自分は、殺人者ではない。学校から帰って、偶然、死体を発見するだけなのだ。それにそぐわないような不自然な行動は、絶対に取ってはならない。

秀一は、まず、二階の部屋に戻り、通学カバンとキャンバスを置いた。上着をハンガーに掛け、ズボンに霧を吹いて旧式のプレッサーにセットする。

ブルーのトレーナーの上下に着替える。いったんキッチンへ降り、冷蔵庫からパック入りのオレンジジュースを出して、きちんとグラスについでから、飲み干した。冷たい液体が、食道を流れ落ちていく感触。グラスを流しに置き、水を張った。

もう一度二階に上がろうと思ったが、脚が動かなかった。

行かなければならない。

また、動悸が早くなってきた。秀一は、自分の心に鞭打った。

曾根の死体を発見するという嫌な役回りは、母にも、遥香にも、させられない。自分がやったことの幕引きは、自分でするしかないのだ。

一歩一歩、踏みしめるように階段を上がり、二階の廊下の突き当たりにある部屋に向かう。

ドアは、半開きのまま。中からは、何の物音もしない。

秀一は、両方の掌をトレーナーで拭った。呼吸が、早く、浅くなる。大きく息を吐いてから、そっと、ドアを開けた。

横たわった曾根の姿が、視界に入る。

両眼を剝き、開いた口からは乱杭歯が覗いている。昼間、この部屋を出たときと、まったく同じ姿勢で、絶命しているようだ。

秀一は、部屋に足を踏み入れると、しばらく突っ立ったままで、曾根の死骸を見下ろしていた。死んでいるのは、もはや、明らかだった。『ブリッツ』は、少なくとも、ターゲットを死に至らしめる段階では、完璧な成功を収めた。

だが、一応は、確認してみなければならない。何もかも、善意の人間がやるように行動してから、通報しなくてはならない。さもないと、どんなところで、話に矛盾が生じるか、わからないからだ。

曾根の上に屈み込む。

……落ち着け。これは、ただの死骸だ。恐ろしいのは、生きている人間の方だ。死んだ人間は、ただの腐りかけの肉塊にすぎない。何も、怖がることはない。

顔をそむけながら、曾根の首筋に手を触れた。

死体の皮膚は、乾燥して、ぱさついた感触だった。トカゲのように、ひんやりと冷たい。

もちろん、脈はなかった。首筋は、強く押してもびくともしないほど、固く強張っている。

死んでいる。すでに、相当死後硬直が進んでいるようだった。これは、もう、人間ではない。

俺が、殺したのだ。

秀一は、後ずさりすると、部屋を出た。洗面所に飛び込んで、赤い栓を捻る。洗面台に、熱い湯が迸った。曾根の死体に触れた右手に、ポンプ式の容器からハンドソープをかけ、よく泡立ててから、湯気の立つ流れの中に突っ込む。

熱い。あわてて、手を引っ込めた。右手は、真っ赤になっていた。

赤い栓を少し締め、青い栓を弛める。今度は、落ち着いて、ぬるま湯の中で手を洗った。

鏡に自分の顔を映して、観察する。少し青ざめているが、特に異常な点は見当たらない。

だいじょうぶ。平静だ。落ち着いて、応対することができる。

秀一は、一階に下りると、居間にある電話機の子機を取り上げた。

間違っても、いきなり１１０番通報など、してはならない。まずは、１１９だ。

ワンコールで、相手が出た。

「はい。こちら１１９番」

「ええと、あの、人が……あの、死んでるみたいなんで」

「はい。落ち着いて、しゃべって。そちらのご住所は？」

秀一は、相手の質問に答えて、住所と自分の名前、曾根を発見した状況などについて説明した。このやりとりについては、特に、リハーサルはしていなかった。あまりにも理路整然と説明しすぎると、かえって不自然に聞こえると思ったからである。

秀一は、自分の受け答えの声を聞きながら、満足していた。ところどころ、つっかえながらも、懸命に話している高校生そのものである。

おそらく、この音声は、テープに残されるのだろう。あとから、不審な点はないかと、聞き返される可能性もある。つまり、警察官が、受話器の向こうで聞き耳を立てていると思わなくてはならない。

自分は、善意の発見者だ。学校から帰ってきて、たった今、死体を発見したところだ。多少、動転しているのが当たり前だろう。だが、演技をしてはならない。むしろ、抑揚は平板なくらいがいい。何を言ったらいいかわからないときは、沈黙することだ。

「……わかりました。これから、すぐに行きます」

一通りのことを確認し終えて、相手は電話を切った。

秀一は、子機を置いた。脚が、わずかに震えていた。ソファに腰をかけると、ひとまず緊張から解き放たれた反動で、ほっと溜め息をつく。

だが、もう、ひとやま残っている。ある意味では、これからが正念場なのだ。人の死は、一枚の死亡届で、事務的に片づけるわけにはいかない。社会の治安を維持するためには、不審死を放置するわけにはいかず、それなりの手続きと儀式が必要なのである。

それさえ無事に乗り切れば、曾根は、誰かの手によって『強制終了』されたのではなく、自然死したものとして、社会の承認を受けることになる。

そして、『ブリッツ』の存在も、永遠に明るみに出ることはないだろう。

消防から警察へと、すぐに連絡が行ったらしい。ほどなく、サイレンが聞こえ、秀一の心臓は早鐘を打ち始めた。サイレンは、どんどん近づいてきて、家の前で止まる。

呼び鈴に応じて出ると、四名の男が立っていた。一見すると、安物の背広を着た、ただのサラリーマンのようだった。だが、彼らの目つきの鋭さにだけは、秀一の警戒心を呼び覚ますものがあった。うち三人は、所轄署である藤沢南署の刑事課員で、あとの一人は、警察医ということだった。

家の前の細い道には、白いカローラが駐車している。パトカーでなかったのは、幸いだったが、そう思ってみるせいか、いかにも、警察の捜査車両という感じがする。

男たちは、曾根の部屋に上がると、周囲の状況を検め始めた。一人が、携帯電話で、どこかに連絡を取っている。相手は、県警の捜査一課らしい。

何か、不審な点でも見つかったのだろうか。秀一は、内心の動揺を表に現さないように、努めてポーカーフェイスを保っていた。

「君が、通報してくれた人？」

身長はそれほど高くないが、がっちりした体格の男が、秀一に向かって言った。顔は、歌舞伎俳優のように整っているが、髪は五分刈りで、漁師のように日に灼(や)けている。

「そうです」

緊張に押しつぶされないように、ほかに誰がいるんだよと、心の中で毒づく。

「ちょっと、話を聞かせてくれるかな？　そこ、君の部屋？　よかったら、そこで」

「はい」

男が、勝手に部屋に入っていくので、しかたなく、秀一は、あとに続いた。

「いい部屋だね。立派なお屋敷で、羨(うらや)ましいよ。うちの子供は、まだみんな小学生だけど、三人で一部屋だからね。これよりは、ずっと狭いよ」

秀一は、椅子を引いて男に勧めると、ベッドの上に腰掛けた。

「ええと、櫛森君だね？　フルネームは？」

「櫛森秀一です。秀でるに、数字の一」

「ご家族は、何人？」

「三人です。僕を入れて。あと、母と、妹が」

「ほう。じゃあ、亡くなった人は？」

「曾根隆司さんっていって。……母の、前の夫だった人です」

「ソネタカシ？」

秀一は、漢字を説明した。

「ふうーん。いつから、ここにいるの？」

男は手帳を出して、書き留め始める。

「四月の、初めくらいですね」

「四月の、初め……。で、お母さんは、今、どこにいらっしゃるのかな?」

「さっき、仕事場に電話したんですけど、どこか、買い物に寄ってるみたいで。もうすぐ、帰ってくると思います」

「じゃあ、お母さんに電話したのは、消防に連絡した後だったんだね？」

「……そうですけど」

なぜ、そんなことを聞くのだろうと、秀一は思った。普通、こうした場合、母親に先に連絡するものなのだろうか。

「お母さんは、日中は、仕事に行かれてるの？」

「はい。鎌倉の、インテリア・ショップに」

「君も妹さんも、学校ということは、曾根さんは、今日は、家に一人でいたわけだね？」

「ええ」

男は、内ポケットからタバコを取り出し、無意識のような動作で、一本振り出そうとした。秀一の顔を見て、元通りにしまう。

「灰皿、持ってきましょうか？」

「ん？　いや、いい、いい。どうせ、禁煙しようと思ってたとこだから」

男は苦笑した。歯は丈夫そうだったが、ヘビースモーカーらしく、うっすらと脂の色で染まっている。

「へえ。君、絵を描いてるのか」

男が、机の横に重ねて立てかけてあった、二枚のキャンバスに目を留めた。

秀一は、ぎくりとした。どうして、ちゃんと隠しておかなかったのかと後悔する。手前にあるのは、紀子のメッセージが書かれた方だ。もし、男が二枚を手にとって見比べれば、ほとんど同じ絵であることがわかるだろう。

それが、即、怪しいという心証につながることはないにしても、万が一、学校へ行って、今日のアリバイを確かめるようなことになれば……。

だが、幸いなことに、男は、絵に対して、それ以上の興味を示さなかった。

「それで、曾根さんは、よくお酒を飲んでたのかな？」

「ええ。ほとんど、毎日でした」

「ふうん。毎日、あんな高い酒を？」

ちゃんと、『百年の孤独』に気づいていたらしい。

「あれは、贈答用に置いてあった分だと思います」

「じゃあ、カラスミもそうか？」

「ええ、たぶん」

さすがに、短時間のうちに、よく観察しているものだ。秀一は、男に対する警戒感を強めた。

「それを、ご家族の留守中に、勝手にやっちゃったわけだ？」

「そうですね。たぶん……そういうことだと思います」

質問が、途切れた。男は、意味ありげにこちらを見ている。秀一は、男の視線の先が、自分の右手に向いていることに気がついた。さっき、熱湯で火傷(やけど)したところだ。反射的に拳(こぶし)を握って、赤くなった掌(てのひら)を隠す。

「係長！」

奥の部屋から、怒鳴り声が聞こえた。男は、「ちょっと待って」と言うと、部屋を出ていった。

秀一は、部屋の戸口に立って、男の後ろ姿を見送った。突き当たりの部屋から、若い男がでてきて、係長と呼ばれた男に、何かを見せている。

その物体を見た瞬間、秀一は、顔から血の気が引くような気がした。

血圧計だ。

曾根の終末呼吸ですっかりパニクってしまい、母の部屋に返しておくのを忘れていたらしい。

秀一は、部屋に引っ込んで、ベッドの上に胡坐(あぐら)をかいた。だいじょうぶだ。あわてるな。致命的なミスではない。曾根のような男が、血圧を気にしていたというのは、意外かもしれないが、ありえないことではない。

さっきの男が、手に血圧計を持って、部屋に入ってきた。

「君、これ、知ってるかな？」

「血圧計ですね。母のだと思いますけど」

「お母さんの？　ふだんは、どこにおいてあるの？」

「さあ。たぶん、母の部屋じゃないでしょうか」

その時、玄関の錠が回る音がした。続いて、母の声が聞こえる。

「誰かいるの？　秀一？　何かあったの？」

秀一は、男に「ちょっと、すみません」と言うと、部屋を出た。階段を駆け下りると、後ろから、ぴったり男がついてくる。

「お母さん。ちょっと、たいへんなことが起きて。僕が帰ったら、曾根が……死んでて」

「えっ。……どうして？」

友子は、茫然とした表情で、秀一の顔を見つめた。

母の目の中に問い質すような色を読み取って、秀一は驚いた。真っ先に自分を疑ったのだろう。そのこともショックだったが、刑事の手前、まずいと思う。隣にいる男は、母の今の表情を、どう思っただろうか。

「わからないけど、たぶん、その、病死だと思う」

「病死……？　そうなの？」

「お母さんですか？　私、藤沢南署の山本と申しますが」

男が、友子に名刺を差し出す。そういえば、自分には名乗らなかったなと思い、秀一も、横から名刺を覗いた。

警部補、山本英司。……刑事課強行係というのは、強盗か何かの担当だろうか。

「曾根隆司さんの死因は、まだ特定できないんですが、たぶん、睡眠中の突然死だと思われます」

「突然死……ですか？　あの、赤ちゃんにあるような？」

「いや、壮年でも、けっこう、よくあるそうです。眠ってる間の不整脈で、ぽっくりっていう。心室細動とかね……」

思いがけない言葉に、秀一は、内心ぎくりとしたが、表情には出さずにすんだ。

山本警部補は、友子と秀一を、応接間へ導いた。向かい合って腰掛けてから、やおら切り出す。

「それで、一つだけ、お聞きしたいんですが、奥さんは、血圧計をお持ちですね」

「はい」

友子は、狐につままれたような面持ちだった。

「これですか？」

手に持った機械を見せる。

「ええ。そうですけど」

「曾根さんの部屋で見つかったんですが、貸してありました？」

「いいえ。そういうことは、特に。あの、それが、どうかしたんですか？」

「ええ。最近の血圧計は、過去の記録が出てきますね。それで、さっき、見てみたんですが」

山本警部補は、ポケットから、スーパーマーケットのレシートのような、薄い紙を取り出した。血圧計の記録用紙らしい。

「この、最後の数字なんですがね」

友子は、山本警部補から紙を受け取った。秀一も、横から覗き込む。そこには、過去十回分の血圧の測定値が、日付、時間とともに、印字されていた。

大半は、上が１３５から１５０の間、下が１１０前後だった。だが、最後の数字だけが、やや、異なっている。


『5・11　12：13　130－94』


「これは……私じゃありません。この時間は、仕事に出てますし」

友子が言った。

「ということは、曾根さんが、自分で測ったということですか？」

「ええ、たぶん」

「なるほど。何となく体の不調を感じて、急に血圧が心配になったのかもしれないですね。

……まあ、それにしては、完全な正常値のようですが」

「曾根さんの死んだ時刻は、わかってるんですか？」

冒険だとは思ったが、秀一は、あえて訊ねてみた。

「そうだね。死後、時間がたっていないときは、直腸内の温度変化で、死亡した時刻は、かなり正確にわかる。それが、だいたい、この頃らしいんだけどね」

山本警部補は、ボールペンの先で、『12：13』という文字を指し示した。


秀一は、キッチンで、立ったまま熱いココアを一口飲んだ。

自然に、吐息が漏れる。頭の芯が疲労して、いろいろな物事が、ごちゃごちゃになって渦巻いているような感じだった。今日一日で、それまでの十年分にも匹敵する経験をしたのだから、当然かもしれない。

遥香が帰ってきたときは、自分も、母も、かなり心配した。本人は知らないはずだが、何といっても、実の父親が亡くなったのだから。だが、遥香は、知らせをごく冷静に受け止め、警官の質問に対しても、はきはきとした受け答えをしていた。

いつもなら夕食の時間になり、そろそろ、警察は引き上げるのかと思っていると、突然、妙なワゴン車に乗って、検死官というのがやって来た。定年も間近のような、皺だらけの爺さんだったが、まわりの警官たちは、みな、敬意を払っていた。

爺さんは、しばらく部屋に籠もっていたが、やがて、来たときと同じような、せかせかとした足取りで帰っていった。

秀一は、それで、ようやく、すべての手続きが終了したのかと思った。だが、その後で、衝撃を受けることになった。

曾根の死体は、大学病院で司法解剖されるというのだ。

山本警部補は、理由については詳しく語らなかった。だが、いずれにせよ、曾根の死因については、まだ疑問の余地があるということなのだろう。

だいじょうぶ。心配ない。秀一は、自分に言い聞かせる。要するに、検死しただけでは、死因が何であるか、わからなかったということにすぎない。これはむしろ、当たり前というか、予想通りの道筋だろう。

そして、司法解剖を行ったところで、曾根が殺害されたというような痕跡(こんせき)は、見つかるはずがない。せいぜいが、臑(すね)に蚊に刺されたような発赤が残っているのが、関の山だろう。何か毒物でも検出されない限り、そんなものが人の死につながるとは、通常、考えないはずだ。

結局、はっきりとした死因を特定することが困難なら、山本警部補が言っていたように、『突然死』とするよりないはずだ。警察といえども、しょせんは官僚機構の一つであり、もっともらしい結論を付けて、さっさと、ファイルを閉じたいと思っているに違いない。そうしなければ、次から次へと出来(しゅったい)してくる事件が、捌(さば)ききれなくなってしまう。現に、あの検死官にしても、異常なほど忙しそうだったではないか。

秀一は、ココアを飲み干すと、キッチンを後にした。本当は、今晩中に、キャンバスを片づけておくつもりだったのだが、今晩は、もう、眠りたい気分だった。腕時計を見ると、ちょうど、日付が変わったところだった。何にせよ、明日でも、遅すぎるということはないだろう。

居間を通ったとき、「秀一」と声をかけられた。友子が、一人でソファに座っている。手にしているのは、ホットミルクのようだ。いつもなら、ベッドに入っている時間だが、やはり、眠れなかったのだろう。

「まだ、寝ないの?」

「何だか、目が冴(さ)えちゃって。あなたも、今日は、たいへんだったわね」

「僕は、別に、どうってことないけど」

「そう……。ちょっと、話したいことがあるんだけど、いい?」

何だろう。秀一は、警戒心が掻(か)き立てられるのを感じたが、黙って、向かい側のソファに座った。

「何?」

「こんなこと言うなんて、ひどい人間だと思われるかもしれないけど、お母さん、本当はほっとしてるの」

「……………」

「あの人が来てから、うちの中、ずいぶんぎくしゃくしてたし。あなたにも、辛(つら)い思いをさせたわね。そのうち、出ていってもらわないといけないって、わかってたんだけど。だけど、それも、なかなか難しくて。加納先生には、私がしっかりしなくちゃいけないって、叱られたわ」

「もう、いいじゃない。そんなこと。あの男は、死んだんだし。僕も、正直に言うけど、死んでくれて、よかったって思ってるよ」

「……そうね。ご免なさい。いろいろ心配かけて」

友子は、ホットミルクの入ったカップで、両手を温めるような動作をした。

「今だから言うけど、ここのところ、あなたの様子が、心配だったの」

「遥香から、聞いたよ。もう、心配ないって」

「そうね。もう、終わったんだものね……」

秀一には、母の言い方が引っかかった。もちろん、自分が曾根を『強制終了』したことに、気づいているはずはないのだが。

「ごめんね。こんなこと聞いて。でも、一つだけ、聞かせて。お母さん、何だか気になってて、眠れないのよ」

「何？」

動悸（どうき）が激しくなる。まさか、警察が去った後で、母から追及を受ける羽目になるとは、予想していなかった。

「さっき、あの、警部さんに質問されたとき……」

「山本警部補？」

「そう。今日は、江ノ電で学校に行ったって、言ったでしょう？」

「そうかな。言ったかもしんない。覚えてないけど」

「本当？」

「もちろん。どうして？」

「だって、あなたが、雨の日以外に電車で登校することって、なかったじゃない？」

「そんなことないよ。もちろん、毎月もらってる通学代を、少しでも浮かせたかったから、できるだけ自転車で行くようにはしてたけどね。でも、ここ何日間か、体調が、あんまりよくなかったんだ。たぶん、それで、悩んでるように見えたんだと思うけど」

秀一は、早口で説明した。

「……………」

「それに、今朝は、少し食い過ぎちゃったからね。とても、自転車を漕ぐ気がしなくなってさ」

友子は、少しだけ笑顔を見せた。

「そうね。……何だか、すごい食欲だったわね」

「それに、たまたま、時間も早かっただろ？　江ノ電でも、充分間に合う時間だったから。それで、自転車はやめたわけ。大門にも、最近、疲れてるんじゃないかって、からかわれたよ」

「大門君って、あの、優しそうな子ね。じゃあ、今朝は、大門君と一緒だったのね?」

「そうだよ」

友子は、納得したらしく、ほっとした表情になった。

「そう。……そうだったの」

秀一は、ひそかに胸を撫で下ろした。だが、さしたる根拠もなしに、自分を疑ったのは許せない。少し反撃しておくことにした。

「でも、それが、どうしたの? 別に、江ノ電で行っても、自転車で行っても、関係ないと思うけど」

「そうね。ごめんなさい。お母さん、変なことばっかり、いろいろ考えすぎちゃって」

「変なことって、何だよ?」

「ううん。それは、もういいの。本当に、ごめんなさい」

友子は、心からすまなそうに言った。

「……疲れてるんだよ。もう、寝た方がいいよ」

秀一は、何となく居心地の悪さを感じて、立ち上がった。

「ええ。これを飲んだら、寝るわ。あなたも、早くお休みなさい」

「うん。お休みなさい」

秀一は、階段を上がって、自分の部屋に入った。だが、友子が寝室に入ったのを確かめると、こっそりと部屋を出て、ガレージに向かう。

いつもはチェイサーを入れる大きなグラスに、氷とバーボンとをなみなみと注いだ。

手の震えを止めるには、グラス一杯では、足りなかった。

この緊張は、いったい、いつまで続くのだろう。

とにかく、今は、耐えるしかない。

やがて、瞼が重くなってくる。だが、意識のコントロールが弱まるとともに、抑えつけていた恐怖が、ゆっくりと頭をもたげ始めた。

あの部屋で、今晩、眠りにつくことができるだろうか。

曾根を殺害した部屋から、わずか、数メートルしか離れていない場所で……。


翌日、秀一は、予定通り学校を休んだ。

これまで、仮病を使ったことは一度もなかったし、昨日の今日なので、母も信用したらしかった。

怪我の功名と言うべきか、寝不足で瞼を腫らした秀一の様子は、頭痛がするという言葉を裏書きしていたらしい。

遥香は、曾根が死んだこと自体は、驚くほどあっさりと受け止めていた。秀一のことを心配しながら、いつも通り、登校していった。

天気は、昨日とは見違えるような快晴だった。こんな日は、海っぺりをロードレーサーで思いっきり飛ばせば、さぞかし爽快だろうと思う。

広い家に一人で取り残されると、秀一は、パジャマにガウンを羽織った格好のままで、二枚のキャンバスを持ち、ガレージに行った。

眠気は、耐え難いほどになってきていたが、とりあえず、やるべきことを、先にすませておいた方がいいだろう。

めったに使わない道具をしまってある引き出しの奥から、キャンバス張り器を引っぱり出してきた。馬鹿でかいペンチのような格好をしている。数年前に、世界堂で安売りしていたのを、つい衝動買いしたものだが、今にして思えば、よく買ってあったものである。実際、今までに使ったことは、二、三度しかなかった。

道具箱から、本物のペンチと金槌を出して、キャンバス張り器の横に並べる。

作業机の上に、二枚のキャンバスを裏返して置き、ペンチで順番に釘を抜いていった。両方のキャンバス布を木組みから取り外すと、模写して描き足した新しい布に、紀子のメッセージの書かれた古い方の木組みを合わせる。

キャンバス布には、木組みの形がそのまま残っていたから、ずれる気遣いはなかった。キャンバス張り器で布を挟み、引っ張ってみる。久しぶりなので、どうも、勝手がわからない。

思いついて、もう一組の、キャンバス布と木組みで練習することにした。いきなり本番に挑戦して、布を破りでもしたら、あとあと面倒なことになる。

まず、キャンバス布の四隅を引っ張り、釘で仮止めした。それから、四辺に移り、皺を伸ばしながら、順番に張って、釘で止めていく。最後に、仮止めしておいた釘を抜いて、もう一度、四隅を張り直す。

秀一は、キャンバスの表を返し、どこかに皺が寄ってないかどうか確かめた。これならだいじょうぶだろう。絵の具の剝落もなく、満足すべき出来だった。

気をよくして、本番に向かう。一度、練習をしただけで、スムーズに作業を進めることができた。

無事に、キャンバスの張り替えを終えて、遅い昼食を取った。シャワーを浴びてから、ガレージに、キャンプに使った寝袋を持ち込んで、昏々と眠った。

心配していたような、悪夢は現れなかった。その代わり、ほとんど脈絡のない、断片的なイメージばかりが、延々と続く。目覚める少し前、ようやく、夢らしい夢を見た。

秀一は、ロードレーサーを走らせている。目的地は、わからない。夕暮れ時で、海が、無数のガラスの破片のように、美しい煌めきを放っている。

自分は、これから、どこへ行くのだろうか。

そう思うと、猛烈な悲しみが襲ってきた。

夕方五時に、セットしてあった目覚ましが鳴ったとき、寝袋の頰の当たっていた部分は、しっとりと濡れそぼっていた。

起きてからしばらくの間は、抑鬱的な気分がつきまとっていた。悲観的な考えばかりが、頭の中に去来する。

山本警部補は、明らかに血圧計の数字に不審を抱いていた様子だった。警察は、すでに、殺人者の目星をつけて、捜査を開始しているのではないか。そう思うと、今にもパトカーのサイレンが聞こえてきそうな気がした。パトカーは、しだいにこちらに近づいてきて、やがて家の前に止まり、呼び鈴が鳴らされる。ドアを開けると、山本警部補が立っていて、銀色に光る手錠を出しながら、重々しい口調で言う。櫛森秀一。曾根隆司さん殺害の容疑で、逮捕する……。

狭い部屋に閉じこもる気になれなかったので、秀一は、居間のリクライニング・チェアに身を預けて、小説のページを開いていた。だが、いくら目で活字を追っても、一行も頭には入らなかった。

やがて、遥香が、学校から帰ってきた。曾根の死によるショックは、ほとんどないらしく、さかんに秀一に話しかけてくる。クラブ活動の話を、聞いてもらいたいらしい。だが、秀一は、いい加減に相槌(あいづち)を打つだけで、内容は耳を素通りしていた。

電流を流したときの曾根の顔が、瞼の裏にちらついていた。驚愕(きょうがく)に、かっと見開かれた黄色い目。秀一は、身震いした。

これ以上、こんなプレッシャーが続くのならば、どこまで持ちこたえられるか、自信がなかった。

やがて、友子に呼ばれて、夕食の席に着く。この分では、食事は、ほとんど喉(のど)を通らないのではないかと思われた。

遥香は、何を言っても上の空の兄に愛想を尽かしてしまい、友子に向かって、走り幅跳びの自己記録を更新した話を、身振り手振りを入れながら続けていた。

「そういえば、今日、警察から電話があったんだけど……」

どういう脈絡だったのかはわからない。友子の言葉に、秀一は、はっと注意を引きつけられた。

「曾根さんのことは、解剖の結果、病死ということがわかりましたからって」

「えっ？」

秀一は、絶句した。

「それで、遺体を引き取ってほしいっていうのよ」

「いやだー。晩ご飯のときに、そんな話、やめようよ」

遥香が、顔をしかめた。

「ごめんね。でも、一応、二人に報告しとこうと思って」

秀一は、その瞬間、これまでに味わったことがないような気分の真っ只中にいた。これに比べれば、『禁酒作戦(ドライ・キャンペーン)』が成功したときなど、取るに足らなかった。

これで、すべてが終わったのだという、目も眩(くら)むような安堵(あんど)。努力が報われた達成感。知力の限りを尽くして立案した計画が、図に当たったことに対する、輝かしい勝利の感覚。

自分には、自らを誇る資格がある。何しろ、高校生の身でありながら、独力で、社会のシステムを向こうに回し、勝利を収めたのである。

大声で快哉を叫びたい衝動を押し隠し、秀一は、素っ気なく、「そう」とだけ答えた。

だが、感情の大波は、全身を揺さぶっていた。突然、自分が激しく勃起していることに気づき、秀一は狼狽した。テーブルにぴったりとくっつくようにして、母と遥香の目から下半身を隠す。そのまま、黙々と夕食を食べているように装った。

友子の話は、これからのことに移っていた。曾根には、遺骨を引き取るような身寄りは、まったく存在しないらしい。そのため、無縁仏として、藤沢市の霊園の合同塚に納骨するしかないようだったが、この家で死んだのは事実なので、友子は、火葬の費用は櫛森家で出し、簡単な供養もしてもらうつもりだと言う。

秀一も、あえて反対はしなかった。葬儀とは、生きている人間の気持ちに決着を付けるための儀式である。その方が、若干でも母の気持ちが楽になるというなら、やればいい。自分の中にも、母の提案を聞いてほっとしている部分があるのに気づいて、意外の感に打たれる。

日本史や古典の時間には、あまりピンとこなかったが、菅原道真の怨霊を恐れた藤原氏の気持ちが、今、少しは理解できるような気がしていた。曾根のような屑に対してすら、負い目を感じるのであれば、有為の人材を陥れて左遷し、死に追いやった場合、寝覚めの悪さは、さぞや強烈だったことだろう。

櫛森家に侵入した異物を排除するという問題には、これで、完全に終止符が打たれたことになる。目下、秀一の最大の悩みは、二人に見られないように、どうやって食卓を離れるかということに尽きた。めちゃくちゃな昂りは、いっかな収まりそうになかった。

曾根の『強制終了』から一週間後の五月十八日、もう一つの重要課題である中間試験が始まった。

秀一は、ここで少しでも成績を上向かせなければ、『ブリッツ』にも画竜点睛を欠くという思いにとらわれていた。成績がアップすることは、すなわち、殺人などという学生の本分から外れたことに精力を注いではいなかったことの、証明になるような気がしていたのだ。そのため、Z会の通信添削もサボり、中間試験一本に絞って勉強したので、手応えはかなりのものだった。この分なら、学年でベスト5に入るのも夢ではないのではないか。

試験の前半は曇天や雨が続いて、鬱陶しい気分をいやが上にも増幅したが、打ち上げとなる五月二十一日は、すべての厄介ごとからの解放を祝福するかのような晴天だった。

「うぐぅ、最悪よう」

紀子が、最後の試験の答えを教科書でチェックしながら、しきりに泣き真似をしている。だが、一緒に高校の定期考査を受けるのは今回が初めてなので、どこまで信用できるかわからない。由比ヶ浜高校の編入試験をパスしてきた学力があるはずなので、案外、全部、三味線という可能性もあった。

「櫛森は、今回も、バッチリなんだろう?」

大門が、溜め息混じりに言った。根っからのペシミストなので、試験の後では、いつも、世界の終わりに直面したような顔になる。いずれにせよ、こちらも、額面通りには受け取れなかった。

「まあ、可もなく、可もないという感じかな」

「嘘つき」

紀子が、歩きながら見ていた教科書から顔を上げて、睨んだ。

「ずっと、自信満々の顔してたくせに」

「いくら顔がよくても、それで点数は取れない」

「別に、君の顔がいいとは言ってないわよ！」

「アポロニウスの円」

「うっ……」

数学の試験で、紀子が大失敗をやらかしたと言っている問題を持ち出してやる。紀子は、悔しそうな顔になった。用済みになったら必ず引き裂いてやると決意しているような目で、教科書を見やる。どうやら、数学が苦手だというのは、嘘ではないらしい。

「中線の定理」

さらに、追い打ちをかけてやる。紀子の動きが、ぴたりと止まった。カバンに教科書を入れながら、眉宇に険悪なものが漂いだしている。やばい。少し、やりすぎたかもしれない。

「さてと、試験も終わったことだし、三人で、気晴らしに、どこかへ繰り出そうか？」

その場の雰囲気をリセットしようとして言い出したが、大門は、首を振った。

「ごめん。今日は、ちょっと、そんな気になれない……」

「何だよ、付き合い悪いヤツだな」

「本当に、悪い。次は、必ず行くよ」

大門は、悄然（しょうぜん）とした様子でその場を立ち去った。自殺でもするんじゃないかと、心配になる。後には、秀一と紀子が取り残された。

「で？」

紀子が、怒ったように言う。

「え？」

「だから、これから、どうするのよ？」

「これから、と言うと？」

紀子の顔を見て、あわてて、言葉を継いだ。

「そうだな、どっか、そのへんをぶらぶらしようか」

「そのへんって、どこよ？」

「小町通りとか」

「何よ。前より、もっと近場じゃない！」

「ええ？　本気で、デートしたかったのか？」

紀子は、ぐっと詰まった。

「……いいわよ。どうせ、帰り道だし」

学校にロードレーサーを置いたまま、連れ立って、ぶらぶらと鎌倉駅まで歩いた。まだ週末ではないこともあって、それほど混雑してはいなかった。小町通りに入り、紫イモのソフトクリームを買って、歩きながら食べる。

「これ、三種類のサツマイモを使用してるんだってさ」

「だから？」

「活性酸素を抑制する効果があるらしい」

「それは、よかったわねえ」

紀子が拗ねているせいか、会話はなかなか弾まなかった。だが、秀一は、ここしばらくなかったような解放感を味わっていた。ふと、隣を歩いている紀子に、これまで感じたことのなかったような、強烈な欲望を覚えた。彼女の一挙手一投足が、これまでとは違った意味を帯びて目に映る。長い髪をかき上げたときに覗く、細いうなじ。柔らかそうな二の腕。胸のふくらみ。すんなりと伸びた脚。

秀一は、体に生じた反応のせいで歩きにくさを感じて、あわてて意識を、そのことから遠ざけた。

いずれにせよ、苦しみは、すべて終わった。もう、何も、心配することはないのだ……。

その時、前から、由比高の制服を着た、長身の男子生徒がやって来るのを見つけた。

「おい、『ザー』！」

秀一が大声で呼びかけると、男子生徒は、ひどく嫌そうな顔をして立ち止まった。

「その呼び方、いいかげんに、やめろって」

ソフトクリームを食べていた紀子は、男子生徒の顔を一目見るなり、苦しげに咳き込み始めた。

「今日は、バレー部の練習はないのか？」

「試験が終わったばかりだろ。俺だって、今日くらいは、休みたいよ」

「もしかして、デートか？」

「これから、待ち合わせだ」

『ザー』は、不思議そうな顔をして、顔をハンカチで覆って苦悶している紀子を見た。

「お前も、デートなのか？」

「そんな、いいもんじゃないけどな」

「彼女、どうしたんだ？」

「さあ、きっと、ソフトクリームが、気管に入ったんだろ？」

『ザー』がいなくなってから、秀一は、冷たい声で言う。

「ひどいヤツだな。人の顔を見て、よく、それだけ大笑いできるもんだ」

「ひどいのは、どっちよ。わたしは……」

紀子は、顔を上げると、取り澄ました表情を作った。

「別に、笑ってなんかいないわよ」

「鼻の頭に、紫のクリームがついてるぞ」

紀子は、あわてて鼻に手をやり、騙されたことに気づくと、赤くなった。

さぞかし不機嫌になると思いのほか、しばらくたつと、紀子は、さっきまでとは別人のように、活発にしゃべり始めた。

「君さあ、ここのところ、ずっと、変だったよね？」

鎌倉駅前に戻り、バーガーキングで休憩しているときに、紀子が、だしぬけに言った。不意打ちだったので、どきりとする。やはり、気づかれていたのか。

「でもさあ、よく考えたら、君って、いつも変だったんだよね。だから、なんの不思議もなかったわ」

どうやら、反撃のつもりらしい。秀一は、苦笑した。

「ねえねえ、クイズね？ユーラシア大陸北部に広く分布して、口笛のような声で鳴く、スズメ目アトリ科の鳥は何でしょう？」

「……知らん」

「ウソ」

「………」

「じゃあ、次ね。川にカワウソがいるように、海には、ウミウソがいる。ウソかホントか？」

「そんな妙な動物が、いてたまるか」

「ブー！　残念でした。ちゃんといます」

「本当かよ？……待てよ。カワウソは、英語で“otter”だろ。だけど、“sea otter”って言ったら、ラッコのことじゃなかったっけ？」

「ウミウソは、“marine otter”っていうのよ」

紀子は、平然と言う。かなり疑わしかったものの、真偽のほどは検証しようがなかった。なにしろ、紀子は、『生き物地球紀行』の類の番組は、すべて録画して見ているという、動物おたくでもある。

「じゃあ、次。キツツキという鳥がいるように、ウソツキという……」

「ちょっと、待て！」

秀一は、飲みかけのコークで咽せかけながら、遮った。

「お前は、さっきからずっと、俺がウソをついていると言いたいらしいな？　ちなみに言うとだな、ウシツツキというのは知ってるが、ウソツキなんていう鳥は、断じて、この世には存在しない！」

「ピンポーンピンポーン」

「どっちがだ？」

「どっちも」

紀子は、ストローで、チョコレート・シェークを啜った。

「言っておくけどな、中間試験の成績のことだったら……」

「そのことじゃないわよ」

紀子の目は、笑っていなかった。

「じゃあ、何のことだよ?」

「自分の胸に聞いてみれば?」

答えるまでに、一瞬の間ができてしまった。

「……わからねえな」

「じゃあ、ヒントを上げる。わたし、おととい、試験が終わってから、美術室に行ったの。気分転換に、ちょっとだけ、絵を描こうと思って」

「暇なヤツだな」

そんなことをしているから、数学のテストを失敗するんだと続けようと思ったが、思いとどまった。

「おとといは、雨が降ってたわ」

「そうだな」

「美術室の中も、湿気でいっぱいだったわ」

「それで?」

「ヒント終わり」

「何だよ、それ?」

「知りたかったら、君も、雨の日に美術室に行ってみれば……?」

紀子は、意味ありげに言うと、それっきり黙り込んでしまう。秀一は、胸騒ぎを覚えていた。

ただでさえ憂鬱（ゆううつ）な月曜日は、朝から雨だった。

鵠沼から乗った江ノ電は、沿線の三つの高校の生徒で満員だった。秀一は、ティッシュで両耳に栓をして、両手で吊革（つりかわ）につかまり、窓から外の景色を眺めていた。

灰色の空から降り注ぐ小糠雨（こぬかあめ）は、家々や線路、電柱など、地表に存在するあらゆる物をしっとりと濡（ぬ）らし、その色をすっかり変えてしまう。まるで、見渡す限りの景色の上を、巨大な絵筆がなぞっていったかのように。

だが、秀一の意識を占領していたのは、次に描く絵の構図や色彩のことではなかった。

昨日の朝まだき、秀一は、由比ヶ浜にロードレーサーで乗りつけた。海からは、かすかに靄（もや）が立ちのぼっていた。目印にしておいたいくつかの粗大ゴミの位置を確かめると、湿った砂の上に跪（ひざまず）いて、手で掘った。

だが、袋は、出てこなかった。

秀一は、愕然（がくぜん）とした。

なぜ、なくなっているのか、どう考えても、説明が付かなかった。古タイヤは、たしかに、同じ場所にあった。ポリバケツなども、記憶の中の位置と、完全に一致しているにもかかわらず、埋めておいた袋だけが、曾根の『強制終了』に使った道具一式とともに、忽（こつ）

然とどこかへ消え失せていたのだった。

最初は、埋めた場所を間違えたかとも思ったが、周囲のどこを掘り返しても、見つからなかった。誰かが持ち去ったにしても、わざわざゴミの間を掘って、発見したことになる。どうしてそこに、何かが埋まっていることを知ったのだろう。

何か、得体の知れない存在の、悪意のようなものを感じ、秀一は、心底ぞっとした。

それから丸一日以上が経過しても、嫌な感覚はなくならないばかりか、強くなる一方だった。

最初の授業は数学で、早くも、最初の中間試験の答案が返ってきた。

点数を見て、我が目を疑う。満点だと信じて疑わなかったのに、高校入学以来初めて、八割を切っていた。

採点ミスではないかという考えが、頭に浮かんだ。減点されている箇所を、いちいち確認する。異議を申し立てるために、半分、腰を浮かせながら。

だが、すぐに、信じられないようなケアレスミスを、次々と発見することになった。どうして、こんな馬鹿な間違いを犯したのか。答案は、たしかに自分の筆跡で書かれてはいたが、それを書いたときの精神状態は、今からでは、とうてい、推し量ることもできなかった。

隣の席から紀子がこちらを見ていたが、今さら、答案を隠すような惨めったらしい真似をする気にはなれなかった。紀子の答案を見ると、たしかに、言ったとおりの場所で大幅な減点があったものの、トータルな点数では、ほとんど変わらなかった。

これで、学年五番以内が目標とは、聞いて呆(あき)れる。

昼休みになったが、大門や紀子とテストの話をしたくなかったので、パンを持って一人で食事する場所を探すことにした。

雨が降っているので、校庭や屋上には出られない。結局、いつのまにか、美術室に来ていた。

湿度が高いため、絵の具の臭いが、いつもより強く感じられる。こんな場所で食事をしようなどという酔狂な人間は、自分のほかにいないのも当然だった。

カレーパンとメロンパンを牛乳で流し込み、包装紙をゴミ箱に投げ込んで、美術室を出ようとしたとき、紀子の言葉を思い出す。

たしか、雨の日に美術室へ行ってみれば、何かがわかるとか言っていた。秀一は、美術室の中を見回した。いったい、何がわかるというのだろう。

部屋の隅にある、キャンバスを置く棚が、目に留まった。乾燥しやすいように、金網でできており、二年生の描きかけの課題がすべて置いてある。

棚に近づいて、紀子の絵を引き出してみた。

あらためて見ると、非常に繊細で、きまじめなタッチで描かれているのに驚かされる。デッサンが正確なわりには、色使いには、はっきりした癖があり、対象そのものというより、むしろ、彼女が理想としている色に塗られているようだった。

紀子の絵を戻し、自分の絵を引き出してみた。

一瞬、絵を間違えたかと思った。

秀一のキャンバスは、中央部が大きく窪(くぼ)んで見えた。キャンバス布が弛(ゆる)んでいるのだ。

もちろん、ほかには、そんなキャンバスは一枚もない。

しまったと、臍(ほぞ)を噛(か)む思いだった。

どうして、こんな基本的なことを忘れていたのか。

キャンバス布は、湿度によって伸縮する。したがって、キャンバスを張り替えるときには、湿度の高い雨の日を選ぶか、霧吹きで充分な湿り気を与えてやらなければならないのだ。

雨の日に張ったキャンバスは、晴れた日には収縮して、ピンと張る。だが、その反対に、晴れて湿度の低い日に張ったキャンバスは、雨の日になると、このように、だらりと弛緩(しかん)してしまう。

紀子は、これを見た。そして、自分が、キャンバスを張り替えたことを知った。

なぜ、そんなことをしたのかと考えて行けば、あの日の、美術の時間のことを思い出して当然だろう。

紀子は、自分が嘘をついてまで、どこかへ抜け出さなければならなかったことを知っている。

だが、その先は、どうだろう。自分がどこへ行ったのか、見当をつけているだろうか。

そして、何をしに行ったのかも。

秀一は、キャンバスを握り締めたまま、立ち竦んでいた。

一家三人の、幸せな団欒の時間が続いている。

友子が唐突に、「あの人にも、持っていってあげなきゃね」と言う。「ほかに、身寄りもないんだし」「うちで面倒を見るしか、しょうがないでしょう」

遥香が、「わたしが持ってってあげる」と言う。「あんなふうになっても」「本当の、お父さんだから」盆の上に、仏飯器のような飯茶碗を載せて、すたすたと二階へ上がる。

秀一は、遥香のすぐ後ろからついて行った。

遥香は、二階の突き当たりの忌まわしい部屋に、平気で入っていく。秀一は、できれば入りたくなかったが、しかたなく後に続いた。

部屋の奥に設えられた祖父母の仏壇の中に、曾根は安置されていた。まわりは、無数の火のついた蠟燭で囲まれている。かすかに青みがかった炎は、風もないのに、ちらちらと揺れていた。

最初は、死んでいるのかと思ったが、そうではないらしい。ぴくりとも動かないが、たしかに生きているのだ。

電流によって心臓が止まって、脳細胞も死滅したが、それでも、曾根は死ななかった。

電気分解によって体が溶解し、すっかり縮小してしまったが、完全に無害な存在となって、今も生き永らえている。

遥香は、飯茶碗を供えて、鈴(りん)を鳴らした。小さな木彫りの仏像そっくりの顔になった曾根は、身じろぎひとつしない。

ああ、そうかと、後ろから見ていた秀一は、心の底から安堵(あんど)を覚えていた。そうだったのか。曾根は、死ななかった。たしかに、殺そうとはしたものの、死んではいない。ただ、生存の様態を変えただけなのだ。

曾根は、これからもずっと、二階の突き当たりの部屋に、ひっそりと祀(まつ)られ続けるだろう。

はっと目を覚ます。部屋は、真っ暗だった。しばらく天井を見つめながら、意識がはっきりするのを待つ。

しばらくたつと、一筋の涙が、左の目尻(めじり)から耳へと流れ落ちた。

ようやく、実感を持って、理解することができた。人を殺すというのは、こういうことなのか。

眠っている間は、自分が人を殺したという記憶から目をそむけ、事実を否定することができる。悪夢は、目覚めたときから、始まるのだ。完全に覚醒(かくせい)して、自分が人殺しであることが、けっして夢などではなく、動かしがたい現実であったことを悟ってから……。

やってしまったことは、取り返しがつかない。

時間は、元には戻らない。

事実は、抹消することはできない。

記憶は、けっして忘れ去られることはない。

生涯が終わる、最後の一日まで。

秀一は、目を閉じた。ほんの束の間でも現実を忘れ、夢という、優しい嘘で造り上げられた世界の中に逃避するために。


目覚めると、朝から、異様な強風が吹き荒れていた。

庭の松の木が、折れそうなくらい撓(しな)い、引きちぎられた枯れ枝や木の葉が、いくつも、吹き飛ばされていく。

「すごいわね」

友子が、窓の外を見ながら言った。

「こんなで、江ノ電、ちゃんと動いてるのかしら」

「休んじゃえば？」

遥香が言う。

「そんなわけには、いかないわよ」

「でも、お客さんなんか、きっと来ないと思うよ？」

「もう少したったら、風も止むかもしれないし」

「ごちそうさま」

秀一は、席を立った。

「あ、行ってらっしゃい。気をつけてね」

「お兄ちゃんも、休んじゃえばいいのにー」

二人の声に見送られながら、秀一は、玄関を出た。最初は、鵠沼の駅から江ノ電に乗るつもりだったが、気が変わって、ガレージからロードレーサーを出した。

なぜ、そんな馬鹿なことを思い立ったのかは、自分でもわからない。ロードレーサーで、この強風の中を突っ切る気になっていた。

海沿いに出るまでは、まだ、それほどでもなかった。だが、小動(こゆるぎ)から134号線に出ると、グレイの砂混じりの疾風が真正面から吹きつけてきて、顔や手が痛いほどである。ほぼ、向かい風になるので、秀一の脚力を持ってしても、ロードレーサーは這(は)うようにしか進まない。

鎌倉高校の手前まで来たところで、さすがに断念し、引き返すことに決めた。帰り道は、追い風になるので、背中を押されるように楽に戻ることができた。

家に戻るには、小動で右折しなくてはならなかった。だが、どうせ、今からではもう、ホームルームには間に合わない。そう思ったとたん、妙に億劫(おっくう)になり、そのまま風に流されるように、江の島まで来てしまった。

左折して、江ノ島大橋を渡る。

これまで、衝動的に学校をサボったことは一度もなかった。何が自分を衝き動かしているのか、わからない。

参道の入り口である青銅の鳥居の前で、自転車から降りる。坂の両側に並ぶ土産物屋は、一応、シャッターを開けてはいたが、観光客は一人も見当たらなかった。

この風では、エスカーは運転休止だろうと思ったが、ちゃんと動いているのには驚く。だが、今日は、最後まで自分の脚で登るつもりだった。

『新名所、江の島。恋人の丘入り口』という立て看板が、目に入った。迷わず、そちらの方に登っていく。

海は、大きくうねり、岩を叩いて真っ白な飛沫を上げていた。石鹸の泡のような波の花が、宙高く舞い上がっている。

それを見下ろす場所に、この前も見た『龍恋の鐘』があった。強風に煽られて、激しく前後に揺れ、鳴り響いていた。だが、その音色すら、この風の中ではかき消されそうだった。

「……二人のうち一方が、嘘をついたり、相手に言えないようなことをしたときには、この鐘が自然に鳴り出して、教えてくれるというわけね」

紀子の言葉が、耳の奥によみがえった。

秀一は、身じろぎもせず、強風の中に佇んでいた。

第七章　こころ

水平面から、角θ、初速度vで物体を斜方投射したとき、水平方向には、$v \cos \theta$ での等速直線運動、垂直方向には、$v \sin \theta$ の投げ上げ運動が、同時に起こっているのに等しい。

物体が、t秒後に放物線の頂点に達し、下降を始めるとする。その場合、最高点の高さhは、$h = \frac{1}{2} \times gt^2$で表されるから……。

秀一は、小石を宙に投げ上げながら、不本意な点数に終わった物理のテストの内容を、反芻(はんすう)していた。いったいどうやったら、あんなに簡単な問題を誤答することができるのかと思う。

突然、周囲のあらゆるものが、いっせいに、頂点から、下降線を辿(たど)り始めたような気がする。

中間試験では、全教科で、信じられないようなケアレスミスを連発した結果、学年で二十番以上も、順位を落としてしまった。

紀子とも、小町通りでのデート以来、ぎくしゃくした関係が続いている。キャンバスについて、きちんとした説明ができない以上、秀一の方から仲直りを言い出すのは、藪蛇(やぶへび)になる可能性もあって、難しい状況だった。

それ以外の級友たちも、急に鬱ぎ込むことが多くなった秀一を敬遠してか、あまり話しかけてこなくなった。変わらなかったのは、商売に徹している『ゲイツ』と大門くらいである。

秀一の方では、煩わされずにすんで、むしろ、ありがたかったが。

六月二日の昼休みも、秀一は、周囲の喧噪を避けるように、校舎の裏手にやって来ていた。

ここから見えるのは、文化系サークルのボックスの一部と、草ぼうぼうの敷地、それに金網のフェンスくらいである。殺風景きわまりないが、誰とも話をしなくてすむのが、唯一の長所だった。

テストのことは、もう、これ以上、思い出したくもなかった。

こんなところにいたら、タバコを吸いたくなるんだろうなと思う。今のように、何一つやりたくない気分でも、やはり、手持ち無沙汰を感じてしまう。

空は、どんよりと曇っていた。このところ、晴れの日が少なく、ほとんど曇っているような気がする。

ちょうど、あの日の空のように……。

おやっと思った。

男子生徒が、フェンスを乗り越えて入ってくるのが見えた。あの日、秀一が出入りしたのと、同じ箇所からである。

誰かが校則を破り、外へ昼飯を食いに行ったのだろうか。だが、男子生徒の頭は、見覚えのある茶髪だった。顔が見えた。……石岡拓也じゃないか。

まだ、こちらには気づいていない。ちゃんと制服は着込んでいるが、敵地へ乗り込んだ新米スパイのように、こちこちに緊張している。四月以降、一日も学校へ出てきていないので、無理もないかもしれない。

だが、こっそりフェンスを乗り越えて入ってくるところを見ると、あの制服にしても、由比高の生徒であると主張するのではなく、ほとんど、変装か擬態のノリなのかもしれなかった。

バイクに乗って、学校の周囲をうろうろしているのは、何度か見かけたが、中に入ってきたのは、たぶん初めてだろう。いったい何をしに来たのだろうか。

秀一は、ぶらぶらと、拓也の方に近づいていった。

拓也は、秀一に気づくと、ぎょっとした顔になった。

「よう。珍しいじゃん」

秀一が声をかけると、ぎこちない、歪(ゆが)んだ笑みを浮かべる。

「ふっ。そっちから、ご親切に見つけてくれるか。……お前らしいな」

「何か、俺に用だったのか?」

「そうだ。お前に、用があるんだよ」

拓也の二重の目は、挑戦的な光を浮かべていた。

「おかげで、教室まで探しに行く手間が省けたよ。先公に捕まったら、めんどうだったかららな」

「何だか知らんが、昼休みは、あと五分くらいしかないぞ」

「心配すんなって。すぐ終わるから。簡単な話だ」

拓也は、秀一の肩に手をかけ、囁くような声で言った。

「お前にさあ、頼みがあんだよ」

「ナイフなら、返せないな」

拓也は鼻で笑うと、ぐるぐると秀一の周囲を回り始めた。まるで、中学生がカツアゲしようとしているかのようだ。

「ナイフ？　ふん。あんなもん、どうでもいい。それより、ここんとこ、ちょっと困ってんだよ。助けてくれねえかな？　親友だろ？」

『親友』という言葉のくささを、わざとらしく強調する。

「毎日、学校へ来られるように、性根を叩き直して欲しいのか？」

秀一が言うと、拓也は、怒りを燃えたたせた。

「てめえ、誰に向かって口きいてんだ？」

蒼白になった顔を近づける。上目遣いに睨み付ける目は、どこか、狂的な光を帯びていた。

「わざわざ喧嘩売りに、出て来たのか?」

秀一が静かに言い返すと、拓也は一瞬たじろいだが、すぐに冷笑を浮かべた。

「何だよ? 馬鹿なこと言うんじゃねえよ。俺が、大親友のお前に、喧嘩なんか売るわけないっしょ?」

「だったら、何だ?」

「金、貸してもらいたいだけだって。そうだな……とりあえず、三十万ばかしでいいや。あとは、また、必要になったら言うから」

「勝手に、ふざけてろ」

「あれ?……あれれ? いいのかなあ? 俺に、そんな口きいて?」

「悪い理由でもあるか?」

「そうだな。お前のお母ちゃんや妹は、悲しむんじゃねえか? お前が、殺人罪で警察に逮捕されたりしたら」

「……何の話だ?」

秀一は、自分が拓也の言葉を冷静に受け止めていることが意外だった。いつか、こんな日がやって来ることを、どこかで予期していたのかもしれない。だが、それにしても、拓也は、どうやってその事実を知ったのだろう。

「今さら、とぼけんなって。偶然、見ちゃったんだよ。お前がさあ、あの日、学校から出てくるとこを。上から下まで、レーシング・ウェアで、びしっと決めてるからさ、最初は、お前だって、わかんなかったよ」

秀一は、動揺が面に出ないよう、自制した。まさか、あのとき、拓也に見られていると
は思わなかった。

「いつから、この国では、学校をバックレたら、殺人罪が適用されることになったん
だ?」

「お前が、そんな格好でどこへ行くのか興味が湧いたんで、後をつけさせてもらったよ。

気がつかなかっただろ? 充分、距離を置いてたからな。えらく張り切って、飛ばしてた
みたいだが、こっちはバイクだったから、楽勝だったぜ」

「………」

自転車も英語ではバイクだと指摘してやりたくなったが、秀一は黙っていた。

「まだ、聞きたいか?」

拓也は、鼠をなぶる猫のような気分を、愉しんでいるらしい。

「言ってみろよ」

「お前は、うちに帰って、しばらくしてから、出てきたな。ちょっと、がっかりしたね。

もっと面白い見物を期待してたのに、忘れ物か何かを取りに戻っただけかと思ったからな。

でも、帰り道のお前は、かなり変だったぜ。それでまた、由比高まで付けることになった。

まったく……お前の気紛れに付き合わされたこっちも、いい迷惑っつうかさ」

「それは気の毒だったな。無駄骨を折らせて」

「いやいや、でも、それなりに、ちゃんと収穫はありましたよ。お前が、由比ヶ浜で何か埋めてんのを、見ちゃったからな。それで、お前が学校に戻ったのを確認してから、引き返して、掘り出してみた。宝探しみたいで、わくわくしたね。いろんなものが、出てきたなあ。おかしな細工をしてある電気のコードとか、変圧器(トランス)とか……」

「もう、そろそろ昼休みも終わるが、話というのは、それだけか？」

秀一は、腕時計を見ながら言った。

「裁判の証拠には、それだけで充分だろうが？」

拓也は、こちらのブラフを見透かしているようだった。

「俺もさあ、最初のうちは、お前が捨てたのが何だったのか、よくわかんなかったんだよな。お前みたく、頭よくねえしな」

「今では、わかってるみたいな口振りだな」

「当然っしょ？」

このサルに、『ブリッツ』の全貌(ぜんぼう)が理解できてたまるかと思う。おぼろげにでも、見当がつけば、上出来な方だ。

「あの日、お前のうちで何があったのか確認するのに、今まで時間がかかっちゃったよ。いやいや、驚いたねえ。同じ日の昼間、ちょうどお前がいた時間に、曾根ってオヤジが、心臓麻痺(まひ)で死んだんだってな」

秀一は、ふっと笑った。なぜかは、わからない。自分が、絶体絶命の窮地に陥っていることがわかったとたん、何もかもが、思いっきり馬鹿らしくなってきたのだ。

「何がおかしい？」

拓也の形相は、再び険しくなった。

「俺をコケにしてんのか？」

「いや。……ただ、おかしいだけだ」

腹の底から、痙攣のような笑いの衝動が込み上げてきた。まさか、こんなことで、あれほど考え抜いた計画が、破綻するとは。

「笑うのをやめろ！」

拓也が怒鳴る。

「お前のなあ、その、優越感でいっぱいのツラ見てると、ムカついて反吐が出んだよ！昔っから、いっつも、そうだったよな。何でも、自分が一番よくわかってて、まわりは、みんな、馬鹿ばっかりだっつうツラだ。親切そうなふりしてても、他人を見下してんのが、見え見えなんだよ！」

秀一は、石岡拓也という名前の幼なじみを、冷静な目で分析した。

コンプレックスからか、単なる僻みからなのか、自分に対して、何か抜きがたい憎悪を抱いているらしい。

かつては、こいつを親友だと思っていたことが、不思議でならなかった。両親との葛藤で悩んで、家族全員を刺殺する計画を仄めかしたときには、何とかして止めなくてはならないと、我がことのように真剣に考えてやったものだった。

こうなることが見通せていれば、あのまま、放っておけばよかったと思う。しょせん、こいつは、自滅の運命を辿るしかない人間だ。

「まあいい。とにかく、至急、三十万用意してくれ。な？　頼んだぜ」

「ちょっと、待ってくれ。今、手元に金がないんだ」

あえて下手に出ると、拓也は、満足げな顔になった。

「コンビニで、バイトしてんだろ？　ないって話が通ると思うか？」

「本当だ。自転車やパソコン関係に使って、貯金はほとんど残ってない」

拓也は、ズボンの尻ポケットに手を突っ込むと、ナイフを取りだした。親指でボタンを押し上げると、飛び出しナイフのように、ワンタッチで刃が出る。

「あんまり、人をなめんなよ！」

拓也は、秀一の胸ぐらをつかむと、ナイフを喉元に押し当てた。秀一は、無抵抗だった。下手に刺激すると、本当に刺される可能性があるからだった。

「嘘じゃない。……待てよ。金は、何とかして作るから」

秀一は、唾を飲み込んだ。感触からすると、喉にあてがわれているのは、ナイフの背の部分らしい。

「最初から、そう言えばいいんだよ！」

「……ただ、それには、少し、時間がかかる」

「どのくらいだ？」

「そうだな。二、三週間あれば……」

「ふざけんな！　三日だ！　三日だけ、待ってやる」

「一週間、待ってくれ。そうしたら、三十万より、もう少し、上乗せできると思う」

「上乗せって……？」

拓也は、当惑した声になった。

「たぶん、あと十万か、もっと」

「……本当だな？」

「今さら、嘘ついて、どうなる？　そっちは、証拠を握ってんだろ？」

「そ、そうだ。それを、忘れんな」

「だったら、ナイフをどけてくれ。こんなとこを誰かに見られたら、どうするんだ？」

「ああ。そうだな」

拓也は、あわててナイフの刃を折り畳み、尻ポケットにしまって、周囲を見回した。

餌をちらつかせることによって、何とか、一週間の猶予を得ることができた。秀一は、喉をさすりながら思った。

現状は、こちらにとって圧倒的に不利だが、この間に、何らかの対策を立てなければならない。

昼休みの終わりを告げる、チャイムが鳴った。

午後の授業の間中、秀一は、頭脳をフル回転させていた。

「私が先生と知り合いになったのは鎌倉である。その時私はまだ若々しい書生であった」

『新国語II』の時間だった。当てられた生徒が、夏目漱石の『こころ』を朗読している。

拓也の恐喝に対して、どう対処すればいいのか。

はっきりしているのは、言われるままに金を出すという選択肢は、あり得ないということだけだった。

その点で、拓也の恐喝は、手際の悪さを露呈していた。最初から、後々まで金をせびり続けるつもりだと、宣言しているようなものだったからだ。

こういう場合、たとえ見え透いた嘘であっても、要求は一度きりだと言うべきだろう。脅迫されている側は、その言葉を信じて、素直に要求に応じる可能性があるからだ。

「……私はその二日前に由井が浜まで行って、砂の上にしゃがみながら、長い間西洋人の海に入る様子を眺めていた」

もっとも、いずれにせよ、こちらは、拓也の言葉など一言も信じない。

忘れてはならない大原則は、『テロリストと脅迫者に対しては、妥協すべきではない』ということである。無意味な譲歩は、相手をつけ上がらせる以外に、何の役にも立たない。

最初から、ある程度の犠牲を覚悟して、抜本的な解決を図らなければならないのだ。

だが、端的にどうするかというのは、難しい問題だった。

この場合、最も過激な手段は、曾根と同様、石岡拓也も『強制終了』することである。

だが、そこには、明らかな難点がある。

石岡拓也は、すでに、こちらが、人ひとり殺していることを知っている。だとすれば、自分も狙われる可能性があることくらいは、承知しているだろう。

その点が、曾根の場合とは、大きな違いである。曾根は、まったく無警戒だった。自分が殺されるなどとは、夢にも思っていなかっただろう。

完全犯罪を遂行するには、これは、大きなハンディキャップになる。

では、逆に、今度の方が有利な点は、何かあるだろうか。

すぐに思いつくのは、フィジカルな強さだ。曾根は、かなりの大男だったし、おそらくは、何度も修羅場をくぐってきているはずだった。その後、酒浸りの生活を送っているとしても、正面から戦った場合、勝てるかどうか自信がなかった。

だが、石岡拓也は、恐るに足らない。虚勢を張って、一匹狼を気取ってはいるが、いつも一人で行動しているのは、本物のワルとつるむのが恐いからだ。自分の両親や兄に反抗するのにも、ナイフに頼りたがったような、肝っ玉の小さいヤツだ。

身長はそこそこ高いが、骨格は華奢で、筋力はない。おそらく、素手でも、容易に殺すことができるだろう。秀一は、その方法を、具体的に思い描きかけて、吐き気を催すようなショックを感じた。自分はいったい、どうしてしまったのか。曾根のときとは違う。拓也は、かつては自分の親友だった。それを、まるで虫ケラを踏み潰すように殺害しようと考えている。一度でも殺人を犯した人間は、次からは、何のためらいもなく他人の命を奪うようになってしまうのだろうか。

……だが、他に方法が何もないことも、また、事実だった。拓也に金を払ったところで、何の解決にもならないし、ほかに、恐喝を止めさせる手段もない。もし、曾根を殺したことが発覚すれば、累が及ぶのは、自分だけではない。母は、どんなに悲しむことだろうか。そして、遥香は……。

どうしても、やるしかないのかもしれない。

「……私はその時心のうちで、初めてあなたを尊敬した。あなたが無遠慮に私の腹の中から、ある生きたものをつらまえようという決心を見せたからです。私の心臓を断ち割って、温かく流れる血潮をすすろうとしたからです。その時私はまだ生きていた。死ぬのが嫌であった。それで他日を約して、あなたの要求を退けてしまった。私は今自分で自分の心臓を破って、その血をあなたの顔に浴びせ掛けようとしているのです。私の鼓動が止まった時、あなたの胸に新しい命が宿ることができるなら満足です」

……ナイフだ。

『こころ』の一節は、秀一の耳に、天からの啓示のように響いた。

あのナイフは、奇貨だった。あれなら、警察が入手経路を調べたところで、金輪際、自分に行き着くことはない。自分が現在、拓也のナイフを保管していることを知っているのは、当事者である二人だけなのだ……。

そこまで考えて、はっとなった。もう一人、知っている人間がいるのを思い出した。紀子だ。江の島でデートをしたとき、ついうっかり、話してしまった。

どうして、そんなよけいなことを言ってしまったのだろう。紀子を、どこまで口止めすることができるだろうか。

いや、あとで、何とでも言い開きはできる。なんなら、その後、返したことにでもすればいい。

日野原教諭がこちらを見ていたので、秀一は、授業に注意を戻した。考えは煮つまっていて、これ以上、いいアイデアが出るとも思えなかった。どちらにしても、紀子の件は、それほど神経質に考えることもないだろう。中間試験の結果も芳しくなかったし、あまり、授業中注意散漫だと、教師たちから、いらぬ注目を浴びてしまう。

漱石の『こころ』は、昔、読んだ覚えがあったが、ストーリーはすっかり忘れていた。教科書では、一部粗筋を交えたダイジェスト版になっており、急いで読み返してみる。

物語は、漱石自身と思われる主人公が、偶然、『先生』なる人物と知り合うところから始まっていた。メインと思われる部分は、主人公が『先生』から受け取った手紙＝遺書による告白という体裁を取っている。

東京の大学に在学中のころ、『先生』は、下宿の未亡人の一人娘である『お嬢さん』に心を引かれる。そんな時、生活に困っていた親友のKも、同居するようになる。Kは孤独な性格だったが、しだいに下宿の雰囲気に溶け込み、『お嬢さん』に恋心を抱いていることを、『先生』に告白する。

『先生』は、三角関係のライバルを、冷静な目で観察する。

「Kが理想と現実の間に彷徨(ほうこう)してふらふらしているのを発見した私は、ただ一打ちで彼を倒すことができるだろうという点にばかり目をつけました。そうしてすぐ彼の虚に付け込んだのです」

『先生』は、言葉を武器としてKを精神的に追いつめ、さらに、仮病を使ってKを出し抜いて、『お嬢さん』との結婚を決める。

そして、ある晩、『先生』は、Kが自殺しているのを発見するのだ。

「その時私の受けた第一の感じは、Kから突然恋の自白を聞かされた時のそれとほぼ同じでした。私の目は彼の部屋の中を一目見るや否や、あたかもガラスで作った義眼のように、動く能力を失いました。私は棒立ちに立ちすくみました。それが疾風のごとく私を通過したあとで、私はまたああしまったと思いました。もう取り返しがつかないという黒い光が、私の未来を貫いて、一瞬間に私の前に横たわる全生涯をものすごく照らしました。そうして私はがたがた震えだしたのです」

この男は、いったい何を恐れているのだろう。秀一は、怪訝(けげん)に思った。どこか、肝心なところを、読み飛ばしてしまったのだろうか。Kの死は巧妙に自殺に偽装されてはいるが、実際には、『先生』が殺害したことが暗示されているのかもしれない。

だが、いくらページを繰ってみても、それらしい記述は、まったく発見できなかった。

何もかも、思い通りに運んだのに、なぜ、これほど後悔しなくてはならないのだろう。これは、完全犯罪ですらない。『先生』は、まったく手を汚していないのだ。

それからの『先生』の生真面目な懊悩ぶりは、ますます秀一の理解を超えたものになっていった。

「一年たってもKを忘れることのできなかった私の心は常に不安でした。私はこの不安を駆逐するために書物におぼれようと努めました。私は猛烈な勢いをもって勉強し始めたのです。そうしてその結果を世の中に公にする日の来るのを待ちました。けれども無理に目的をこしらえて、無理にその目的の達せられる日を待つのはうそですから不愉快です。私はどうしても書物の中に心をうずめていられなくなりました。私はまた腕組みをして世の中を眺めだしたのです」

「同時に私はKの死因を繰り返し繰り返し考えたのです」

「私の胸にはその時分から時々恐ろしい影がひらめきました。初めはそれが偶然外から襲ってくるのです。私は驚きました。私はぞっとしました。しかししばらくしているうちに、私の心がそのものすごいひらめきに応ずるようになりました。しまいには、外から来ないでも、自分の胸の底に生まれた時から潜んでいるもののごとくに思われだしてきたのです。私はそうした心持ちになるたびに、自分の頭がどうかしたのではなかろうかとうたぐってみました。けれども私は医者にもだれにも診てもらう気にはなりませんでした」

これは鬱病以外の何者でもないと、秀一は思った。Kの自殺が引き金になった、一種の罪障妄想……。神経細胞内のセロトニンが欠乏していたとか、そういったことだ。早めに、精神科で診察を受けていれば、よかったのだろう。もっとも、明治時代の精神科医では、どこまで鬱病を治療できたか、大いに疑問だが。

そして、あまりにも脆弱な『先生』の心は、ついに、持ちこたえられなくなってしまう。

「……私がこの牢屋のうちにじっとしていることがどうしてもできなくなった時、またその牢屋をどうしても突き破ることができなくなった時、ひっきょう私にとっていちばん楽な努力で遂行できるものは自殺よりほかにないと私は感ずるようになったのです。あなたはなぜと言って目をみはるかもしれませんが、いつも私の心を握り締めに来るその不可思議な恐ろしい力は、私の活動をあらゆる方面で食い止めながら、死の道だけを自由に私のために開けておくのです。動かずにいればともかくも、少しでも動く以上は、その道を歩いて進まなければ私には進みようがなくなったのです」

朗読を聞きながら、秀一は、しだいに、息苦しいような気分に襲われていた。

このまま行けば、いつかは、自殺しか選択肢が残されていない状況にまで、追い込まれるかもしれない。

だとすれば、今、やってしまった方が、楽ではないか。家族にも、迷惑を掛けずにすむかもしれない。拓也にしても、自分が死んだ後で、わざわざ、殺人を暴き立てるような真似はしないのではないか。被疑者死亡ということになれば、警察も、その後の捜査は熱心にやらないと、聞いたことがある……。

いや、だめだ。

自殺は、最後の手段だ。

すべてに破れ、失敗してから、考えればいい。

だいじょうぶだ。自分なら、やれる。

アル中の屑野郎は、計画通り『強制終了』してやった。拓也に関しても、きっとうまく対処することができる。

どんな手段を使っても、絶対に勝つんだ。

さっきから、視野の隅に、紀子の姿があった。こちらを見ている。

もしかしたら、自分の様子は、どこか、おかしく見えるのだろうか。気をつけなければいけない。これ以上、不審に思わせてはならない。ごく普通に、自然にふるまえ。何でもないところを、見せてやれ。

だが、秀一は、その時間が終わるまで、どうしても彼女と視線を合わせることはできなかった。

ガーバーのマークIIを、蛍光灯の明かりに当てて、ためつすがめつしてみる。

見るからに危なそうな感じがするが、やはり、その筋では、相当有名なナイフらしい。

ブレードの根本に刻印された『GERBER』と、中程に描かれた『MARK II』という二つの単語を手がかりに、ネットで検索した結果、ようやく素性がわかったのだった。

ダガーと呼ばれる形の両刃のナイフであり、ブレードは、先端から見ると、扁平な菱形をしていた。これを、『ハマグリ刃』と呼ぶらしい。

マークIIには、ベトナム戦争当時に作られたオリジナル版と、復刻版とが存在しており、こちらは、復刻版の方らしかった。もっとも、オリジナルには、現在、プレミアムが付いていて、十数万円はするらしい。その値段では、拓也に手が出るとは思えなかった。

ブレードに使われている鋼材は、440Cステンレスである。オリジナルのマークIIでは、L6ハイスピード鋼が使われていたらしい。剛性と切れ味は、もともとの材質が勝るものの、錆びるという欠点から、ガーバー社では、最近のナイフは、すべてステンレスに切り替えているということだった。

L6ハイスピード鋼であれば、ブレードは、錆びを防ぐため、鏡面のようにぴかぴかに磨き上げられているはずで、そのことからも、このナイフは復刻版であると判断できる。秀一が手にしているナイフのブレードは、微細な縦の線が入るヘアライン仕上げになっていたからだった。

柄はアルミ製で、灰色の石のような風合いのアーモハイド加工を施してある。黒い鞘は、ナイロンの一種である、バルスティック・コーデュラーだった。これも、オリジナルでは、茶色いサドル・レザーが用いられているらしい。

鞘からナイフを引き抜くと、細かい黒い粒子が付着してくるが、これは、よく観察すると、鞘の内側に張られた硬質ゴムのかけららしかった。

刃渡りは、全体で17・5センチに達する。そのうち、根本近くには、セレーションと呼ばれる鋸（のこぎり）状の波刃がある。この型を、ハーフ・セレーションと言うらしい。

銃刀法の制限は6センチであり、このセレーションがないものは、現在、原則輸入禁止ということだった。ただし、実際にこれで人を刺した場合は、セレーションのために傷口がずたずたになるので、よりいっそう危険性が増すのだが。

ナイフの柄とブレードの間には、ヒルトと呼ばれる、鍔（つば）のように両側に張り出した部分があった。ヒルトが付けられている最大の目的は、手を滑らせてブレードを握ってしまう危険を防止することである。だが、裏を返せば、ヒルトでしっかりと手が止まるために、力を込めて、ブレードを刺入できるということになる。

秀一は、片目をつぶって、マークIIのブレードを、真横から眺めた。たしかに、微妙に傾いているように見える。角度にすれば、2°くらいだろうか。

この傾きの理由には、参照したHPによって、二通りの説明がなされていた。

ひとつは、隠し持ったときに体に密着させるためということだったが、あまり説得力がある理由とも思えない。

もうひとつは、マークIIは、最初から人間の刺殺を目的として設計されたナイフであり、刃を横にして刺した場合、肋骨（ろっこつ）の間に滑り込みやすいような角度を付けてあるということだった。

これなら、すばやく、確実に人間の息の根を止めることができる。凶器としては、これ以上のものは望めないだろう。

そのとき、ふと、小学一年生のときの記憶がよみがえった。

拓也と二人、鎌倉の山の中にドングリを拾いに行き、帰り道がわからなくなったことがあった。秋の日は釣瓶落としと言う通り、西の空が赤くなったかと思うと、あたりは急速に暗くなってしまった。秀一は、心細さから、泣きたくなっていた。

だが、先に泣き出したのは、拓也の方だった。秀一は、それを見て、自分の方がしっかりしなくてはならないと気がついた。拓也の手を引き、励ましながら、真っ暗な谷戸を通って帰る道を探した。

どうにか、元来た道を見つけたときには、二人とも、ほっとして、言葉が出なかった。もう、手を握っている必要などなかったのに、拓也は、最後まで手を離そうとはしなかった。

……今、自分は、その拓也を刺殺する計画を練っている。

秀一は、頭を振って、感傷的な気分を振り払った。

ほかに、どうしようもない。

ここで自分が屈すれば、いつかは、曾根を殺したことが明るみに出るだろう。そうなれば、自分だけではない、母と遥香をも、地獄に突き落とすことになってしまう。

今、やめるわけにはいかない。ここまで来れば、もう、引き返すことはできないのだ。

元はと言えば、恐喝という卑劣な行為に出た、拓也が悪いのだ。

　秀一は、掌の上でマークIIを弄(もてあそ)んだ。ざらざらとした感触の柄は、石のように冷えびえとしており、手の温(ぬく)もりを奪っていく。シンメトリックなブレードは、非情なまでに美しい輝きを放っていた。

　一見しただけでは、片刃のサバイバルナイフの方が凶悪な形状に映るかもしれない。両刃のダガーは、クラシカルで、どこか優美な印象さえ与える。だが、この形は、人体を断ち割って心臓を破壊するために、最適の形状を備えているのだ。そこには、空気を切り裂いて飛ぶ、最新鋭のジェット戦闘機にも共通した、独特の機能美が存在していた。

　自分は、本気で拓也の心臓をこれで破壊するつもりなのだろうか。秀一は、自問した。

　このところずっと、わけのわからない、沈滞したムードが続いていた。なぜか、意気消沈し、あらゆるものが下降線を辿(たど)って見えた。まるで、常に破滅の予感と隣り合わせに生活していたかのようだった。

　だが、今、心の中では、暗い高揚が沸き上がりつつあった。青の炎が、再び、勢いを増しつつあるのだ。

　ノックが聞こえた。

　秀一は、すばやくマークIIを空の筐体(きょうたい)に戻すと、マウスに手を伸ばし、ナイフに関するＨＰのウィンドウを閉じた。

　もう一度、ノックの音。黙って立ち上がると、ゆっくりと歩いて、ドアを開ける。思った通り、そこには遥香が立っていた。

「何だ？」

「うん。また、お兄ちゃん、ガレージに閉じこもってるから……」

遥香は、拗ねたように唇を尖らせていた。

「忙しいんだ」

「でも、約束したじゃない……」

「また、暇になったら、行くから」

遥香は、この前のように、ガレージに入りたそうな素振りをした。

「じゃあな」

「ちょっとだけ、入ったら、だめ？」

「だめだ。こんな時間に、男と女が二人っきりで密室にいたら、まずいだろ？」

「え？　だって……兄妹なのに？」

遥香は、まだ、知らないのだ。だが、事実を知って以来、秀一は、自分が遥香を見る目が微妙に変化してきたのを、意識せずにはいられなかった。

「たとえ兄妹でも、だめなものは、だめだ」

秀一がドアを閉めようとすると、遥香が両手でドアを持って抗った。

「おい……？」

遥香の表情は、ひどく真剣なものに変わっていた。

「やっぱり、そうなの？」

「そうって、何が？」

「わたしたち、本当の兄妹じゃないのね？」

秀一は、絶句した。気がついていたのか。だが、この場で、簡単に肯定するわけにはいかない。

「お前、何言ってんだ？」

「だって、おかしいんだもん。わたしが赤ちゃんのころの写真とか、一枚もないし。お母さんに聞いても、いっつも、はぐらかされるばっかしで」

「…………」

「わたし、お母さんの子供じゃないんでしょう？　そうなのね？」

「そんなことは……」

「わたし……じゃあ、やっぱり、あの人の娘だったの？」

あの人というのが誰のことかは、聞かないでもわかった。

「何、言ってんだよ。遥香が、あんなヤツの子供なわけ、ないだろ？」

ようやく、声が出るようになった。

「遥香は、間違いなく、お母さんの子供だし、俺の妹だよ」

「でも、写真は？」

「アルバムなんかは、あの男のとこから逃げてくるときに、置いて来ちゃったって、お母さんが言ってた。たぶん、その後、あいつが、捨てちゃったかどうかしたんだ」

「本当？」

「ああ。だから、もう、馬鹿なこと考えるのはやめろ」

「うん。……でも」

「でも、何だ？」

「あの人が、言ったの。お前は、俺の娘だって」

秀一は、愕然とした。

「あいつ、いつ、そんなこと言ったんだ？」

「前に、ドアを開けたら、そこに立ってたことがあるって、言ったでしょう？　そのあと、ノックしたって。そのときに、小声で言ってきたの」

「そんなの、嘘にきまってんだろ？　あいつは、変態のスケベ爺だったんだ。お前を騙して、ドアを開けさせようとしただけだよ」

「でも、俺はガンで、もう命が長くないから、お前に会いに来たんだって……」

「ええ？」

「本当に、そのあと、すぐに、死んじゃったから。もしかしたら、本当だったのかなって思って」

「馬鹿。そんなのを、いちいち真に受けるな！」

秀一は、今さらのように、曾根に対する怒りを感じた。死んだ後々になってまで、迷惑をまき散らしやがって。

「だいたい、あいつは、ガンで死んだんじゃないだろ?」

「そうだけど……。でも、あんなことになっちゃったから、やっぱり何だか、ちょっと可哀想な感じがして……」

遥香の言葉に、秀一は、かっとなった。

「お前が、あんなヤツに同情なんかすることないんだよ! あんなヤツ、いつかは殺されて当然だったんだ! それに……」

秀一は、はっとして言葉を切った。

遥香は、ぽかんとしている。

何とかして、不用意に口から飛び出した失言を取り繕わなければならない。だが、頭が真っ白になったようで、まったく言葉が出てこなかった。

「あなたたち、何してるの?」

遥香の後ろから、友子の声がした。

「もう、遅いわよ」

「う、うん。お兄ちゃんが、ガレージで何やってるのか、ちょっと見に来ただけ」

友子は、妙な視線で、二人を見比べていた。秀一は、痛くもない腹を探られているような気分だった。

「ほら、みろ。怒られたじゃないか」

秀一は、ようやく自分を取り戻して、遥香の背中を押しやった。

「う、うん」

去り際にこちらを振り返った遥香の目は、これまでに、秀一が一度も見たことがない、沈んだ光を湛えていた。

コンビニエンスストア『ハート・トゥー・ハート』は、闇夜の海を照らす灯台のように輝いていた。

重なり合った二つのハートを、一本の矢が射抜いている図柄のシンボル・マーク。『ハート・ブレイカー』ストア。二つ目の心臓を破壊する舞台としては、因縁めいていた。

「今日は、いい天気だったな。本当に、もう、梅雨入りしたんだろうか？」

店長の神崎さんの頭の中は、相変わらず、サーフィンのことでいっぱいのようだった。

「明日は曇りだって、天気予報では言ってましたよ」

「曇りかあ。とにかく、あの、気象庁の『梅雨入り宣言』ほど、当てにならんものはないからな」

立派な口髭を蓄えた顔で、真剣に憂えるように言う。人生に、そのくらいしか悩みがないとすれば、実に幸せな人だと思う。

「じゃあ、後はよろしく」

「はい」

いったん帰りかけて、神崎さんは戻ってきた。

「どうしたんすか？」

「櫛森くん。前に、何か問題を抱えてるって言ってたろ？　相談に乗るって言ったまま、あれっきりになっちゃってたけど」

「ああ。あれは、もう、いいんです」

秀一は、笑顔を作った。一応は、気にかけてくれていたらしい。

「本当に、もういいの？」

「だいじょうぶです。もう、終わりましたから」

その代わりに、新しい問題が出来(しゅったい)したことは、言わなかった。

「そうか。だったら、安心だな。バイト、続けられるんだろ？」

「ええ、続けていきたいと思います」

この店が潰(つぶ)れない限りの話だったが。

「じゃあ、これからも、よろしく」

「こちらこそ」

店長も、オーナー夫妻も、いい人たちだった。近々、このコンビニには、多大な迷惑をかけることになる。少し、心が痛んだ。

一人きりになると、秀一は、あらためて、コンビニの中を仔細(しさい)に観察した。とはいっても、CCTVカメラに監視されている以上、あまり、あからさまに怪しい行動を取るわけにはいかない。

雑誌の陳列を直したり、商品に値札を張り直したりしながら、ポイントを確認する。

店内に全部で六台ある監視カメラのうち、四台は、四隅から商品を陳列してある棚を監視し、一台は入り口をチェックしている。したがって、レジの内側を撮影しているのは、一台のみである。

その一台は、どうやら、店員の不正行為をチェックするために設置されているらしい。そのため、レジの引き出しまでは映っているが、床の近くは、死角になっている部分が多かった。

本当は、事務室に戻って、詳しくモニターをチェックしたかったが、いくら客がいなくても、レジを無人にするわけにはいかなかったし、後で、そんな行動を取っていたことがバレれば、命取りになりかねない。

監視カメラのアングルは、だいたい、頭に入っていた。決行前に、一度だけ確認すれば、それで充分だろう。

計画の概要が固まるまでには、前回以上に、知恵を絞らなくてはならなかった。

ガーバーのマークIIで拓也を刺殺するのはいいとして、問題だったのは、どうやって罪を逃れるかだった。選択肢は、いくつかあった。自殺に見せかける。他の人間の犯行に偽装する……。だが、いずれも、うまくいくとは思えなかった。

かといって、誰にもわからないように拓也を刺殺するのは、至難の業である。ひょっとすると、うまくいく可能性もないではなかったが、結局、偶然に頼ることになる。自分の運命を、偶然に委ねる気にはなれなかった。

だとすれば、堂々と拓也を刺殺しながら、罪に問われないような状況を作るしかない。

たとえば、正当防衛のような。

……すり替え。

そのキーワードに思いが至ったとき、そして、その舞台に、このコンビニを選んだ瞬間、計画は、九分通り完成した。あとは、それに伴って発生するだろう問題を、ひとつひとつ潰していくだけである。

最後まで残った二つの問題のうち一つは、拓也をどうやって計画に誘い込むかだった。だが、こちらは、それほどの難題ではないだろう。簡単に餌に食いつく単純さに加えて、制服を着て高校に忍び込むような、芝居がかったことを喜ぶ子供っぽさも、利用できるはずだ。あとは、話術で何とか対応できる。

残るは、『凶器』の処理の問題だけだった。

こちらは、最初のうちは、容易に解決方法を思いつかなかった。しかし、最終的には、コンビニの裏手、ほんの二十メートルほど離れた場所にあった郵便ポストが、解答となった。しかも、そのために必要なお膳立ては、すでに自分で行っていたのだ。

秀一は、腕時計を見た。ちょうど、午前三時をすぎたところだ。いつも通りの『凪』に入り、客足は、ばったりと途絶えている。これも計画の一要素だった。

もちろん、その日に限って、午前三時過ぎに、たまたま客が来るという可能性もある。

だが、計画全体に要する時間は、たかだか三、四分であり、その真っ最中を選んで邪魔が入るというのは、これまでの経験則からすると、考えられなかった。

秀一は、コンビニの間取り、特に、入り口からレジまでの距離、レジの床の様子、レジから事務室へ通じるドアなどを見ながら、頭の中でイメージを組み立てて、何度も執拗にリハーサルを行った。

午前五時、深夜勤を終えて帰宅するころには、すでに、秀一は、万全の自信を持っていた。

計画には、新しいコード・ネームが必要である。少し考えてから、『スティンガー』と命名することにした。相手を迎え撃つという形になるところから、湾岸戦争で名を馳せた、地対空迎撃ミサイルの名前と、ヘビの毒牙のように『突き刺すもの』という意味を掛けてある。

さらには、コン・ゲームの名作映画である、『スティング』も、意識していた。ただし、あれほど生温い結末は予定していない。

翌、六月六日の日曜日。秀一は、深夜勤あけの眠気を堪えて、午前中の間に藤沢市内のホームセンターに行き、必要な材料を買い集めてきた。

昼食を取ってから、一時間ほど仮眠した。目覚まし時計が鳴る寸前に、ベルを止めて、ガレージに入る。

作業机の上には、数種類の木の板や丸棒、金具やネジなどの細々とした素材が置かれていた。

作業にかかる前に、まずは、頭をすっきりさせることにした。ホームセンターへ行ったついでに、コーヒー豆も買ってきてあった。久しぶりにちゃんと豆を挽くと、それだけで、ガレージの中には、芳しい香りが漂った。マグカップの上にドリッパーを載せ、上から、少しずつ熱湯を注ぐ。

砂糖と粉末クリームを入れて掻き回し、コーヒーを一口飲んでから、いつもの隠し場所から、ガーバーのマークIIを取り出す。鞘から引き抜いて、ティッシュで黒いゴムの滓を拭うと、もう一度、しげしげと観察してみた。

『スティンガー』には、二本のナイフが必要だった。実際に拓也を刺殺する凶器となるナイフと、ダミーのナイフである。

凶器は、すでにここにある。致命的な毒牙を備えた、ブラックマンバのようなナイフが。あとは、ダミーナイフだけだったが、こちらは、簡単なようで、けっこう難問かもしれないと思い始めていた。

本来なら、同じナイフをもう一本入手して、一方をダミーとするのが、最も望ましい。それなら、二本を見分けられる可能性は、まずないからだ。

いくら硬いナイフでも、手持ちのグラインダーにダイヤモンド砥石を付けて研磨すれば、完全に刃を落とすことができるだろう。握りしめても、頬ずりしても平気な、タマゴヘビのように無害なダミーナイフができあがるはずである。

だが、これから、マークIIをもう一本入手するのは、かなりの冒険と言わざるを得ない。背広を着て大手の刃物店に行けば、たぶん、身分証を見せろとは言われないだろう。だが、それほど頻繁に売れる品物ではないだろうし、購入するときに、顔を覚えられる可能性がある。

さらに、首尾よくマークIIを入手し、グラインダーで刃を落とせたとしても、問題は、まだ残っている。たとえ刃がなくても、これほど薄く硬い金属板は、激しいアクションの最中では、依然として、相当危険な代物となる。下手をすると、大怪我をする可能性があるのだ。

さらに、ブレードの両側に、完全に刃が消えるまでグラインダーをかけた場合、かなり幅が細くなるし、セレーションの部分も、まったく消えてしまうことになる。それでは、凶器にそっくりという、ダミーナイフの前提条件が怪しくなってしまう。

加えて、『処理』する段階では、225グラムというマークIIの重量が、ネックになることも考えられた。

以上のようなことを考え併せて、秀一は、外見がマークIIにそっくりなダミーナイフを、自作しようと決心していた。

もちろん、少しばかり工作が得意でも、肉眼で見て見分けがつかないほど、精巧なものを作る自信はなかった。だが、コンビニ備え付けのCCTVカメラは、一般に、きわめて貧弱な解像度しか持たない。安物のレンズを使っている上に、ビデオテープを何度も使い回しているからである。その結果、せっかく録画した映像でも、自分の家族の顔すら確認できないのが普通である。『ハート・トゥー・ハート』鵠沼店も、もちろん、その例に漏れなかった。

とはいえ、最終的には、警察が映像をコンピューター処理して、見やすくすることまで考えられる。できる限り、真に迫ったダミーを作らなくてはならない。

当初は、刃が柄の中に引っ込む玩具のナイフが、念頭にあった。だが、それだけ機構が複雑になる上、実際のマークIIのプロポーションを見て、とうてい作成不可能であることがわかってからは、方針を変えていた。目指すのは、シンプルでリアルなダミーである。

まずは、使用する木の材質を決めなくてはならない。

秀一は、買ってきた中から、最軽量のバルサ材の板を取り出した。小学生のころ、よく、これを使って、模型飛行機を作った覚えがある。軽さと加工のしやすさでは最右翼だが、かんじんの強度の点ではどうだろうか。

バルサは、大型のカッターナイフだけで、容易にカットすることができた。とりあえず、マークIIのブレードの形に削ってみる。

できた偽のブレードを、指で押したり捻(ひね)ったりしてみたが、思ったほど弱くはなかった。『スティンガー』の実行の間くらいは、持ちこたえるかもしれない。

だが、厚みがネックになりそうだった。今使ってみたのは、厚さ一センチの板である。これでは、明らかに嵩張って見えるだろうし、これ以上薄く削ると、今度は、強度が足りなくなるのは、目に見えていた。

やはり、もっと硬い木を使う必要がある。様々な種類の木を薄く切って、強さを確かめた結果、ブレードには、軽くて丈夫な檜材、柄の部分には、頑丈な楢材を採用することにした。

最初は、柄の部分から作り始める。楢材の丸棒を、糸鋸で必要な長さに切断してから、鑿で大まかな形を整え、彫刻刀、金属のヤスリ、紙ヤスリの順に使って、仕上げをした。アーモハイド加工による、ざらざらとした質感を出すのが、やはり、なかなか難しい。一番粗い紙ヤスリで、表面がざらざらになるように加工してから、プラモデル用の銀色の塗料をたっぷりと塗り付けた。乾くのを待って、カッターの刃で、表面を軽く削り取る。その上から、割り箸を使って、できるだけ薄く、グレイの塗料を塗布してみた。

きらきらと、細かい粒子が光る感じを出したかったのだが、出来上がりは、必ずしも、満足のいくものではなかった。特に、実物を横に置いてみると、違いは一目瞭然である。とはいえ、いったんＣＣＴＶカメラの映像になってしまえば、おそらく、区別することなど、できないだろう。

秀一は、大きく伸びをした。天気予報の通り、今日は朝から曇りだったが、気温は高めだった。閉め切ったガレージの中は、空気が籠もるために、暑く感じる。

額の汗を拭うと、Tシャツとトランクスだけになって、椅子の上に胡坐をかいた。

次は、ブレードの番である。

檜材は、バルサと比べれば、ずっと強度が上だが、さすがに、実際のマークIIよりは、分厚くせざるを得なかった。

幾何学的な形を、可能な限り正確に写し取る。小一時間かけて檜の板を削り出し、ほぼ同じくらいの時間をかけて、彫刻刀で、丁寧にセレーションの形を彫った。最後に、小型の鉋をかけて表面を滑らかにすると、見事なブレードのイミテーションが完成した。

残った檜材の表面を磨き上げて、試みに、銀色の塗料を塗ってみる。

これでは、だめだ。秀一は、失望した。

塗料の銀色とステンレスの光沢は、似ても似つかない。比較すると、塗料は、まったくと言っていいほど、光を反射しないのだ。

もう一度ホームセンターへ行き、何か、金属の素材を買って来ようか。そう思ったとき、ひらめくものがあった。

ガレージを出て、母屋のキッチンへ行く。さいわい、母はいなかった。

流しの上の戸棚を開けて、アルミフォイルのロールを一つ、失敬した。銀行のネーム入りの景品などが山積みになっているので、一つくらい、なくなっても気がつかないだろう。

思いついて、ついでに、ポリエチレン製のラップも持っていくことにした。

戸棚を閉めようとしたとき、偶然、別なものが目に入った。流し台の隙間をカバーするための、アルミ製のキッチンテープである。アルミフォイルよりは厚みがあり、しかも、そのまま貼り付けることができる。

　駆け足でガレージに戻る。二つ比べてみると、やはり、あまりに薄すぎるフォイルよりは、アルミテープの方が、ずっと使い勝手がいいようだった。

　まず、最初に作ったバルサのブレードに、アルミテープを貼り付けてみた。なかなか、いい感じである。どうしても皺が寄ってしまうが、プラスチックの定規で上から擦ると、きれいに消えた。

　もう一度、本物のマークIIのブレードを抜いて、よく見比べてみる。たしかに、肉眼では違いは明らかだが、すでに、CCTVカメラでは見分けがつかないくらいの域に、達しているのではないだろうか。

　そうは思ったが、念には念を入れ、さらに万全を期すことにした。

　もう一度、本物とダミーを並べて見ると、アルミテープの方が、若干、光りすぎのきらいがあった。

　マークIIのブレードは、ヘアライン仕上げであり、よく見ると、縦方向に、細かい無数の線が入っている。もちろん、コンビニのカメラでは、こんなものが見えるはずもないが、同じやり方で、光沢の加減を調整できるかもしれない。

　真鍮製のペーパーナイフを使って、アルミテープを貼ったバルサのブレードを、何度も縦方向に擦ってみた。思った通り、縦に細かい傷の線が入り、本物のブレードに光沢が似てくる感じがする。

今度は、本番の檜のブレードだった。ゆっくりと時間をかけて、テープに磨きを入れる。

まずまず、満足すべきものが作れた。

最後に作るのは、ヒルト部分だった。ある意味では、これが一番、難物かもしれない。小さな部品にすぎないし、真っ黒に塗ればいいのだが、どうやって必要な強度を確保するかが、大問題なのだ。

ヒルトは、買ってきた中では一番堅牢(けんろう)な、樫(かし)材で作ることに決めていた。だが、実物と同じくらい細くすると、どうしても、折れそうな不安が残る。ダミーナイフが監視カメラに映るのは、せいぜい数秒間にすぎないが、途中で、どこかにぶつかって破損でもしたら、万事休すである。

そこで、薄い金具で上下をサンドイッチにして、補強することにした。強力な接着剤で、ぴったりと貼り付け、上から黒い塗料を塗る。

ヒルト部分が乾くのを待ってから、部材同士を組み合わせる。ここでも、強度を第一に考えなくてはならない。

楢材の柄の部分に、一番太い針金の芯(しん)を、三本突き刺した。そこに、木工用の接着剤をたっぷりと塗り、ヒルトを通し、ブレードを差し込んで合わせる。

これで、ようやく完成だった。

秀一は、労作を点検してみた。芝居の小道具だとしても、かなり出来がいい部類に入ると思う。これなら、怪我をする心配もあまりないだろうし、重量も、後で処理をする際に、不審を抱かれるほどではない。念のため、秤で測ってみると、120グラムしかなかった。本物のマークIIの、約半分である。

ほっとして時計を見ると、夕食までには、まだ、三十分ほど時間があった。

秀一は、ガレージの天井からぶら下がっている自転車のフレームを下ろし、チューブの中から、小さな鍵を取り出した。

『スティンガー』は、捨て身の作戦であり、最悪、警察によって家宅捜索を受けることまで想定しておかなければならない。だとすれば、この鍵の存在は、ゆくゆく、命取りになりかねなかった。

いっそのこと、思い切って廃棄してしまうという選択肢もある。だが、できれば、未来に選択の余地を残しておきたかった。

考えたあげく、秀一は、よそに預けるのが最善という結論を出していた。

もちろん、預ける場所は、それなりに厳選する必要がある。

秀一は、油絵の具のセットを取りだした。

紀子も、これと、まったく同じセットを持っていた。一緒に、買いに行ったのである。チューブのサイズは20号であり、さいわい、充分な大きさがあった。

どの色を選ぶかが、思案のしどころだった。『ヴァーミリオン』、『クリムソン・レーキ』、『オキサイド・オブ・クロミウム』の三色が、候補に挙がる。このうち、紀子が最も使わない色は、『オキサイド・オブ・クロミウム』だと思われた。緑と灰色の中間のような、冴えない色で、クリスチャン・ラッセンのような色使いが特徴である紀子の絵にあっては、ほとんど使う場所がないはずである。

そもそも、『酸化クロム』の英語名を、そのまま色の名前に転用しているというのは、絵の具メーカーですらこの色を高く評価していない、証のような気がした。

さっき台所から取ってきたポリエチレンのラップで、鍵を包み、セロテープで留める。『オキサイド・オブ・クロミウム』のチューブの蓋を外し、後ろを開いて、ゆっくりと、鍵を差し込んでいった。鍵の体積分の絵の具は、自然に、前の口から押し出される。

チューブを元通りにしたところで、今日の作業は、すべて完了した。秀一は、きちんと後始末をすると、夕食のために、ガレージを後にした。


月曜日は、雨が降っていた。梅雨時だから、しかたがないとも言えるが、このところ、晴れていたためしがないような気がする。

カーペンターズの『雨の日と月曜日は』のメロディが、朝からずっと、頭の中で木霊し続けていた。

放課後、掃除当番を終わってから美術室に行くと、紀子を含めた三人の女子生徒が、真剣に絵に取り組んでいた。

秀一が入っていくと、みな、ちらりと顔を上げたものの、すぐにまた、絵に没頭した。

紀子も、まったく同じだった。

秀一は、彼女の後ろに行き、じっと絵を見つめる。

紀子は、しばらくは黙って絵を描き続けていたが、やがて我慢しきれなくなったように振り向いた。

「何か、用なの？」

「いや。絵を見てただけだ」

「……そう」

また、絵に戻ったが、秀一のことをひどく気にしているのは、明らかだった。

「説明しようと思って」

「え？」

「嘘をついてたこと」

紀子は、黙って振り返り、秀一の顔を見つめた。

「……そういえば、ウミウソって、本当にいたんだな。驚いたよ」

「そう」

紀子の表情は、そんなことより早く肝心なことを話せと、促していた。

「あの絵は、一度、家に持って帰ったんだ。手を入れようと思って。それで、見てるうちに、発作的に、キャンバスを破ってしまった」

秀一は、紀子の油絵の具を、一色ずつ手に取って、弄（もてあそ）びながら言った。

「どうして？」

「変だろ？　だって、実際には晴れてるのに、雨の景色ばっかりなんて」

「……それ、もしかして、わたしがそう言ったから？」

「それもある」

秀一は、紀子の目を正視できなくなって、視線を逸らした。

「だけど、やっぱり、本当の理由は、自分自身で、気に入らなくなったからだ」

「それで、どうしたの？」

「キャンバスを破いた後で、木組みのところに、誰かが書いた、妙な文章があるのに気がついた」

紀子は、赤くなってうつむいた。

「それで、捨てるわけにいかなくなった」

「どうして？　ただの……落書きなのに」

「そうなんだが、俺にとっては、そうじゃなかった」

紀子の反応を見て、秀一は強い罪悪感を感じたが、今となっては、嘘をつき通すしかなかった。

「それで、同じ絵を、もう一度、最初から描き直した。その絵を、落書きのあった木組みに張ったんだ。だけど、湿度のことを忘れてたから、あんな、情けない具合になっちゃって」

部屋にいる残り二人の女子生徒も、今や、ぴたりと手を止めて、聞き耳を立てていた。

「でも、どうして、わざわざ、そんな大変なことしたの？」

「あんな落書きを捨てられなかったということを、お前に知られるのが、照れくさかったからだ」

紀子は、耳たぶまで真っ赤になってしまった。

「それだけだ。言いたかったのは……」

秀一は、そう言って、紀子を見つめた。

紀子は、イーゼルの方に向き直ると、せわしなく筆を動かした。だが、心ここにあらずというのは、はっきりと見て取れる。

「じゃあな。また、明日」

秀一は、そっと、その場を離れた。

「う、うん。……また、明日ね！」

紀子は、絵の方を向いたまま、明るい声で言った。

残りの二人の女生徒は、こちらを見ながら、ひそひそと内緒話をしている。いつも超然としている櫛森が、突然、紀子に『告った』という話は、明日には、すっかり、学校中に広まっていることだろう。

美術室の戸を閉めると、秀一は掌を開いて、たった今すり替えたばかりの『オキサイド・オブ・クロミウム』のチューブを見た。

思った通り、一度も、使った形跡がない。

階段を下りながら、秀一は、理不尽な苛立(いらだ)ちを感じていた。なぜだろう。すべては、計画通り運んでいる。

それなのに、どうして、こんなにも胸が締めつけられるのだろうか。

第八章　スティンガー

秀一は、半地下にある喫茶店の扉を開けた。

奥のボックス席に、石岡拓也がいた。この暑さで、さすがに、革の上着は脱いでいる。黒いTシャツの前面には、バイオハザード・マークが白く染め抜かれていた。銜えタバコのまま、こちらを見て手を挙げた。

秀一は、うなずいて、拓也の向かい側に座る。ふと、昔と何も変わっていないような、錯覚に陥りそうになる。まだ、お互いを親友同士だと思っていたころのような。

秀一は、アイスコーヒーを注文した。拓也は、クッションに半身をもたせかけながら、目を細めて、白い煙を吐き出した。

「で？　金は、できたのか？」

今日が、ちょうど一週間目の、拓也と約束した期限だった。

「どう言えばいいかな……」

秀一は、喫茶店の中を見回した。平日の午後なので、ほかには、大学生かフリーターのようなカップルが、一組いるだけだった。男は茶髪のロン毛で、ピアスをしており、女は、マクベスの魔女を思わせる奇怪な色に髪を脱色している。完全に、自分たち二人の世界に浸りきっていて、こちらには関心を向けていない。

「どう言えば？」

拓也は、強張(こわば)った笑顔を作った。

「どう言えばも糞(くそ)もねえだろ？　金はできたのか、できなかったのか、どっちだ？」

「今、ここにはない」

「なるほど」

拓也は、笑顔のまま、何度もうなずいた。そのとき、ウェイトレスが、アイスコーヒーを持ってきた。制服と私服の差こそあれ、さぞかし、仲のいい友人同士に見えたことだろう。

「きちんと、罪を償うことにしたわけだ？　俺は、別に、それでもいいんだぜ」

「この前も言ったように、俺は、今、手持ちの金はほとんどない」

「手持ちがあったら、浜銀のATMへ直行すりゃいいだけの話だろ？　一週間待ってくれというのは、金策のためだったんじゃねえのか？」

拓也の言うことは、珍しくもっともだと、秀一は感心した。

「それで、金を作る方法を考えた」

「ほう」

拓也は、灰皿の上で、タバコをにじり消した。指先が、白くなっている。

「一応、聞いてやろう」

「俺がバイトしてるコンビニには、まとまった現金がある」

拓也は、顔に笑みを貼りつけたまま、秀一を見つめた。

「お前、本当は、馬鹿だったのか？」

「現金があるのは、本当だ」

「それとも、俺が何も知らないと思って、なめてんのか？」

拓也の声に、かすかに険悪な響きが混じった。カップルの女の方が、ちらりとこちらに視線を走らせた。

「コンビニの売り上げは、毎日、本部に全額送金してるはずだ。特に、お前がバイトしてるような夜間は、釣り銭ぐらいしか残してないだろうが？」

「それが、あるんだよ」

秀一は、拓也をじらすように、ゆっくりと、アイスコーヒーにガムシロップとミルクを入れて、ストローで掻き回した。

「俺も、バイトを始めるまでは知らなかったが、コンビニ強盗が入ったときのことを考えて、必ず、まとまった現金を置くようにしてある」

「何でだよ？　わざわざ、強盗にプレゼントするためか？」

「店員の命を守るためだよ。それほど危険がないと思えば、金はないと突っぱねる。だが、本当に危ないと判断したときには、おとなしく金を出すんだ。その通り、マニュアルにも書いてある」

拓也は、半信半疑の顔になった。

「……まあ、いい。それで？　その金を、どうやって取ってくるんだ？」

「マニュアル通りだ。コンビニ強盗が入れば、俺は、すんなり金を渡す。強盗は、安全に、金を持って逃げることができる」

拓也は、吹き出した。新しいタバコに火を点ける。ライターを持つ手が震えている。

「それで、お前、俺にコンビニを襲えっていうのか？　え？　俺は、お前に、金を作れって言ったんだぞ。それを、俺がリスク犯して、強盗をやるのか？」

「リスクはない」

秀一は、身を乗り出して、断言した。

「俺が手引きすれば、安全確実に、金を持って逃げられる」

「馬鹿言え」

「本当だ。まず、時間帯だ。金曜の夜、っていうより、土曜の早朝だが、午前三時過ぎになれば、あのコンビニには、まったく客が寄りつかなくなる。俺たちは、『凪』って呼んでるんだが、お前も、知ってるだろう？　この前、夜中にコンビニに来たとき、一人でも、客がいたか？」

拓也のタバコを持った手が、宙で静止した。

「防犯カメラの映像も、何度も見てるが、ひどいもんだ。お前が素顔で入ってきたとしても、たぶん、証拠としては使えないくらいだ。この前みたく、フルフェイスのメットでも被(かぶ)ってくれれば、完璧(かんぺき)だよ」

「…………」

拓也の表情は、餌に食いついたことを示していた。もう少しだ。

「万一、お前が警察から調べられるようなことがあっても、俺は、強盗は絶対にお前じゃなかったと証言する。たとえ顔を隠していても、親友を見間違えるわけがないってな」

「お前が、ポリに嘘を突き通すって保証が、どこにある？」

「考えてみろ。もし、俺が、お前とグルになってコンビニ強盗を仕組みましたなんて言ったら、俺も罪に問われるんだぞ」

「しかし……何だかなあ」

「それに、もし、俺がお前を裏切ったら、お前は、俺が学校を抜け出して曾根を殺したことを警察にチクるだろう？　俺としては、どんなに厳しい取り調べを受けても、最後まで、お前を庇(かば)い通すしかないわけだ」

「ふうん」

拓也の目は、落ち着かない様子で、左右に揺れていた。

「それで、現金って、いくらあるんだ？」

「ちょうど百万だよ」

「本当か？」

拓也の目が光った。

「東京三菱銀行の帯封つきだ。強盗に怪しまれないように、わざわざ、古い札の束にしてある」

「ナンバーを、控えてあるんじゃないのか？」

「面倒くさいので、やってない。だいたい、ナンバーなんか記録したって、どこで使われるかわからないのに、後でチェックなんか、できるわけないだろう？」

「なるほど」

　次から次へと、滑らかに嘘がでてくる。しゃべりながら、自分の言葉に騙(だま)されてしまいそうな気がした。拓也は、うなずいた。さっきまでの冷笑的な態度は、すっかり影を潜めている。ソファの背もたれに身を預けると、さかんにタバコをふかし始めた。

　金が欲しいというのもあるだろうが、拓也は、何か、すかっとするような刺激に飢えているはずだ。もともと、芝居がかったことが好きなヤツだし、安全確実に強盗ができるというチャンスを、見送れるはずがない。今は、逡巡(しゅんじゅん)する気持ちを、自分自身で、なだめすかそうとしているところだろう。

　思った通り、しばらくすると決心が付いたらしく、拓也はこちらに身を乗り出した。

「それで、どうやるんだ？」

　とうとう釣り上げた。小さな勝利の快感を感じる。『スティンガー』は、この瞬間に、前に向かって進み始めた。

　秀一は、小声になって、細かい手順について説明した。拓也は、真剣な顔で聞いている。

少しでも間違えれば、犯罪者として逮捕されると思っているのだから、当然だろう。この集中力を勉強に生かすことができていれば、今ごろは、まったく別の人生を歩んでいただろう。

決行の直前に渡す物があるからと言って、決行日の夕方にもう一度会うことを約し、秀一は、拓也と別れた。

幼なじみを殺害しようとしていることは、極力、考えないようにして、先に立って階段を上がる拓也の体格を、冷静に見定める。

身長は、百七十五センチ、体重は、六十二、三キロくらいだろうか。

同じくらいの体格の人間を相手に、一度、予行演習をしてみる必要があるかもしれない。

大門は、あっけなくバランスを崩して、板敷きの床の上に転倒した。

「何だよ。何、やってんだ？　立てよ」

「もう、やめようよ」

か細い声で言う。

「いいからさ、一度くらい、本気で、俺を投げようとしてみろよ」

「いいよ。僕、こういうの、苦手だから……」

立ち上がった大門の肩口をつかんで、足払いをかけた。大門は、派手にひっくり返る。

どうやら、受け身のしかたも知らないらしく、肩を持ったままでいなかったら、頭を強打していたかもしれない。

「お前、そんなんじゃ、いじめられるぞ」

　大門は、情けなさそうな顔をして、秀一を見上げた。

「何だよ、その顔は。それじゃ、まるで、俺がお前をいじめてるみたいじゃないか？」

「だってさあ」

「エクササイズだろ？……ちょっとした。お前も、たまには、格闘技の練習くらい、しといた方がいいだろう？」

「そんなの、やりたくないよ」

「どうしてだよ？　さんざん投げられたんだから、お前も、一度くらい、俺を投げてみたいと思わないか？」

「全然」

「嘘つけ。いくらお前が『無敵の』大門でも、腹の中は煮えくり返ってるだろ？　こんなに、一方的にやられて」

「そんなことないよ」

「怒れって。たまには……」

「僕は、怒らない」

　大門は、立ち上がって、体育館を出ていこうとした。

「待てよ」

秀一は、大門の腕をつかんだ。大門は、また、投げられるのを予期しているかのように、じっとしている。ようやく、明らかな人選ミスだったことに気づいた。

「……悪かったな。そんなつもりじゃなかったんだ」

「いいよ」

「一発、俺を殴ってくれ。それで、チャラにしようぜ」

大門は、首を振った。

「いいって、そんなの」

「なあ、本当に悪かったって思ってるんだ。そんなこと言っても、心の中では、怒ってるだろ？　だからさ、殴って水に流してくれ」

「本当に、全然、怒ってないよ。僕は、怒らないことにしてるから」

「何でだよ？」

秀一は、当惑していた。前から、穏やかな性格だとは思っていたが、これでは、まるで、キリストではないか。

「瞋恚(しんい)は、三毒の一つなんだよ」

「え？」

「一度火をつけてしまうと、瞋り(いか)の炎は際限なく燃え広がり、やがては、自分自身をも焼き尽くすことになるって」

「何だ、そりゃ？」

「うちの、お祖父ちゃんが言ってた」

「お前のお祖父さんって、寺の住職か何かか？」

「兵隊だったんだよ。戦時中、中国に行ってた」

大門は、まっすぐ、秀一を見つめた。

「僕とは違って、すごく男らしくて豪快な人だったらしいんだけど、終戦で日本に帰ってきてからは、まるで人が変わったみたいに、無口になっちゃったんだって。僕は、そっちのお祖父ちゃんしか知らないけど。一昨年亡くなるまでは、毎日、写経ばっかりしてたよ」

「それで、その、怒るなっていうのが、お祖父さんの遺言なわけだ」

「遺言っていうか、何度も、そう言われてたから。瞋りだけは、どんなことがあっても、心に抱いちゃいけないって」

「そんなこと……できるわけないだろ？　どうやって、全然、怒りを感じないで、世の中渡って行くんだよ？」

「全然感じないのは、無理かもしれないけど。でも、抑えることはできると思う」

「それも、無理な話だって。だいたい、そんなんじゃ、悪いヤツらに、いいようにされるだけだぜ？」

「それでもいいよ」

大門は、笑顔を見せた。

「自分の瞋りで自滅するよりは、ずっとましな人生だって思ってるから」

秀一は、大門の言葉に胸を衝かれた。今度は、体育館から出ていく大門を見送ることしかできなかった。

「最低」

後ろから、声がした。振り返ると、紀子が立って、厳しい顔つきでこっちを見ている。

「何だ。いつからいたんだ？」

秀一は、照れ隠しの笑みを浮かべたが、紀子は笑わなかった。

「一年生から、君が体育館で大門くんをいじめてるって聞いたから、来てみたの。まさか、本当だったとは、思わなかったわ」

「待ってくれよ。……どう言ったらいいのかな」

秀一は、自分が、拓也に対したときと同じ口調でしゃべっているのに気がついた。

「そんな人だとは思わなかった。無抵抗の相手をいじめるなんて、人間として、最低だわ」

「いや、そんなつもりじゃなかったんだ」

「どんなつもりでも、いじめられてる方にしてみれば、同じでしょう？」

紀子は、踵を返して、立ち去ろうとした。秀一は、彼女の前に回り込んだ。

「何？　今度は、女の子相手に、暴力を振るおうっていうわけ？」

「違うって……。頼むから、聞いてくれ」

紀子は、黙って腕組みをした。

「その……つまり」

とりあえず、弁解にこれ努めるつもりだったが、彼女の目を見て、無意味さを悟る。

「俺が、悪かったよ。さっき、大門にも、謝ったけど」

「謝れば、何でも、許されると思う？」

「わからないが、大門は、たぶん、許してくれた……と思う」

紀子は、溜め息をついて首を振った。

「どうして、あんなこと、したのよ？」

「その……どうしても、柔道の技で、試したいのがあって。あいつにも、投げさせるつもりだったんだ。だけど、大門に、まったくやる気がないから、結果的に、俺が一方的に、いじめたみたいなことになっちゃって」

「まるで、小学生じゃない。馬っ鹿みたい！」

「みたいっつうか、馬鹿そのものだと、自分でも思うよ」

紀子は、ようやく厳しい顔を和らげた。

「もう、絶対に、やめてよね」

「ああ。約束する」

「わたし、いじめだけは、どんなことがあっても、許せないの」

紀子が許せないことは、実際には、もっとたくさんあるのではないかと思ったが、もちろん、口には出さなかった。

「……もう、昼休み、終わりね。教室に戻らないと」

至近距離で見つめ合ってる状態の不自然さに、ようやく気づいたらしく、紀子は、気まずそうに、後ろを向きかけた。

秀一は、無意識のうちに、彼女の両肩をつかんでいた。

「何？」

とまどった声。そっとこちらを向かせると、顔を近づけた。

「あ……」

紀子は、抵抗しなかった。秀一は、彼女を抱き寄せて唇を奪った。キスするのは、久しぶりのことだった。相手の吐息を、口元で感じる。あらためて、女の子の唇は、こんなに甘く、柔らかかったかと思う。歯と歯が、軽く当たった。そっと舌を差し込んでみたが、紀子は拒まなかった。それどころか、遠慮がちに舌をからませてくる。秀一は、夢中になり、たっぷり十秒間は、感触に酔っていた。

顔を離してから見ると、紀子の顔は、うっすらと上気していた。

「どうして……？」

「どうしてって、そりゃ、やっぱ、好きだから」

「そうじゃなくて、どうして、今なのよ？」

上目遣いに秀一を睨(にら)むが、どことなく、媚態(びたい)のようなものが感じられる。

「だって、わたし、今まで怒ってたのよ？　君が大門くんをいじめてたから。それなのに、突然、こんなことするなんて」

「また、怒った？」

「……馬鹿」

紀子は笑った。今度は、彼女の方から秀一の首に抱きつき、唇を重ねてきた。

本当に、自分はなぜ、突然、紀子にキスをする気になったのだろう。秀一は、自問した。今まで、いくらでもチャンスはあったはずなのに。

なぜ、今になって。

だが、腕の中にたしかに存在する少女の重みと体温、そして、ぞくぞくするほど甘美なキスは、どんな疑問も、忘れさせてしまうものだった。


殺人も、二度目になれば、多少は慣れるものだろうか。

秀一は、新林公園で、拓也を待ちながら思っていた。

腕時計を見ると、午後六時四十五分である。決行まで、あと、八時間と少しということになる。

ふいに、焦燥感のようなものが沸き上がってきて、秀一は身震いした。もう、こんなことは嫌だという、悲鳴にも似た思い。だが、必死の思いで、それを抑えつける。

すでに、賽（さい）は投げられている。

今から、中止することはできない。拓也を『強制終了』するのをやめてしまえば、単に、コンビニ強盗にだけ荷担することになる。それでは、何をしていることか、わからなかった。

それにしても、遅い。秀一は、川名大池のほとりを、いらいらしながら行きつ戻りつしていた。約束の時間は、六時十五分だった。もう、三十分も遅刻している。日が長くなってきているとはいえ、あと十分もすれば、日没である。すでに、夕食の時間にも、間に合わなくなっている。

バイクのエンジン音が響いた。振り返ると、拓也の黒いエナメル塗装のバイクが、三十メートルほど離れた場所に止まったところだった。

あたりに人影はないが、秀一は、知らん顔をしていた。

拓也は、ヘルメットを脱ぎ、何喰(なにく)わぬ顔で、こちらに歩いてくる。

「遅いぞ!」

小声で文句を言う。

「悪い。出がけに、ちょっと、親とトラブっちゃってさ」

「まだ、そんな状態なのか?」

「ああ。だがよ、やっぱり、お前の言うとおり、一回、殴っておいて、正解だったみたいだな」

拓也は、親しみのこもった口調で言う。一時的に元の友人関係に戻ったような、奇妙な感じがした。

「……この前は、そうは言ってなかったな」

「ああ。あのときは、いろいろあって、俺も、頭に来てたからな。だけど、一度、こっちも強く出られるというところを見せとくと、その後、向こうも気を遣ってるのが、わかるんだ。とりあえず、暴力を振るわないというだけで、交渉のカードが、一枚、手に入ったようなもんだぜ」

「テポドンみたいなもんだな」

「あ？　何だ、それ？」

「天災テポドン、知らないか？」

「天才、バカボンじゃねえのか？」

「似てるけどな。北から上がったミサイルが、東に落ちる……っていうやつだ」

「わけ、わかんねえよ。それより、渡すもんって、何なんだよ？」

拓也は、焦れたように言った。

秀一は、カバンから、鞘に入ったダミーナイフを取りだした。

「おい、それ……」

「中身は、別物だ」

ダミーナイフを引き抜いて、拓也に見せてやる。拓也は、しばらく唖然としていたが、手を打って笑い出した。

「何だ、これは……！　傑作だな。お前も、よっぽどヒマだったのか？」

「わざわざ、このために作ったんだ。怪我させられちゃ、合わないからな」

「それにしても、よくやるもんだな。感心だ。気合い入ってんじゃねえか」

拓也は、嬉しそうにくつくつと笑った。

「アルミテープは傷つきやすいから、ブレードの部分には、絶対触るな。あと、使う直前まで、必ず、鞘に入れとけよ」

「了解、了解！」

拓也は、今晩の冒険への期待から、すっかりハイになっているようだった。

「あとは、打ち合わせたとおりだ。午前三時過ぎには、待機しててくれ。客がいなくなれば、雑誌の色を赤から青に変える」

「わかってるって」

拓也は、親指を突き出してみせると、フルフェイスのヘルメットをかぶり、バイクの方へ歩いていった。

秀一は、夕陽を浴びながら去っていく拓也のオートバイを、見えなくなるまで見送っていた。真っ赤に染まった革のジャケットは、まるで、鮮血を浴びたようだった。

テポドンは、残念ながら、明日未明、スティンガーミサイルによって、撃墜される運命にある。

「天災一過だ。……テーポ、ドンドン」

古いアニメの替え歌の一節が、口をついて出てきた。

ふざけのめし、洒落(しやれ)のめして、これから待ち受けている苦行の重圧を、少しでも軽くしたいと思う。

だが、そのことを考えただけで、今から、足が竦(すく)み、喉(のど)がからからになるような気がする。

『ブリッツ』のときは、誰にも見られていない密室で、しかも、人事不省の状態にあるターゲットが相手だった。

『スティンガー』においては、違う。相手は、元気でぴんぴんしている。それを、首尾よく仕留めなくてはならない。

しかも、その一部始終は、カメラの前で行われるのだ。

『ハート・トゥー・ハート』には、珍しく、午前二時を過ぎても、まだ客がいた。しかも、三人も。

まだ、『スティンガー』決行の予定時刻まで、一時間以上あったが、秀一は、やきもきしながら、時計と客とを見比べていた。

二人は、さっきからずっと、雑誌のコーナーに貼りついている。両方とも、若い男だ。

一方は、長髪の太った男で、度の強い縁なし眼鏡をかけている。足下に置いたカゴには、夜食にするらしい、スパゲッティや菓子パン、イチゴのショートケーキ、モンブランなどが入っていた。

もう一人は、痩せて顔色の悪い男で、もみあげを伸ばしている。最初から、漫画雑誌の立ち読みだけが目的のようだった。

三人目は、どことなく虚ろな視線の若い女性で、店内を三十分以上もさまよっていた。ようやく踏ん切りが付いたらしく、カウンターの上にカゴを載せた。中に入っていたのは、パンティストッキングが一足と、猫缶が一個だけだった。機械で商品のバーコードを読みとっている間、女は、じっと秀一の顔を見つめていた。

女がいなくなってしばらくすると、太った男もおみこしを上げることにしたらしかった。さんざん雑誌に読み耽っていたので、てっきり立ち読みだけかと思ったら、夜食の上には、大判の雑誌が一冊載せられていた。表紙を飾っているのは、どう見てもローティーンの女の子だが、水着姿でにっこりと微笑みながら、AV女優のように扇情的なポーズを作っていた。中身は、おそらく、児童ポルノに厳しい国なら、刑務所に入れられるような代物だろう。

最後まで漫画を読みながら粘っていた痩せた男も、二時半を過ぎるころになって、突然、風のように出ていった。結局、何も買わなかったが、マニュアル通り、「ありがとうございました」と声をかける。

午前三時には、まだ間があったが、店は、早くも『凪』に突入したようだった。

新しい客は、入ってくる気配はなかった。だが、秀一は、予定通り、三時を過ぎるまでは待とうと思った。まだ、拓也はスタンバっていないだろうし、早々とゴーサインを出してしまっても、いつ、拓也が来るのかわからないという状態では、精神的重圧に耐えられそうにもない。

秀一は、客が一人もいない店内で、いつも通り、掃除をしたり商品のチェックをしたりして、時間を潰した。

CCTVカメラの存在が、意識の上にのしかかっていた。

アメリカの某穀物取引所で起きたという話を思い出す。この間まで、日本の証券取引所でも行われていたように、まだ身振り手振りでの取引がさかんだったころに、オファーがあったなかった、同意したしなかったのトラブルが、あまりにも頻発するため、取引所の館内にテレビカメラを据え付けたのだという。

その結果、取引にまつわる水掛け論はなくなったが、四六時中カメラに監視されている重圧から、精神分析医のカウンセリングを受けるトレーダーが、続出するようになったということだった。

今、感じているプレッシャーは、その時のトレーダーなど、及びもつかない。

事件が起きれば、警察は、間違いなく監視カメラのテープを押収するだろう。その場合、事件そのものの映像もさることながら、それ以前に録画された分についても、詳しく調査するに違いない。コンビニ強盗と店員がグルだというのは、よくある話だし、かりにそうだとすると、店員の態度には、早くから、そわそわしたところとか、不審な部分が散見されるかもしれないからだ。

現在は、誰一人として、モニターを見ている人間はいない。

だが、警察は、今この瞬間から、すでに自分を監視しているのだ。

そう、考えなくてはならない。

動悸で、今にも胸が張り裂けんばかりになっていることは、絶対に、レンズの向こう側にいる連中には、気取られてはならないのだ。

常にカメラを意識しつつ、絶対に、目線は送らない。あくまでも自然に、いつも通りの動きをする……。まるで、延々と、カットなしの一人芝居を、強いられているような気がした。

これなら、もっとぎりぎりまで客がいてくれた方が、よかったかもしれない。共演者がいた方が、間がもつのだ。

まあ、いい。退屈なら退屈そうに、手持ち無沙汰なら手持ち無沙汰らしく、自然に振舞えばいいのだ。演技のしすぎは、かえって、不自然に映る。

秀一は、入り口の自動ドアに、小さな曇りがあるのを見つけて、雑巾で拭いた。同時に、真っ暗な外を透かして見たが、拓也が来ているかどうかは、わからなかった。

さりげなく、腕時計に目を落とす。あまり、時計ばかりに視線をやるのは、疑いを招く。そう思って、極力我慢してきたのだが、そろそろ、三時を過ぎているかもしれないと思った。

文字盤を見ると、ちょうど、三時五分になったところだった。

一気に、血圧が上昇する。

すでに、ゼロ・アワーに突入している。

拓也も、すでに、近くでスタンバイしているはずだった。

あとは、自分の判断だった。いつでも、スタートの号砲を鳴らすことができる。

どうする。

秀一は、雑誌の棚の前へ行き、乱雑に置かれた週刊誌や漫画雑誌などを、きれいに整頓し始めた。

表紙を内側に向けて置いている棚以外に、店の外へ向けてディスプレイしている場所がある。ライトが当たっているので、夜間でも、はっきりと見て取れるはずだった。

これ以上、時間をおくのは、得策ではない。

誰かが通りかかって、外で待っている拓也に不審の目を向けるかもしれないし、もっと確率は低いが、気紛れな客が、やって来るかもしれない。

今は、絶好の瞬間なのだ。

その時が来るのを、一寸延ばしにしたところで、状況が好転するわけではない。

秀一は、「よし！」とつぶやいた。CCTVカメラには、音声は記録されない。「そろそろ、時間だな。……やるか」

外に向けて並べてある、赤っぽい表紙の婦人雑誌を引っ込めた。代わりに、ブルーが基調になった『横浜ウォーカー』を選んで手に取り、置こうとする。

その刹那(せつな)、狂おしいような思いにとらわれた。

これを置くということは、一、二分後には、計画通り、拓也を殺すということだ。

本気で、やるつもりなのか。

馬鹿なことは、やめろ。

今なら、まだ、中止できる。

手を取り合って、月明かりを頼りに真っ暗な谷戸(やと)を歩いた記憶がよみがえった。

一度火をつけてしまうと、瞋(いか)りの炎は際限なく燃え広がり、やがては、自分自身をも焼き尽くすことになる……。大門の声が、耳の奥でよみがえった。

秀一は、目をつぶって、強く息を吐き出した。

馬鹿馬鹿しい。俺は、怒りを完全にコントロールしている。それに、すべては、熟慮を重ねた上での結論だ。ここまで来て、今さら、引き返すことはできない。

そのとき、瞼(まぶた)の裏に、静かに燃える青い炎を見たような感じがした。

秀一は目を開けると、『横浜ウォーカー』を、合図の位置に置いた。急ぎ足に見えないよう、のんびりとした動作で、カウンターの後ろに戻る。

準備は、すでに整っている。秀一は、顔を動かさずに、足下にあるゴミ箱に視線を走らせた。カウンターの下、ゴミ箱の陰。CCTVカメラからは、死角になる場所……。

カウンターの上を、ゆっくりと雑巾掛けする。ついでに、レジスターの機械も拭いた。

入り口に目をやった。外は、街灯はついているものの、あまり遠くまで見通すことは、できない。

まだ来ない。いらいらした。だが、合図をしてから、まだ、一分あまりしかたっていないことを思い出す。焦るな。落ち着いて。イメージ・トレーニングの通りにやればいい。動作は、非常に単純だ。ピンポイントの正確性も必要ない。第四肋骨(ろっこつ)と第五肋骨の間が望ましいが、上下に一本くらいずれても大勢に影響はない。マークIIは、確実に心臓を捉(とら)え、破壊するだろう。

自動ドアの外は闇。まだ、現れない。

早くしてくれ。何、やってるんだ。間がもたないだろう。もう、カウンターでは、やることが残っていない。秀一は、心の中でつぶやいていた。

もしかして、また、遅刻か。いいかげんにしろ。こんな時まで……。

自動ドアの向こうに、ヘルメットをかぶった姿が見えた。

来た。

身構えるな。普通にしてろ。こちらからは、アクションを起こさない。ただ、木偶(でく)のように突っ立ってるだけだ。きっかけは、拓也にまかせよう。

自動ドアが開く。革のジャケット。黒いTシャツに、ジーンズ姿。

「いらっしゃいませ」

音声はカメラには記録されないが、マニュアル通りに、声をかける。レンズの向こう側にいる警察は、口の動きを見ているかもしれない。

拓也は、ヘルメットを脱がずに、まっすぐ、大股に、こちらに向かってきた。

いいぞ。打ち合わせた通りだ。うまくやってくれ。

「金を出せ！」

拓也の、少しくぐもった声。

「え？　ちょっと待って」

こちらも茶番劇につきあい、間抜けな声で応じてやる。

「うるせえ！」

拓也は、カウンターの上に横向きに座るようにしてまたぎ越すと中に入って、秀一にダミーナイフを突きつけた。いつ、鞘から抜いたのだろうという疑問が、頭をかすめる。

「さっさと、金を出せ！」

打ち合わせ通り、左手でこちらの肩口をつかみ、ナイフを喉元に押し当ててきた。あんまり、強く押しつけすぎるな。ダミーだということが、バレるだろうが。

「何やってる？　金だ？」

「ちょっと、揉み合おう……」

秀一は、口を動かさずに、拓也の耳元で囁いた。

「おら！　金だってんだよ！　死にてえか？」

拓也は、すっかり演技に熱中していた。ダミーナイフを喉元に突きつけて、ぐいぐいと、こちらの体を押してくる。

よし、今だ。

秀一は、両手で、拓也の両肩の上をしっかりとつかんだ。カウンターの下、カメラからは死角になる場所で、拓也の膝の下あたりに足払いをかける。

「おい、馬鹿、やめ……！」

拓也はバランスを崩し、たたらを踏んだ。秀一は、そのまま相手を引き込んで、仰向けに倒れた。床で背中を強く打ち、一瞬、息が詰まる。

苦痛をこらえるような拓也の声が聞こえた。

役者は二人とも、カメラの視界から消え、これから先、人形劇は、衝立の下での暗闘へと移行する。

「なん……これ、打ち合わせにねえだろ？」

折り重なって倒れた拓也は、憤然として叫んだが、音声は、どこにも記録されない。

秀一は、左腕を拓也の背中に回して、ジャケットをつかんだ。同時に、右手を伸ばして、ゴミ箱の後ろに隠しておいたマークIIを手にする。監視カメラの死角であり、拓也からも、フルフェイスのヘルメットが邪魔になって、見えないはずだ。

拓也は、まだ状況がのみ込めず、ただ、じたばたと足掻くだけだった。

マークIIのブレードを横に寝かせて、黒いTシャツを着た左胸にあてがう。第四肋骨と第五肋骨の間。何度も、頭の中でリハーサルしたとおりの手順だった。背筋力で体を弓なりに反らしながら、力いっぱい、下から突き上げた。

鋭い切っ先が、難なく薄い布と肉を突き破る。ヒルトを手がかりに押し込むと、両刃のダガーは、ほとんど抵抗なく、拓也の体内に入っていった。ブレードの中心が肋骨を擦り、セレーションが肉をずたずたに切り裂く。ブレードは根本まで完全に埋没し、ヒルトと拳が、体にぶつかったところで、ようやく止まった。

悲鳴とともに、秀一が左腕で抱えている拓也の体が、激しく痙攣する。

傷口を塞いでいたナイフがぶれたとたん、大量の血液が噴出してきた。粘稠度のある、湯のような液体が、秀一の拳から、手首、肱、二の腕、肩口までを洗う。鉄錆を思わせる、むっとする臭いが鼻をついた。

早く、ナイフを離さなくてはならない。秀一は、自分の右手を開こうとしたが、緊張のあまりか、鮮血で濡れそぼつ五本の指は、柄に貼りついてしまったようだった。

指と指の間が、真っ赤な線になっている。左手を使い、親指から順番に、一本ずつ引き剝がしていった。

「お……お前」

頭を下げた拍子に、ヘルメットが転げ落ちる。苦痛に歪んだ、拓也の顔が顕れた。

「なんで……?」

拓也は、泣くような声で、辛うじてそれだけ言った。それから、か細い悲鳴が途切れ、体がぐったりとなる。失血のショックから、意識を失ったようだ。

秀一は、拓也の右手からダミーナイフを外した。空になった手を持ち、左胸に刺さったナイフの柄に導いて、握らせる。手を離すと、拓也の腕は、力なく床に落ちた。

秀一は、自分の上に覆い被さったままの拓也の体を、静かに押しのけた。まだ温かい体が半回転し、両腕を開いて、仰向けに床に転がった。

薄い胸からは、にょっきりと、マークIIの柄が生えている。その下からは、依然として、泉のように滾々と、温かい血が湧出していた。

床は、文字通りの血の海になっていた。下敷きになった秀一の体も、右腕からエプロンにかけて、鮮血で真っ赤に染まっている。

カメラに見えないように、ダミーナイフをズボンに差してエプロンで隠した。

カウンターの縁をつかんで、ふらつく足で立ち上がる。

手足が震えているのは、けっして、演技ではなかった。顔色も、たぶん真っ青に違いない。

秀一は、この瞬間、カメラ越しにこちらを監視している、大勢の警察官の目を意識した。彼らが、粒子の粗い映像によってこのシーンを目撃するのは、まだ先の話だが、見られているのは、まぎれもなく現在、この瞬間なのだ。

床に倒れている拓也を一瞥すると、戦慄が走った。

顔をそむけ、よろめく足取りで事務室に向かう。

ドアを開けて、ようやく、CCTVカメラの監視下から逃れる。

荒い息をつきながら、すぐに時計を見た。三時八分。

さっき時間を確かめてから、まだ三分しか経過していないというのが、とても、信じられない。

とはいえ、これから先は、さらに迅速に事を運ばなければならなかった。

まずは、流しで両手を洗った。血糊だけではなく、マークIIに指紋を付けないために、指と掌面に塗っておいた糊も、すっかり落とさなければならない。流れ落ちる水が、絵の具を流したように、真っ赤に染まる。石鹸を泡立てて、肱まで血を洗い落とすと、タオルで、よく水気を拭き取った。二の腕より上は、とりあえず、我慢するしかない。

エプロンを取り、ズボンから、ダミーナイフを抜いた。こちらも、蛇口の水をかけて、わずかに付着していた血痕を洗い流し、タオルで拭く。

ダミーナイフを、用意しておいたクッション封筒に入れ、厳重に封緘した。べっとりと血の付いたスニーカーを脱ぐと、靴下裸足になって、裏口からコンビニを出る。

誰もいないことを確かめてから、郵便ポストまで走った。

梅雨の晴れ間の黄色い月が、薄い雲の間から見下ろしていた。街灯の明かりで、走る影が、細長く道路の上に伸びた。

封筒を投函すると、駆け足で戻る。時間にすれば、事務室に戻ってから、一分ちょっとしか要していないだろう。

いくら警察でも、コンビニで発生した刺殺事件で、近所のポストの中を捜索するとは、考えられない。何しろ、かんじんの、拓也を殺害した凶器は、ちゃんと現場に残されているのだから。まして や、新宿にある私設私書箱の存在など、永遠に発覚する気づかいはなかった。鍵も、早手回しに、絵の具のチューブに入れて、紀子に託してある。

事務室の電話に手をかける。受話器を取ってから、もう一度、やり残したことがなかったか、頭の中で反芻した。

大きく深呼吸すると、まだ震えが止まらない指で、110をプッシュする。

「はい。110番」

突然、既視感のような感覚に襲われた。前にも、こんなことがあったような……。だが、すぐに思い出す。何だ。実際に、電話しているではないか。曾根の死体を『発見』したときだ。もっとも、あのときは、119番だったが。

「もしもし？　もしもし？」

受話器から聞こえる声は、苛立ったように繰り返した。悪戯ではないかと疑っているのだろう。

「あの……もしもし」

自分でも意外なほど、落ち着いた声が出た。

「はい。110番」

「こちら、『ハート・トゥー・ハート』の鵠沼店なんですけど」

「は？　ハート？」

知らないらしい。これが、セブン-イレブンやローソンだったら、説明の必要はないだろう。

「コンビニです。藤沢市、鵠沼にある。あの、たった今、強盗が入って……」

「はい。それで？　強盗は、どうしました？」

相手の声が、にわかに色めき立つ。

「あの、死んだみたいで」

「え？　死んだ？」

相手は、信じられないように繰り返した。

「ナイフを持ってて、倒れたときに、刺さったみたいで」

この音声も、すっかり録音されている。だが、もはや、さほどのプレッシャーは、感じなかった。いくら解像度が悪いとはいえ、CCTVカメラによって、一挙手一投足を監視されるのに比べれば、たいしたことはない。秀一は、あらかじめ決めておいた通りの内容を説明すると、電話を切った。

受話器には、うっすらと赤い指紋が残っていた。秀一は、もう一度、丁寧に手を洗った。途中で胃液が逆流してきて、少し吐いてしまう。

濡れた手を拭くのに、ピンク色に染まっているタオルは、もう使う気がしない。自分のハンカチを出して、手指から肩口までを拭った。

血糊でごわごわになったシャツとチノパンツも脱ぎたかったが、着替えを用意してないので、我慢するしかなかった。

秀一は、もう一度、血で染まったスニーカーを履くと、事務室の電灯のスイッチを消した。理由は、自分でも、よくわからなかった。ただ、暗闇の中にいる方が、安全だという気がしたのだ。

遠くで、パトカーのサイレンの音が聞こえた。しだいに、こっちに近づいてくる。

すべて、計画通り、完璧にやってのけたはずである。秀一には、自信があった。

だが、それとは裏腹に、サイレンが大きくなるにつれ、動悸は狂おしいまでに早くなり、掌や背中には、嫌な汗がべっとりと滲み出してきた。

時計を見ると、闇の中で光る針が、三時十一分を回ったところだった。

……早く、終わらないかな。

これから、警察の事情聴取が待っていることを考えると、溜め息が出そうだった。

店に通じるドアに目をやった。下から、灯りが漏れ出ている。

その、ほんの三、四メートル先には、まだ温かい、拓也の死体が横たわっているのだ。

その事実が、どうしても信じられなかった。たしかに、たった今、拓也を刺殺した感触は、まだ、右手に生々しく残っていた。だが、何もかもが、仮想現実の世界での出来事のような気がする。とても、実際に起きたこととは、思えないのだ。

ドアを閉め切ったままにしておけば、死体を見ずにすむ。目に見えないものは、たぶん、存在しない。

眠い。急に、耐え難いような疲労を感じた。このまま、ベッドに入って、朝までぐっすりと眠りたい。秀一は、瞼（まぶた）を閉じた。

だが、ちょうどそのとき、店の前にパトカーが止まる音がした。溜め息をついて、目を開ける。しかたがない。そろそろ、出て行く潮時だろう。

秀一は、立ち上がり、ドアノブを回した。ほぼ同時に、自動ドアが開いて、警官たちが、店内になだれ込んできたようだ。

開いたドアの隙間から、蛍光灯の、白っぽい非現実的な明かりが網膜に飛び込んでくる。同時に、興奮してしゃべり交わす警官たちの声と無線の音とが、どっと鼓膜へと押し寄せてきた。

秀一は、神妙な表情を作って、パイプ椅子に座っていた。

ここは、藤沢南署にある刑事課の大部屋だった。時刻は、午前四時三十分を回ろうとしている。事件の直後だけあり、大勢の職員が、出たり入ったりしていた。こんな時間でも、警察は、活動を休止しないのだ。

スチールの机の前に座らされている状況自体は、職員室に呼び出しをくらったときに、滑稽（こっけい）なくらいよく似ていた。だが、今の自分の立場は、指導を受けている学生ではなく、事件の参考人なのである。そして、参考人は、いつなんどき、重要参考人、容疑者に昇格しないとも限らない。

「いや、待たせたね。ごめん、ごめん」

ようやく、山本警部補が戻ってきた。両手に、湯気の立つコーヒーの入った紙コップを、一つずつ持っている。

一つは秀一のためらしかった。一応、礼を言って受け取るが、口を付ける気はしなかった。

「たいへんだったね。こんな時間まで、未成年の君を引き留めるのは、どうかと思ったんだが、何しろ、人が一人死んでるんでね」

「僕のことだったら、気にしないでください。どうせ、五時まではバイトの時間ですし、明日は学校は休みですから」

「そうか。そう言ってもらえると、こっちも助かる」

山本警部補は、眠そうな目で、コーヒーを啜った。

「あちらに、お母さんや、コンビニの店長さんが来られてるみたいだが、もう少し、いいかな？」

「はい」

秀一は、自分の体を見下ろした。警察も、着替えを貸してくれるほど、親切ではないらしい。

「それにしても、短い間に、二度目だね。君と、こうして話をするのは」

「はあ……」

「前回は、君の昔のお父さん。そして、今回は、同級生なわけだ」

「この前と、今度のこととは……」

「ああ、そうだ。もちろん、状況は、全然違うんだけどね」

山本警部補は、笑顔を見せた。

「それでね、もう一度確認しておきたいんだけど、犯人が、君の同級生の石岡拓也君だとわかったのは、いつの時点だったのかな？」

「と言うと？」

「それは……ヘルメットが脱げたときだと思います」

「倒れて、しばらくしてから、床に落ちたんです。あいつは、頭を低くしてたから」

「そうか」

山本警部補は、両手でコーヒーのカップを挟んで、考え込むような顔になった。

「だけど、君が警察に通報してくれたのは、その後だったわけだよね。そのとき、どうして、犯人を知ってるって言わなかったの？」

秀一は、ひそかに気を引き締めた。気をつけろ。ここで下手なことを言ったら、本格的な疑いを招かないともかぎらない。

「……よく、わかりません」

「わからない？」

「どうして、言わなかったのか。言わなくちゃいけないことが、あんまりたくさんあったんで。頭の中が、真っ白になってましたから……」

「そうか。そうだよな。気が動転してただろうし。うん。それは、当然のことだと思うよ」

山本警部補は、大きくうなずいた。ただし、本心から納得しているのかどうかは、表情からは、よくわからなかった。

「で、石岡君と君とは、あまり、親しくなかったのかな？」

「小中学校では、わりと。高一の時も、けっこう、話はしました。でも、二年になってからは、あいつは、あんまし学校に出てこなくなって」

「ふうん。君が、あそこのコンビニでバイトしてたことは？」

「あ。それは、知ってました。一度、来たことがあったから」

「ほう。それは、いつ頃？」

「一月(ひとつき)か、一月半くらい、前です」

ひょっとすると、言わなくてもいいことかもしれない。だが、しらを切った場合、万一、拓也が以前に『ハート・トゥー・ハート』を訪れていたことを警察がつかんだら、心証は、決定的に悪くなるだろう。

「その時の服装は、どうだった？」

「服装、ですか？」

「石岡拓也君の。今日と同じような服を、着てたんじゃなかったかな？」

「さあ……それは。よく、覚えていません。だいたい、いつも、あんな格好だったと思いますけど」

「今日は、服装を見て、彼だとはわからなかった？」

「それは、さすがに。あんな格好のヤッは、たくさんいますから」

「そうか。それで、その時、石岡君とは、どんな話をしたの？」

「それも、よく覚えてないんですけど。学校のこととか。友達のうわさ話とか」

「石岡君は、君がそこにいるって知ってて、来たのかな？」

「ええと……いや、知らなかったと思います。夜中にコンビニに入って、偶然、僕に会ったっていう感じでした」

「なるほど」

山本警部補は、椅子の背に掛けてあった背広の内ポケットを探って、タバコを出した。一本銜えかけて、思い直したように、元に戻す。

「正直に言うとね、君と石岡君が知り合い、それも同級生だということが、上の方じゃ、相当、引っかかってるみたいなんだよ」

「引っかかってる？」

「偶然にしちゃ、できすぎてるからね」

「それは、僕もグルになって、コンビニ強盗を企んだってことですか？」

秀一は、あえて、強く山本警部補を見返した。

「いや。それは違うな。そうだったら、あんな『事故』になった理由が、よくわからない。だいたい、君なら、あんな夜中に、コンビニに大金を置いていないことぐらい、よく知ってたはずだしね」

「ええ。それは、もちろん」

　秀一は、ほっとしてうなずいた。

「だが、単純な強盗だとすると、ほかにも、いくつか納得のいかない点があるんだ」

　秀一は、黙って、山本警部補の言葉を待った。

「僕は、強行犯っていってね、強盗を捕まえるのが、いわば本職なんだが……」

　山本警部補は、とうとう我慢できなくなったように、タバコに火を点けた。

「コンビニ強盗の手口も、これまでに、いろいろ見てきてる。凶器は、ほとんどの場合、刃物だ。それも、できるだけ見栄えのする、派手な方が好まれる。出刃包丁や鉈、模造刀、外国人の場合は、青龍刀なんてのもある。若い犯人の場合は、かっこいいというイメージがあるのか、サバイバル・ナイフに人気があるようだ」

　山本警部補は、ゆっくりと紫煙を吐き出した。

「だが、今回は、両刃のダガー・ナイフだ。それも、悪名高い、ガーバーのマークIIというヤツだ。たしかに、見た感じも、それなりのインパクトはある。だが、なぜ、わざわざ、このナイフを選んだのか……？」

「どういうことですか？」

話の道筋が、見えてこない。秀一は、懸命に、山本警部補の真意を忖度しようとしていた。

「数年前、若い男が、拳銃を奪おうとして交番を襲撃し、巡査を刺殺した事件があった。そのとき、犯人が使ったのが、このナイフだった。ガーバーのマークIIというのは、人を脅すのではなく、確実に刺し殺すためのナイフなんだよ」

山本警部補は、小さなブリキの灰皿に灰を落とした。

「ある程度、ナイフの知識があれば、知っているはずだ。さっき、ビデオテープを見たんだがね、あんなふうに、相手の首筋に押し当てて脅すつもりだったら、両刃のナイフは、かえって使いづらい。どちら側を当てても、簡単に皮膚が切れ、血が流れる。脅されている方は、パニックに陥る危険性が高い」

山本警部補は、ちらりと、秀一の首筋を見たような気がした。

「……それは、つまり、石岡が、最初から、僕を殺そうとしていたということですか？」

「その可能性も、捨てきれないな」

山本警部補は、探るような視線になった。

「そういう心当たりは、ないかな？　石岡拓也君が、君を憎んでいたとか、そういうことだが」

「……いいえ、ありません」

そういう方向に警察の捜査が向かうのなら、それでもかまわない。だが、秀一は、慎重に答えた。自分が、拓也に殺意があったという説を歓迎しているかに思われては、困る。

「かつては、君と石岡君は、仲がよかったんだよね？　だが、石岡君は、学校にも出てこなくなり、君の方は、成績優秀で、将来を嘱望されているんだろう？」

「優秀というほどでは……。この間の中間テストの成績も、めちゃくちゃでしたし」

「でも、石岡君が、何らかのコンプレックスを感じていた可能性は、あるわけだ？」

「少しくらい、そういうことがあったとしても、そんなことで、僕を殺そうとするなんて、考えられません」

「なるほど」

山本警部補は、タバコを消しながら目を細めた。今の答えで、満足したのだろうか。

「まあ、このナイフを選んだのは、単に、犯人の好みの問題だったのかもしれない。だが、ほかにも、いくつか謎がある。たとえば、持ち運びに関してだが」

喫煙が止まらなくなったらしく、また、新しいタバコに火を点ける。

「あの手のナイフには、シースっていって、鞘が付いてるんだよ。刀身を剝き出しじゃ、危なくてしょうがないからね。ところが、石岡拓也君の遺体は、どこにも、ナイフの鞘を身につけていなかった」

秀一は、舌打ちしたくなった。拓也は、言いつけを破って、ダミーナイフを鞘に入れてこなかったらしい。

「コンビニから五十メートルほど離れた場所で、彼のバイクが発見された。そこまでは、バイクの物入れに隠せただろう。その場合でも、鞘があった方が便利だと思うがね。だが、バイクを降りて、コンビニまで歩く間は、あのナイフを、剝き出しのまま手に持っていたことになる。いくら、あの時間の人通りが少ないといっても、ちょっと無謀すぎると思わないか？　誰かに見られたら、おそらく、即、110番通報されるだろうし」

それでは、拓也は、どうやってダミーナイフを運んできたのだろうか。秀一は、疑問に思った。『ハート・トゥー・ハート』に入ったときには、すでに右手に持っていたが……。

「でも、だったら、結局、どういうことになるんですか？」

秀一は、訊ねた。そんな話をこちらに振られても、答えようがないですよというつもりだった。

「まだ、わからない。だが、それに関連して、もう一つの謎がある」

山本警部補は、お手上げというように、両手を首の後ろに回した。

「石岡君の遺体からは、凶器となったナイフの鞘は見つからなかったが、尻のポケットから、違うものが出てきた」

「……何ですか？」

「別のナイフだよ」

山本警部補は、机の引き出しから、透明なビニール袋に入った折り畳みナイフを取りだした。秀一は、はっとした。拓也が学校に来たとき、脅しのために、尻ポケットから出したナイフだ。

「どうした？　見覚えでもあるの？」

「いいえ」

秀一は、間髪を入れずに答えた。不自然だったのではないかと、ひやりとする。だが、山本警部補は、特に不審を抱いた様子でもなかった。

「これは、カミラスという会社で作ってる、CUDAというナイフだ。マークⅡなんかと比べると、刃渡りはずっと小さいけど。ここに、ボタンがあるだろう？　これを、親指で溝に沿ってスライドさせると、ワンタッチで刃が開くんだ。慣れれば、飛び出しナイフと変わらないが、機構にバネなどを使っていなければ、規制の対象とはならない」

「でも、それが、どうかしたんですか？」

「コンビニを襲うときに、二本もナイフを持ってくるっていうのは、変だと思わないか？」

秀一は、考え込むふりをした。

「さあ。よく、わかりません。あいつが、何を考えてたのか……」

「まあ、それは、そうだろうな」

山本警部補は、腕時計を見た。

「今晩は……というか、もう朝だけど、このくらいにしようか。明日、もう一度、詳しい事情聴取をすることになると思うけど」

「わかりました」

ようやく、解放される。秀一は、ほっとして、立ち上がろうとした。

「最後に、石岡君のことじゃなくて、君のことを一つだけ聞きたいんだけど、いいかな？」

「はい」

嫌だと言うわけにもいかず、もう一度、椅子に腰を落とした。

「君は、いつもなら、カウンターの下には、防犯用の金属バットを用意しているそうじゃない？　さっき、店長の神崎さんから聞いたんだけど」

「ええ」

「今晩は、どうして、なかったのかな？」

秀一は、山本警部補の顔を見た。相変わらず、こちらを気遣うような笑顔を崩してはいない。

「ええと。いつもは、店に置きっぱなしのことも多いんですけど、たまたま持って帰ってて……」

秀一は、すばやく頭を回転させた。あまりもっともらしい理由を付けない方が、かえって、リアリティがあるような気がする。だが、この男の場合、素直にそう思ってくれるかが、問題だった。

「ここんとこ運動不足で、たまには素振りでもしようかと思ったんですけど、その後、また持ってくるのを、忘れちゃってたっていうか……」

「うん。そうか。わかった。じゃあ、今晩は、もう帰っていいよ。お母さんも、さっきから心配してお待ちみたいだから」

山本警部補は、先に立ち上がって、秀一の肩をぽんと叩いた。

「君が落ち着いてるんで、助かったよ」

「いや……けっこう、動転してます」

「強盗に遭って、事故とはいえ、相手が死んでしまったら、かなりのストレスだと思うよ。まして、それが同級生だったとすればね」

悲しみを顕わにしないのが、不自然だとでも言いたいのだろうか。

秀一は、黙ってうなだれて見せた。

大部屋を出たところで、向こうから、母と神崎さんが来るのが見えた。

ほっとして気が緩んだとたん、自分でも意外だったが、目から涙がこぼれ落ちた。

さらに、二粒、三粒……。

母は泣いていた。早足で近づいてくると、秀一の頭をぎゅっと抱きしめる。神崎さんも、言葉が出ないらしかった。少しでも、元気づけようというつもりなのか、しきりにうなずいている。

秀一は、自分の涙を山本警部補が見たかどうか、考えていた。

心身ともに、深く疲労しているはずなのに、神経の一部が立っていて、熟睡モードに入ることができない。

うつらうつらしながら、短い周期で、浅い微睡(まどろ)みと覚醒(かくせい)とを繰り返していた。夢を見ているときも、それが夢であることを、はっきりと意識していた。こういうのを、明晰夢(めいせきむ)と言うらしい。

秀一は、闇の中を疾駆していた。

四つ足だった。どうやら、自分は、虎になっているらしい。

背後から、大勢の人間の気配が漂ってきた。怒り。悲しみ。憤激。そして、殺意。

それが、すべて、自分に向けられた感情であることは、明らかだった。当然の結果かもしれない。これまで、村々を襲っては、大勢の人間を殺してきたのだから。

人喰(ひとく)い虎は、いずれは、村人によって、逆に殺される運命にある。だが、本物の獣なら、そんなことは意識せず、最後の瞬間まで、絶望的な戦いを続けることだろう。

秀一は、いつのまにか、外から虎の姿を見つめていた。

今までに喰い殺された犠牲者ではなく、これから虎が辿(たど)るであろう苦しみの道を思って、枕を濡(ぬ)らした。

第九章　豪雨

山本警部補は、目をしばたたいた。かなり、憔悴しているようだ。頬から顎にかけては、濃い無精ひげが、歌舞伎の隈取りを思わせる陰翳を作っている。

「昨晩、というか、今朝は、よく眠れたかな？」

そういう本人が、一睡もしていないような印象があった。

「いいえ。あまり、ぐっすりとは」

秀一は、正直に答えた。自分でも、緊張しているのがわかる。昨晩は、『スティンガー』の実行直後で、異様な興奮状態にあった。今は、落ち着いている分だけ、のっぴきならない状況であることが、ひしひしと感じられる。

今日は、大部屋ではなく、個室での事情聴取ということも、圧迫感を増していた。

「そうか。そうだろうな。あんなことがあった後じゃ、眠れなかっただろう。すぐにまた、警察に来てもらうのは、酷だとは思ったけど」

「いいえ。僕は、別に……。石岡くんは、亡くなってるんですから」

「うん。とにかく、うちとしても、早く結論を出したいんだ」

山本警部補は、机の上に置かれた小さなモニターに、顎をしゃくった。

「あれから、店の防犯カメラのビデオテープを、何十回も見たよ。おかげで、目がしょぼしょぼして、かなわん」

「……何か、不審な点でも、あったんですか？」

「不審な点か。まあ、不審と言えば不審だし、そうでないと言えば、そうでもないな」

山本警部補は、曖昧(あいまい)な言い方をした。

「普通は、こういうテープを事件の当事者に見せるようなことはしないんだが、ちょっと、見てほしいんだ」

当事者というのも、微妙な言い方だった。深い意味はないのかもしれないが、被疑者と言うのを避けたとも取れる。

山本警部補は、ビデオデッキの再生のボタンを押した。

秀一は、息を止めた。『ハート・トゥー・ハート』の天井に設置されたCCTVカメラから見た映像が、画面に現れたのだ。

秀一は、カウンターの後ろに立っている。正面にある自動ドアが開き、フルフェイスのヘルメットを被(かぶ)った拓也が、入ってきた。

拓也は、一直線に、秀一の方へ向かってくる。

山本警部補は、一時停止のボタンを押した。

「ここまでで、何か、気づいたことはないかな？」

秀一は、大きく息を吐いた。背筋が、ぞっと総毛立っているような気がする。

「気づいたことですか？」

再び画面に目をやると、拓也が、カウンターに大股に近づこうとする一瞬が切り取られ、凍結されていた。テープは相当傷んでいるらしく、画面の縁が、キャンバスの塗り残しのような形で揺れていた。

「特に、これといっては……」

山本警部補は、拓也を指さした。

「石岡君は、自動ドアが開いてから、一目散に、君の方へと向かってると思わないか？」

「ええ。そうですね。でも、それが何か……？」

「コンビニの中は明るく、外は暗い。したがって、外から中は、比較的よく見えるはずだ。だが、実際には、外へ向けて雑誌が陳列してあるし、ガラスにポスターが貼ってあったりするので、近づいて、覗き込まなければ、客がいるかどうかは確認できないはずだ。違うかな？」

「それは、そうだと思います」

「ほかのアングルに設置してあるカメラの映像も調べたが、石岡君が、外から中を覗いた形跡はない。それなのに、彼は、自動ドアが開くと、わき目もふらずに、君の方へとやって来ている。普通は、ドアが開いたところで、いったん立ち止まって、店内を見回すもんなんだがね」

秀一は、唇を舐めた。

「あの時間、お客さんがいないことを、前もって知ってたんじゃないでしょうか？」

「ほう？　あの時間帯は、いつも、客がいないの？」

「ええ。……いないことが多いです。僕や店長は、『凪（なぎ）』なんて呼んでますけど」

山本警部補は、黙って、腕組みをした。

「ふうん。でも、それは、従業員以外の一般の人間には、わからないことじゃないかな？」

「……そうですね。前にも、その時間帯に来たことがあれば、わかるかもしれませんけど」

「そのためには、何度か、来る必要があるね？」

「ええ」

「それとも、従業員と世間話をしていて、小耳に挟んだりすれば、別だが」

秀一は、少し間を置いてから、答えた。

「拓也が、僕からそれを聞いたということですか？」

「ひょっとすると、そうかもしれないと思ってね。前に、石岡君が来たときも、夜中だったんだろう？　そのとき、そういう話はしなかった？」

もしかすると、これは罠（わな）かもしれない。秀一は、慎重に答えた。

「したかもしれませんが、覚えてません」

「まあ、そりゃ、そうか。一月以上、前の話だしね」

一時停止の制限時間が過ぎたらしく、画面が動き始めた。山本警部補は、巻き戻しのボタンを押した。

秀一の間近に迫っていた拓也が、後ろに引き戻され、自動ドアが閉まる。秀一は、不自然な向きにカウンターを拭いていたが、すたすたと出ていくと、雑誌の棚に手を伸ばした。

再び、一時停止。

「ここで、君は、雑誌を並べ替えてるね?」

「ええ。暇だったもんですから」

「整理をするのならわかるが、こんな夜中に、外に向けて陳列してある雑誌を、わざわざ、置き換えたりするの?」

秀一は、平然と相手の目を見返した。

「他にやることがないときには、ときどき、やります」

山本警部補は、今度は、早送りボタンを押した。

「なるほど。ときどきやるか」

秀一が、ぎくしゃくとした動きでカウンターの後ろに戻ると、自動ドアが開き、拓也が入ってきた。

再生ボタンに切り替える。

拓也は、大股に秀一の方に近づいた。右脚を上げ、いったんカウンターの上に座るようにして、乗り越える。そのときには、もう、右手にナイフを持っている。カウンターの中に降り立つと、すばやく、秀一の喉元にナイフを押しつけた。

一時停止。

「ここなんだけどね。僕の目には、どうしても、石岡君が、君の喉にナイフを押し当ててるように見えるんだが」

「たしかに、そういうふうに見えますね」

「でも、実際には、当たってなかったんだ？」

秀一は、もう一度画面を見た。盗撮用のピンホール・カメラ並みの解像度で、顔の造作すら、はっきりとは見えない。ナイフと喉の皮膚の間に間隔があるかどうかは、判然とはしなかった。

「たぶん、接触はしてなかったんだと思います」

「はっきりとは、覚えてない？」

「だって、もし、押し当てられてれば、切り傷くらい、残ってるはずですから」

「ほう。どうして、そう思う？」

「あのナイフを見れば……」

そこまで言って、秀一は、危険に気づいた。拓也がナイフを突きつけてから、ブレードが刺さるまで、じっくりとナイフを観察する余裕など、なかったはずである。

「山本さんが、昨晩、僕に言ったんですよ。あれは、両刃のナイフだから、喉に押しつけて脅迫するのには、向かないって」

「うん。たしかに言った。よく覚えてるね」

「たぶん、一生、忘れられませんよ」

拓也は、ナイフを秀一の喉に当てて、ぐいぐいと体を押している。それに対して、秀一は、防戦一方といったところだ。

秀一は、拓也の両肩をつかんだ。

一時停止。

「ここで、君は、両手で、石岡君の肩を持っている」

「そうですね。全然、記憶にはありませんけど」

「普通、喉元にナイフを突きつけられたら、そっちが気になるもんだよ。ナイフと喉の間に手を持ってくるか、少なくとも、反射的に、ナイフを持った相手の手をつかもうとする。よく、こんな、大胆なことができたね？」

「それは、今も言ったように、全然、記憶にありません。もしかしたら、相手がナイフを突きつけてたことも、意識してなかったのかもしれません」

「そんなことが、あるかなあ？　相手は、その前に、はっきりと、ナイフを見せてるんだけどね……」

山本警部補は、再生ボタンを押し、すぐにまた、一時停止をかけた。

「さて、ここだ」

画面では、揉み合っている二人が、バランスを崩しかけたところだった。

「君は、柔道の経験は、ある？」

「ええ。中学校のとき、柔道部にいました」

「段位は？」

「一応、初段だけですけど」

事実関係に関する質問は、正直に答えるしかない。秀一は、できる限り、さりげなく答えを返した。

「僕は、こう見えても、三段を持ってる。大学でも柔道部だった。軽量なんだが、先鋒で、ポイント・ゲッターだった。今でもときどき、警察の道場で汗を流してるよ」

「はあ」

質問が、徐々に、クリティカルな方向に進みつつあるのを感じる。動悸が、だんだん激しくなってきた。

「ここの場面を見て、思い出してほしいんだが」

山本警部補は、画面を指さした。

カウンター奥の天井に設置されたカメラが、斜め上方から二人の姿を俯瞰している。

秀一の体は後ろに反り、やや半身の姿勢になって、右脚一本で踏ん張ろうとしている。尻が捻れ、左脚は浮いているようだ。しかし、腿から先の部分は、画面からは外れていた。

「僕には、君の左足が、石岡君の右脚を、外から内に払ってるように見える」

「えっ？」

秀一は、当惑したような声を出した。

「でも、足なんか、全然、映ってませんよ」

「うん。たしかに、かんじんの場所は見えない。だが、このときに君が取っているのは、支えつり込み足の体勢じゃないかな？　上体を捻りながら、左の足で相手の右脚を刈る。そして……」

　山本警部補がスロー再生のボタンを押すと、秀一の体は、ゆっくりと沈んで画面の下に消え、拓也が、その上から、覆い被さっていった。

「そのまま、真後ろに倒れながら、相手を引き込んでいるように見えるんだ。もちろん、柔道では、こんな連続技はあり得ない。仕掛けた君の方が、背中から落ちて、先に一本を取られてしまう。だが、これは、柔道の試合ではないし、あえて寝技に持ち込むことで、相手を制するつもりだったんじゃないかと思ってね」

　秀一は、つい相手の言葉を認めてしまいたくなる誘惑を、撥ねのけた。甘言に乗っては、だめだ。これもまた、罠かもしれない。気力を奮い起こし、強い声で抗議する。

「冗談は、やめてください。そんなこと、できるわけがないでしょう！」

「できない？」

「だって、僕は、あのとき、喉元にナイフを突きつけられてたんですよ？　それなのに、引き込み技なんか、危なくて、かけられるわけがないじゃないですか？」

「君は、たった今、ナイフのことは意識になかったって、言ったと思うけど」

「それは……」

呼吸を整え、高速で考えを巡らせる。

「そうかもしれません。とにかく、細かいことは、全然覚えてないですから。だけど、相手の足を払ってから、真後ろに倒れて、寝技に引き込むなんていうのは、どう考えたっておかしいですよ」

「おかしいかな？」

「もし、相手のナイフを気にしてないんなら、体落としにいったでしょうし、カウンターの中が狭すぎて、それが無理だったら、押し返して、大外刈りで倒していたと思います。自分から後ろに倒れるんなら、当然、巴投げを狙いますよ」

「つまり、君が後ろに倒れたのは、偶然だということ？」

「ええ。何かに躓いたか、足が滑ったのか……。とにかく、突然のことで、足下も定まらない状態でしたから」

「そうかな。君の動作を見ると、落ち着いていたように思えるんだが」

秀一は、山本警部補の態度が、昨晩とは、微妙に違うような気がした。自分を疑い始めているのだろうか。

「まあ、それはいい。君がはっきりと否定してるんだから、足払いをかけたという事実は、なかったんだろう」

二人とも、画面から姿が消えていた。だが、よく見ると、折り重なって倒れている拓也のスニーカーだけが、まだ映っていた。

山本警部補は、スロー再生を解除する。画面が、少しきれいになった。

そのまま、時間が経過する。拓也の足は、もがくように、画面から出たり引っ込んだりしている。

秀一は、心臓をわし摑みにされているような気分だった。脂汗が流れ、眩暈がする。それ以上、ビデオを見続けるのは、耐え難かった。だが、意志の力で、何とか目を向け続ける。掌に、指の爪が食い込んだ。じっとりとかいた汗を、チノパンツの腿の部分で拭う。

山本警部補の視線が、じっと自分に注がれているのがわかる。

そうだ。いくらでも、疑ってかかればいい。それが、刑事の仕事なのだろう。

だが、疑惑は、しょせん疑惑でしかない。真相へと至る仮説を立てるには、発想の飛躍を必要とする。いずれにせよ、確証は、絶対につかめないはずだ。

秀一は、波立つ心を抑えようと、自分に言い聞かせた。

拓也の足は、突然、跳ねるように持ち上がった。それから、床に落ち、二、三度、痙攣するような動作をしたあと、ぴくりとも動かなくなった。

「ここだ」

山本警部補が、画面を一時停止にした。

「君も、今見て、変だと思っただろう？」

「……さあ。どういうことですか？」

もう一度巻き戻し、二人が倒れてからの映像を再生する。

「ナイフが石岡君の胸に刺さったのは、てっきり、二人が重なって倒れた瞬間だとばかり思っていた。右手にナイフを握った状態で、倒れる拍子に右肱を前に出したら、ナイフの刃は、ちょうど左胸のところに来てしまう。何しろ体重がかかってるから、刃は、一気に、心臓に達するくらい深く刺さるだろう。そう解釈するのが、一番、自然だった。ところが、この映像を見ると、その前提が、少々怪しくなってくる」

秀一は、無言だった。

「倒れてからの、石岡君の足の動きには、断末魔の苦しみを思わせるようなところはない。単に、もがいているだけのようだ。ところが、その数秒後、突然激しい動きを見せると、ずっと弱々しくなり、そのまま終焉を迎えている。つまり、この、激しい動きの時点で、初めてナイフが心臓を貫いたと考えるのが、一番自然なんじゃないかな」

秀一は、内心の衝撃を押し殺し、厳しい表情を作って相手の顔を見た。

「どういうことですか？　僕が、石岡からナイフを奪って、刺し殺したとでも……？」

山本警部補は、眉を上げた。

「かりにそうだとしても、たぶん、正当防衛になる」

「冗談じゃないですよ。僕は、絶対に、そんなことはしていません。わずか数秒の間に、相手がしっかり握っているナイフを奪い取り、逆に刺殺するなんて芸当ができますか？

それも、自分の手には、切り傷一つ負わないで？」

秀一は、両手を開いて見せた。

「……君の言うとおりだ。たしかに、それは、至難の業だろうな」

山本警部補は、秀一の掌を興味深そうに眺めた。爪痕を見られている。直感的にそれを感じ、秀一は、両手を引っ込めた。

「ただ、最初に考えた通りだとすると、どうにも腑に落ちないことが、多かったんでね。実は、そのあたりを君が説明してくれるんじゃないかと、ひそかに期待してたんだよ」

山本警部補は、静かな目で秀一を見る。

「けっして、君に対して、何か、疑いを抱いていたわけじゃない」

画面の中では、流れ出た血溜まりが、急速に領域を広げつつあった。


家に帰り着くと、秀一は、大きく息を吐いて、平静な態度を取り戻そうとした。今日は、どうしても付き添って来ると言ってきかなかった母を説き伏せて、一人で藤沢南署に赴いたのは、正解だった。一緒に来ていれば、事情聴取直後の、動揺した姿を見せることになっていた。

だが、とにかく、これで、一件落着だ。警察も、聞くべきことは、一通り聞いてしまったはずだ。もし、この先もまだ、事情聴取が行われるとすれば、それは、容疑者に対する取り調べという形になるだろう。

だが、そうはならない。なるはずがない。

その点にだけは、自信があった。

何の物証もなしに、今日、山本警部補がしつこく食い下がってきたような、薄弱な根拠だけでは、逮捕などできるはずがない。そもそも、向こうは、真相に気づいてすらいないのだ。

わかるわけがない。警察は、現場を丹念に調べ、見つかった物証に基づいて事実関係を構築するのは、得意かもしれない。CCTVカメラの映像にしても、たしかに、よく見ているものだと感心する。だが、そういうやり方では、ビデオテープに映っていたナイフはダミーで、拓也を刺殺したナイフは別にあったなどという、飛躍した発想は、絶対に出てこない。

考えられる危険は、山本警部補の疑問を押し進める形で、あながちありえなくもないストーリーを、でっち上げられることだけだった。たとえば、折り重なって倒れたときに、拓也が、偶然ナイフを落とし、それをこちらがすばやく拾って、刺し殺したとか……。

万が一、向こうがそういう暴挙に及んだとしても、自白なしには、絶対に、公判は維持できない。前提が間違っているのだから、状況証拠も見つからない。

さらに、そのシナリオでは、殺人罪で有罪になるという可能性は、ほとんどないだろう。山本警部補が言及した正当防衛や、生命の危機に直面しての、一時的心神喪失などという抗弁が、いくらでも可能だからだ。

最終的には、不起訴、釈放という結末以外、考えられなかった。

つまり、すでに、九分九厘、勝ちを手中にしているのだ。あとは、軽挙妄動さえ慎めば、何も心配することはない。

ポケットから鍵を出そうとしたとき、ドアが開けられた。

「おかえりなさい」

友子が、微笑みながら立っていた。

「ただいま」

秀一が玄関から入ると、どたどたと足音を立てて、遥香が飛び出してきた。

「お兄ちゃん！　だいじょうぶだった？」

秀一は、苦笑した。

「だいじょうぶも、何も。ただ、型どおりのことを、聞かれただけだよ」

「そう。……よかった」

遥香は、涙ぐんでいた。秀一は、靴を脱いで家に上がると、妹の頭を撫でて、髪の毛をくしゃくしゃにしてやった。ふだんなら、子供扱いされるのを嫌がるのだが、今日に限っては、されるがままになっている。

「お客さんが、待ってるわよ」

友子が、笑みを浮かべながら言った。

「客？　僕に？」

「ええ。とっても可愛い人」

遥香は、不機嫌そうに顔をそむけた。

応接間に行くと、そこには、地味なブラウスとスカート姿の紀子が、しゃちほこ張って座っていた。秀一の顔を見ると、緊張した面持ちで立ち上がる。

「……櫛森くん」

「紀……福原。どうしたんだ？」

「それは、わたしが聞きたいわよ。ニュースで事件のこと知って、櫛森くんの名前は出てなかったけど、もしかしたらって思って。それで、いろんな人に電話してみたら、店長さんのこと、教えてもらって」

紀子は、しばし絶句した。

「怪我とか、しなかった？　わたし、信じらんなかった。まさか、強盗が、石岡くんだったなんて。それが、あんなことになって……」

「さあさ、座って。だいじょうぶよ。秀一も、さいわい、怪我はなかったし」

友子が優しく言い、紀子の肩に手を添えて、ソファに掛けさせた。

秀一も、無言のまま、反対側の一人掛けのソファに座った。

テーブルには、ティーポットと四人分のカップとソーサーが出ていた。紀子が、秀一のカップに手を伸ばしかけたが、遥香が、先に引き寄せて、秀一の分の紅茶を入れた。

秀一は、カップに砂糖とミルクを入れて、掻き混ぜた。応接間は、しばらくの間、沈黙に包まれた。紀子が、じっと自分に視線を送っているのはわかったが、秀一は、あえて顔を上げなかった。

「さっき、加納先生に、電話したの。あなたのことを、とっても心配してたわ。何かあれば、いつでも助けてくださるって」

「今回、弁護士さんは、必要ないよ」

秀一は、素っ気なく言う。

「別に、被疑者ってわけじゃないんだから」

「ええ……そうね」

「あの、櫛森くん？」

紀子が、おずおずと声をかけた。学校での態度が嘘のようだった。借りてきた猫というのは、こういう状態を指すのだろう。

「すごく、ショックだったんでしょうね。気持ちは、よくわかるわ」

「わかるわけないだろう？」

秀一は、冷ややかな調子で答えた。

「同じ経験をしたことがあるなら、別だけど」

「それは……もちろん、ないわ」

紀子は、懸命に言葉を探そうとしていた。

「きっと、すごく辛い経験だったんだろうなって、想像するだけ……。だから、少しでも、槲森くんの気持ちが軽くなるようにできるんだったら、わたし、どんなことでも」

紀子は赤面し、言葉を中断した。母親と妹の前で口にするには、恥ずかしすぎるセリフであることに、気がついたのだろう。

「じゃあ、一つ、頼みがある」

秀一は、紅茶を一口飲んで、平板な口調で言った。

「うん！　何でも言って？」

紀子は、目を輝かせて、身を乗り出す。

「帰ってくれないか」

「え？」

しばらく、言われた意味が理解できないようだった。

「疲れてるんだ。昨日は、ほとんど眠ってないし、さっきまで、警察にいたんだ。そっとしといてほしいんだけどな」

「あ。ごめんなさい。わたし……」

紀子は、しょんぼりしてしまった。

「秀一。せっかく来てくださったのに、そんな言い方」

「いいえ。わたしが、無神経だったんです。ごめんなさい。帰ります……」

友子が引き留めようとしたが、紀子は、立ち上がって、ぺこりとお辞儀をした。応接間を出る前に、もう一度、こちらを向いて頭を下げる。

　秀一は、カップの中に視線をやったまま、身じろぎもしなかった。

　やがて、玄関のドアが、そっと閉められる音がした。

「……じゃあ、疲れてるでしょうから、寝てきたら？」

　友子は、秀一の仕打ちを見て、紀子に同情しているようだったが、説教めいたことは、口にしなかった。

「うん。おやすみ」

　秀一は、応接間を出て、ガレージに行き、101を取ってくると自分の部屋に行った。

　ベッドに仰向けに倒れ込んだ。天井が、いつもより遠くに感じられる。

　体の奥底から、疲労が滲み出してきた。部屋全体がぐるぐると回っているかのような感覚に襲われる。

　曾根を『強制終了』した直後は、取り返しのつかないことをしたという恐怖を感じた。拓也をも殺害した今、強烈に胸に迫っているのは、心にぽっかりと空洞が開いたような、底知れぬ喪失感と虚無感だった。

　この先、いったい、いつまで、こんな気持ちを耐え忍べばいいのだろうか。

　明日になれば、何かが、少しは変わっているだろうか。それとも、明後日になれば……。

　今はもう、何も考えたくなかった。一秒も早く、意識を消し去ってしまいたい。秀一は、101をラッパ飲みした。食道が灼けつくような刺激に、噎せて、咳き込んでしまう。麻酔が効くように、ゆっくりと、頭の中が朦朧となり、やがて、すべてが暗転していった。

月曜日、秀一は、いつも通りに登校した。

遥香は、「一日くらい、休めばいいのに」と、秀一を気遣っていたが、たとえ一日でも休んでしまえば、二度と登校できないのではないかという恐怖があった。

自転車置き場にロードレーサーを繋いでいるときから、生徒たちが遠巻きにしているような感覚があった。校舎に入ると、それは、もっとはっきりしたものになった。

誰一人、自分に近寄らない。廊下や階段でも、ぎくりとしたように露骨に身を遠ざけ、充分離れてから、ひそひそと囁き交わしている。

秀一が教室にはいると、それまでの喧噪から、一転して、水を打ったように静まり返った。

黙って着席すると、隣の席から、紀子が、「おはよう」と声をかけた。

秀一は、返事をしなかった。カバンから教科書とノートを出して、机の上に並べる。

「あの、おとといは、ごめんね。わたし……」

紀子が言いかけたとき、がらりと教室の戸が開けられて、『飼犬』が顔を出した。まだ、ホームルームの時間には、かなりの間があった。秀一を見たとたん、驚愕の表情になって、手招きする。

秀一は、紀子には見向きもしないで席を立った。『飼犬』のそばに行くと、そのまま、職員室へと連行された。

驚いたことに、教師たちの反応も、ほとんど生徒と変わらなかった。好奇の視線を投げかけてくる若い教師。まるで怯えているような挙動を見せる女教師。定年間近のベテラン教師は、冷ややかな無視を決め込んでいた。

「今日、帰りに、お前のうちに行くつもりだったんだ。てっきり、休むと思ってたから」

『飼犬』は、困惑したように言った。どういう態度で接していいのか、わからないという風情である。

「土曜日に警察から連絡を受けて、今朝早く、緊急の職員会議をやったんだが、まあ、とにかく、今回のことは、亡くなった石岡の方に、全面的に非があるということで……」

『飼犬』は、職員会議のことを、だらだらと話し続けた。秀一は、途中で遮った。

「先生。僕に、何をおっしゃりたいんですか？」

「えっ。いや、何をっていうか……」

顔つきを見ると、無内容な話を延々と続けることが、生徒にとって慰めになると、信じていたようだ。

「職員会議の内容を、僕が聞いてもしかたがないと思いますが」

「うん。それはまあ、そうだな……」

「櫛森！」

後ろから、怒声が聞こえた。

「お前、その態度は何だ？　ちょっとは、反省しとるのか？」

うるさ型で知られる、初老の日本史の教師だった。

「何を、反省するんですか？」

秀一が静かに反問すると、職員室は、しんとなった。

「お前！　お前の同級生がだな、亡くなっとるんだぞ。それを思えば、少しは……」

「石岡拓也が死んだことについて、僕に、責任があるとおっしゃるんですか？」

日本史の教師は、これまで一度も口答えしたことのない生徒の逆襲に、たじろいだ。

「いや、それは、法的には、責任はないかもしれんが」

「じゃあ、道義的に責任があるということですか？」

「せ、責任、責任ってだな……」

「まあ、小中先生も、そのくらいで。櫛森も、ショック受けてますから」

『飼犬』が仲裁しようとしたが、秀一は意に介さなかった。

「僕は、ただ、コンビニでアルバイトをしていただけです。石岡拓也は、そこへナイフを持って押し入ってきた。僕にナイフを突きつけながら、揉み合って倒れた拍子に、誤って自分の胸を刺してしまったんです。それで、僕にいったい、どんな落ち度がありますか？」

日本史の教師は、秀一の舌鋒に押されたように、声のトーンを落とした。

「別に、お前の責任云々を言っとるわけじゃなくてだな、クラスメートが一人、尊い命を失ったわけだから、それに対しては、やはり、もう少し、厳粛な態度をというか……」

「自分を殺そうとした相手を、もっと悼めと言われるんですか？」

「こ、殺そうとしとったわけじゃ、なかろうが。ただ、ちょっとした出来心でだな、金を盗ろうとしただけで……」

「小中先生は、石岡から、事前に、犯行計画について相談でも受けてたんですか？」

「な、何を言うか」

日本史の教師は、茫然(ぼうぜん)とした表情になった。

「そうでなければ、いったい何を根拠にして、石岡の動機を推し量ったんですか？」

「櫛森、いいから、もうやめろ」

『飼犬』が、おろおろした声で言う。

「石岡が、最初から僕を殺すつもりだったことは、間違いありません」

「お前。それは、言っていいことと……」

「僕は、事件の当事者です。相手の殺意は、はっきりと感じました。憶測だけで、ものを言わないでください。僕が事情聴取を受けた刑事も、石岡は、僕を殺すことを目的として、コンビニに侵入したという意見でした。疑われるのなら、問い合わせれば、はっきりすることです。藤沢南署の、山本警部補という人でした」

職員室にいる教師全員が化石したように、しわぶきの声すら聞こえない。

秀一は、彼らを見回して「失礼します」と言うと、職員室を出ていった。

連日、雲は、どんよりと低くたれ込めていた。

秀一は、机の上に突っ伏すようにして体を伸ばし、蛍光灯をつけていても薄暗い教室の中を眺めた。

教卓に向かって、小さな椅子と机が、六列に並んでいる。昼休みとあって、席に着いている生徒はいない。ただ、無人の机だけが、鈍い光を反射している。ここは、いったい、何をするところだろう。俺は、ここで、何をしているのか。なぜ、昼日中から、こんな、箱の中に閉じこめられているのだろう。

秀一は、目を閉じた。鼓膜に達しているのは、いつもと同じざわめきだったが、潮騒のように無意味で、ひどく耳障りだった。

戸口付近にたむろしている同級生たちは、たわいもない話に興じ、笑いさざめいている。彼らが、今は、ひどく遠い存在に感じられた。

事件からは、ほぼ一週間が経過していた。過敏な反応は影を潜めたが、あいかわらず、ほとんどの生徒は、話しかけてこようとはしない。例外はと言えば、大門と紀子、それに、常に商売に徹している『ゲイツ』くらいである。

秀一は目を開けて、ぼんやりと、同い年の少年少女たちを眺めた。この中で、かなりの割合は、すでにセックスを体験し、九割以上には飲酒の経験がある。軽めのドラッグを試してみたヤツも、いるかもしれない。

だが、殺人に関しては、おそらく、誰一人経験することなく、一生を終えるはずだ。

俺は、たしかに、人を殺した。

高校生や中坊が、「キレ」て、ナイフで人を刺すのは、大して珍しいことではないのかもしれない。

だが、周到な計画に基づき、二人の人間を殺害した高校生は、めったにいないだろう。それが、ここで、処罰されることもなく、のうのうとしている。自ら計画したとはいえ、そのことが、不思議でしかたがなかった。

教師も、生徒たちも、自分の姿が見えないかのように振る舞っている。もしかしたら、本当に、透明人間になってしまったのではないかという気がする。

入り口近くで談笑していた声が、ふいに途切れた。目をやると、紀子が、教室に入ってくるところだった。心もち顔色は青ざめているが、口元には、健気(けなげ)な笑みを浮かべている。まっすぐ、こちらに向かって、歩いてこようとしている。

生徒たちは、紀子の方を注視していた。これから起きることに、関心を引かれたようだ。もう、いいかげんにやめろ。そこまで恥をかきながら、俺に執着する理由はないだろう。

秀一は、うんざりした。

「櫛森くん……」

紀子が、言いかけた。

秀一は、立ち上がった。黙って、紀子に背を向ける。

教室を出ていこうとしたとき、背後で、声が聞こえた。

「また、ふられたのかよ？　櫛森が、そんなにいいのか？　ええ？　何だったら、俺が代わりに、相手してやろうか？」

秀一は、振り返った。

紀子をからかっていたのは、堀田亮だった。だらしなく上履きのかかとを履きつぶし、猫背の姿勢で、ポケットに手を突っ込んでいる。紀子は、強張った表情で、顔をそむけていた。

「何だよ。シカトすんじゃねえよ。試しに、ちょっとくらい、俺と付き合ってみろって」

堀田は、野卑な薄笑いを浮かべながら、紀子の腕を取ろうとした。

次の瞬間、堀田の脂っぽいニキビ面が、秀一の目の前に迫っていた。細い目が、驚いたようにこちらに向けられたとき、初めて、自分が突進していることに気づく。

秀一は、十センチ近く身長が高い相手に、襲いかかった。

派手な音を立てて、周囲の机がひっくり返った。女生徒の悲鳴が聞こえる。

秀一は、相手の上に馬乗りになって、パンチを繰り出そうとしていた。どういうわけか、体が、自由に動かない。後ろから、何本もの手が、必死に抱き止めているようだ。

数人がかりで、秀一は、堀田から引き離された。

「何しやがんだよ？　この野郎！」

堀田は、立ち上がると、顔を押さえながら怒鳴った。鼻血を出している。してみると、少なくとも一発は、クリーンヒットしたらしい。

「てめえ、頭、おかしいんじゃねえのか……?」

堀田は、なおも怒鳴り続けようとしたが、秀一の顔を見ているうちに、気を呑まれたように黙り込んでしまった。

沈黙が、訪れた。秀一は両手を広げ、これ以上暴れるつもりはないという身振りをした。後ろから抱き止めていた二、三人の手が、すっと離れて行く。

ちらりと紀子の方を見ると、青ざめた顔で口元を押さえ、こちらを見ていた。

秀一は、大股に教室を出ていった。近づくと、みな、道を空ける。

廊下を通って、踊り場から階段を上った。教室の様子は、見なくてもわかった。紀子は、肩を落として、ぽつんと席に座っているはずだ。堀田は、憤懣やるかたない様子で、手近にある机を蹴とばしているだろう。そして、級友たちは、興奮して、ひそひそと囁き合っている。

お前は、笑いものになってるんだよ。どうして、それに気づかない。

お前だったら、もっとましな彼氏の一人や二人、すぐにできるだろうが。

そう、紀子に言ってやりたかった。だが、今は、顔を合わせることすら、したくない。紀子の目が正視できなかった。あの、澄んだ湖のような目。いつもきらきらと輝いている、黒曜石のような瞳を。

屋上へ向かう階段の途中で、上から降りてきた『ゲイツ』に行き合った。

「おい。注文だ」

秀一が言うと、うなずいたが、案に相違して、あまり嬉しそうな様子ではない。

「バーボンを頼む」

「101は、まだ、当分入らないけどな」

「別に、何でもいい。もっと安いヤツで」

『ゲイツ』は、眉を寄せた。

「……フォア・ローゼスか、アーリー・タイムズなら、すぐに持ってこられるけど」

「だから、何でもいいって。五、六本、まとめて頼む」

「おい。それは……」

「何も、いっぺんに持ってこいとは、言ってないだろう？　二、三度に分けても、毎日、一本ずつでもいい。そうだ。学校じゃない方がいいな。どこかで、落ち合おう」

「お前なあ。いい加減にしないと、体を壊すぞ」

まさか、『ゲイツ』に、健康を気遣われるとは、思ってもみなかった。秀一は、苦笑した。

「いいから、持ってこいって。現金引き換えなら、文句ないんだろう？」

『ゲイツ』の肩を叩いて、それ以上何も言わせずに、階段を駆け上がった。

屋上へと通じる、鉄のドアを開ける。

空はますます暗く、いつ雨が降り出してもおかしくなかった。こんな天気では、さすがに誰もいない。

だが、むしろ、今の気分にはマッチしているような気がする。

秀一は、金網をつかんで、視界いっぱいに広がっている相模湾の景色を眺めた。遠くを、大きな貨物船が、ゆっくりと航行している。

右手を開いて、目の前にかざした。

ふとした拍子に、拓也を刺し殺した感触が、まざまざとよみがえってくるのだ。

ざらざらして冷たい、ナイフの柄。ハマグリ刃が、拓也の肋間に侵入していくときの、ほとんど空虚なまでの手応え。ナイフを握ったままで、手が胸に突き当たった瞬間には、ブレードが、魔術で、どこかへ消えてしまったように見えた。

秀一は、身震いした。

こんなふうだとは、想像だにしていなかった。

日本人は、『罪と罰』のような強迫観念とは無縁だから、完全犯罪の殺人を行うには、適しているのではないか。そんな、馬鹿なことを考えたりしていた。

今になって、初めてわかった。殺人者の心を抉るのは、神への畏れでも、良心でもない。ましてや、世間体や外聞など、まったく取るに足らないことだ。

呪いの金輪のように心を締めつけるのは、単なる事実だ。自分が人を殺したという記憶。どこへ行っても、その記憶からは、一生逃れることはできない。

殺した相手が、どんな最低の屑だったとしても、どれほど差し迫った理由があったとしても、そんなことは、何の抗弁にも、慰めにもならないのだ。

この先、人生にどんな楽しいことがあったとしても、どれほど感動する出来事に出会えたとしても、しばらくたてば必ず、自分が人殺しであるという事実を思い出していることだろう。

秀一は、深く溜め息をついた。

気分の変化は唐突で、自分でも予想がつかなかった。深く落ち込んで、無気力な状態が続くかと思えば、今のように、突然、暴発したりする。

もはや、自分の気持ちを、どこまでコントロールできるか、まったく自信がなかった。アルコールも、一時しのぎにしかならない。

やはり、薬の助けを借りる必要があるだろうか。例の“K's Convenience Pharmacy”に、精神安定剤を注文しようかと考えかけた。

だが、受け取りには、私設私書箱を使えないことを思い出した。鍵は、紀子が持っているのだ。

だったら、渋谷か新宿あたりに行って、怪しい日本語を使う売人から、危ない薬でも買おうか。自棄気味に、そんなことを思った。

私設私書箱のことは、ずっと意識の片隅に重くのしかかっていた。

ロッカーの中には、まだ、ダミーナイフが眠っているのだ。偽計を用いて石岡拓也を謀殺したという、決定的な物証が。

もちろん、使用料は、半年分を前払いしているし、他に郵便物が届くこともないから、不審を抱かれて開封されたり、ましてや、警察に届けられたりということは、考えられない。

しかし、自分の命運を握っている証拠が、いつまでも宙ぶらりんの状態であることは、ますます、気分の不安定化に拍車をかけるようだった。

決着が付いていないといえば、もちろん、拓也が持ち去った電気コード類のことがある。拓也の性格を考えると、無造作に、机の引き出しにでも入れてあるかもしれない。だが、真相をメモ書きして添えておくなどという、気の利いたことは、まず、やっていないはずだ。

あれから一週間経つから、すでに、遺品は整理されている可能性もある。拓也の両親が、見つけていたとしても、ただのがらくたにしか映らないだろう。

秀一は、一度、線香を上げるためとでも言って、拓也の家を訪ねたい誘惑に駆られた。幸運に恵まれれば、コード類を発見して、取り返すことも可能かもしれない。

だが、現実問題として、それは困難だった。

拓也の両親は、息子の死よりも、コンビニ強盗を働いたという事実に衝撃を受けているようだった。事実を世間から隠蔽し、一刻も早く忘れたがっているというのが、ありありとしていた。葬儀も、誰にも知られないように、ひっそりと執り行われたということだったし、事件関係者との接触は、頑なに拒んでいる。

一度だけ、拓也の父親から謝罪を兼ねた電話があり、今後は、そっとしておいてほしいという旨のことを告げられたと、母が言っていた。

一応は被害者の立場だとはいえ、向こうは死んで、こちらは無傷なのだから、それ以上、こちらから接触を求めるのも、ためらわれる。

それに、万一、拓也の家でコード類を発見したことを、警察に知られたら、それこそ、藪蛇(やぶへび)になりかねないのだ。

秀一は、誰かが校舎から出てきたのに気づいた。二人いる。どちらも、白いワイシャツ姿で、上着を腕に抱えていた。教師とは、どことなく雰囲気が異なっている。

金網に顔をつけるようにして、目を凝らす。

やはり、そうだ。間違いない。

右の方は、山本警部補だ。もう一人は知らない男だが、刑事に違いない。

学校へ、いったい、何をしに来たのか。

足が、がくがくと顫(ふる)えだしたような気がした。

警察は、まだ、捜査を続けているのか。学校にまで事情聴取に来たということは、自分を疑っているのかもしれない。

いや、待て。

ここは、拓也の母校でもあるのだ。最近、登校してなかったとはいえ、担任の教師から話を聞くくらいは、むしろ、当たり前のことだろう。

そうだ。それに、職員室で、小中の馬鹿に腹を立てて、山本警部補の名前を出したこともあった。学校側が、その件について、警察に抗議したのかもしれない。強盗未遂の末、死亡したとはいえ、たいした根拠もなしに殺人未遂の汚名まで着せるとは、どういうことなのかと。

山本警部補は、その、弁解と謝罪のために、やって来ただけかもしれない。

だが、心の別の部分は、それが気休めでしかないことを知っていた。

警察は、そんなに暇ではない。拓也のことを聞くのなら、今ごろになってというのは、
遅すぎる。

どういう嫌疑かはわからないが、ターゲットは、自分だ。

まるで、秀一のテレパシーが通じたように、山本警部補は、校門のところで振り返り、
こちらを見上げた。

秀一は、反射的に身を引いた。

はたして、見られただろうか。胸が、どきどきしている。

曇っているとはいえ、多少は明るい空をバックにしているし、金網もある。こっちの顔
まで、判別できたとは思えない。

馬鹿。何をうろたえてるんだ。

この学校の生徒が、屋上から下を見ていて、いったい、何が悪いんだ。あわてて隠れる
必要など、どこにもない。

だが、早鐘を打つ鼓動は、いっこうにおさまらなかった。もう一度、金網に近づいて、

見下ろしてみる勇気は、どうしても出てこなかった。

毎日、学校へ通い続けるのは、しだいに、拷問に近づきつつあった。ロードレーサーで湘南道路を走っているときも、常に、どこかで警察に監視されているような気がする。

自分の知らないところで徐々に捜査が進んでいく悪夢、やがて逮捕されるのではないかという不条理な恐怖は、今や、現実のものとなっていた。

今日こそ、授業の最中、突然、教室の戸ががらがらと開けられて、刑事が入ってくるのではないか。そして、クラスメートたちの前で、逮捕状を読み上げられ、手錠をかけられて連行される……。

そんなことはあり得ないと、いくら否定してみても、怯えは去らなかった。

気分は、依然として、落ち込んだり、その反動として急にハイになったりを、繰り返していた。だが、このところ、時間としては、抑鬱気分に支配されている方が、圧倒的に長くなっている。

そんなとき、頭に去来するのは、悔恨ばかりだった。

現在のような状況にならなかった場合について、繰り返し夢想する。どこかの平行世界では、事態は、まったく違った進展を見せるのだ。何もかもが、ほんの些細な行き違いでしかなく、冗談ですませられるような。

で死んでしまう。曾根は、何らかの都合で、櫛森家にやってこなかった。あるいは、現れてすぐに、ガンで死んでしまう。曾根は、どこかで別の人間の恨みを買っている。曾根に対する殺人計画を練っている最中に、交通事故で死んでしまう。刺身包丁か何かで刺し殺される。秀一は、知らせを聞いて、ひどく驚く。競輪場で、ばったりとその男に会い、ひとしきり、日本も物騒になってしまったねという話題に花が咲く。夕食の席では、危ないから、競輪場なんか行かない方がいいよ。遥香が、そう言って心配する。お兄ちゃんは、行かないって。自転車は、乗るのは好きだけど、金網の中でレースをするのを見てたって、面白くも何ともないよ。

曾根の心臓を止めることに成功し、その帰り道、拓也がバイクで追尾していることに気づく。コード類は、そのまま持って学校に帰り、ロッカーに隠しておく。危うく、紀子に見つかりそうになるが、うまく処分する。

結局、拓也には、何も知られることはなかった。拓也は、その後、一度も登校することはなく、プー太郎のまま、一生を終える。

拓也は、由比ヶ浜からコード類を持ち去る。だが、その帰路、トラックに撥ねられて、あっけなく昇天してしまう。現場検証をした警察官は、拓也が持っていたコード類を見て、首を捻る。何だろう、これは。だが、交通事故には何の関係もないため、当然のことながら、あっさりと忘れ去られる。

拓也は、脅迫を思いとどまる。その後、人恋しさからか、しばしば、深夜のコンビニに遊びに来るようになる。秀一は、話し相手になってやり、短い間だが、友情が復活する。

やがて、それは、セピア色の想い出として……。

どれほど考えても、現実は、変わらなかった。

こんな日々が、いつまで続くのか。

自分は、いつか、このことを忘れられる日が来るのだろうか。

そんな、堂々巡りばかりの思考を続けているうちに、授業が終わる。

秀一は、チャイムが鳴ると、すぐに教室を出る。そして、誰にも見つからない場所を探して、あてもなく学校の中を彷徨(ほうこう)する。

常に、隣の席から、こちらを温かく見守り続けている視線。それも、秀一にとっては、教室にいたたまれない理由の一つとなっていた。

毎朝、紀子は、秀一に「おはよう」と声をかける。返事がなくても、笑顔を絶やすことはない。休み時間には、うるさくならない程度に、話しかけてくる。どれほど無視し続けても、紀子の態度は変わらなかった。

紀子は、何とかして、自分を苦しみから救いたいと思っているらしい。だが、すべては、誤解に基づいている。彼女は、秀一が、事故で親友を死なせてしまったことで、理不尽な罪悪感を感じているのだと思い込んでいるのだ。

秀一にとっては、その優しさと思いやりこそが、耐えられないものだった。

六月二十五日の金曜日。朝から、豪雨が降り続いていた、沛然たる雨というのは、こういうのを言うのだろうか。

窓を閉め切っていても、教室の中まで、雨音が響いてくる。

一時間目の授業が終わったとき、紀子が言った。

「櫛森くん。今日、君のうちに行っていい？」

まるで、この二週間ほど、秀一が一言も口をきいていないことなど、なかったかのような態度である。

秀一は、つい、返事をしてしまった。

「何しに来んだよ？」

紀子は、ようやく反応が返ってきたことに、にっこりした。

「試験勉強よ。期末試験まで、あと一週間じゃない。二人で、対策を練ったらいいんじゃないかと思って」

秀一は、一面に水滴のついた窓を眺めた。

「今日は雨だし、江ノ電で来たんでしょう？　一緒に、帰れるじゃない」

秀一は、黙っていた。ついうかうかと、返事をしてしまった自分に腹が立つ。これ以上、一言も話はしない。紀子が諦めるまでは。

だが、紀子の方は、秀一が黙っているのを、勝手に承諾と解釈したらしかった。

「いいよね？　そんなに、長居はしないから……」

そのとき、チャイムが鳴って、教師が入ってきたため、話は、宙に浮いた形になってしまった。

この日も、まったく授業が耳に入らないまま、六時間の課程が終了する。ホームルームが終わると、秀一は、さっとカバンを持って立ち上がった。

「あ。待って待って。一緒に行こ」

紀子が言ったが、かまわず、秀一は教室を飛び出した。

階段を、数段ずつ飛び降りて、玄関に来た。

あまりの雨脚の強さに、傘を持ったまま、逡巡している一年生の女の子の一団がいた。彼女たちを押しのけるようにして、傘を差し、外に飛び出した。

雨粒がナイロンの布を打つ衝撃を感じる。たちまち、靴下もズボンも、ずぶ濡れになった。足下からの飛沫が、顔まで上がってくる。

だが、かまわず、走り続けた。とにかく、紀子を、振り切ってしまわなくてはならない。駅に着いたときに姿が見えなければ、諦めるだろう。

だが、途中で、次の藤沢行きの電車が、三十九分発であることに気づいた。いつもは、ホームルームが終わってから、のんびりと帰り支度をして、ぶらぶらと歩いて、ちょうどいい時間になるのだ。

これでは、追いつかれてしまう。

秀一は、江ノ電の由比ヶ浜駅を素通りし、海岸通りに出て、喫茶店に入った。

ずぶ濡れの姿を見て、店の人が、タオルを貸してくれる。秀一は、熱いカフェ・オ・レを注文した。

この天候なので、他には、一人も客はいなかった。店内の雑誌を四、五冊、テーブルに積み上げた。しばらく、そこで、時間を潰してから、帰るつもりだった。

雑誌を全部読み終わると、秀一は、顔を上げた。雨の勢いは、まだ弱まらない。

そろそろ、帰ろうかと思う。

鵠沼駅を降りたときには、五時を回っていた。

秀一は、濡れた舗装道路を見つめながら歩いた。

子供のころから、ずっと、雨が好きだった。なぜなのかは、いまだに、よくわからない。景色の絵を描きなさいと言われたときも、他の子が、判で押したように、右上にお日様の照っている構図なのに、一人だけ、嬉々として雨の絵を描いていた。

雨は、天からの恵みだ。乾ききった人の心を癒し、和ませる。怒りの炎を消し止め、涙の奔流となって、苦しみや悲しみを押し流してくれる。そう明確に意識していたわけではなかったが、今は、それをはっきりと実感していた。

いっそのこと、傘を投げ捨てて、天から降る清浄な水に打たれたいと思った。そして、自分から、すべての汚れを洗い流してもらいたかった。

もう、家も近い。傘を閉じてもいいんじゃないか。帰って、すぐにシャワーを浴びればいい。それで、少しでも、気持ちがすっきりするのなら。

だが、秀一は、うつむいて、傘の柄を握り締めたままだった。自分には、傘を投げ捨てて、天とじかに向き合えるような資格がないと思う。

舗装道路の上に蛇行する流れ。静かな雨音。傘を打つ不規則なリズム。そういったものだけでも、充分、慰めになるような気がした。

家のそばまで来て、傘を上げたとき、秀一は、驚きに足を止めた。

門の前に、紀子が立っている。

「……遅かったじゃない」

赤い雨傘の下から、こちらを向いて、にっこりと笑う。

「お前、いつから、そこにいたんだ？」

秀一は、絶句した。紀子は、濡れそぼった髪や制服を、それに、すっかり血の気を失った唇。見れば、わかる。紀子は、学校が終わって、まっすぐここに来たのだ。

母は、まだ帰らないし、遥香も、今日は遅くなる予定だった。紀子は、今まで、激しい雨の中で待ち続けていたのだ。さっきまでの雨脚では、傘など、ほとんど用をなさなかっただろう。

「とにかく、入れ」

罪悪感が、胸を締めつけた。このままでは、風邪を引いてしまう。秀一は、玄関の鍵(かぎ)を開けて、紀子を招き入れた。

「廊下が、びしょびしょになっちゃうね」

「いいから、気にしないで、さっさと上がれ」

秀一は、紀子を、二階のバスルームに連れていき、自分の部屋へ取って返した。

何か、着替えが必要なのは、明らかだった。遥香の服は、どう見ても、小さすぎるだろうし、母親の服を持ち出すのも、ためらわれた。結局、ビニール袋に入った新品のシャツとトランクス、それに、比較的よたっていない、トレーナーの上下を出すことにした。

紀子は、池にでも飛び込んだような姿のまま、秀一を待っていた。上半身は、完全に、下着や地肌が透けて見える。

秀一は、極力、紀子の方を見ないようにしながら、シャワーから熱い湯を出して、温度を調節した。たちまち、バスルームの中に、湯気が立ちこめる。

「櫛森くん、わたしはいいから、先、入って」

「俺は、そんなには濡れてない。早く入れ。風邪引くぞ」

そう言って、バスルームを出て、ドアを閉めた。「うん。ありがとう」という、返事が聞こえる。

ものの二分ほどで、紀子は出てきた。臙脂色のトレーナーは、さすがに大きすぎたらしく、袖口とズボンの裾を、折り返している。

「もう、いいのか？」

「うん。おかげで、すっかり温まったから」

小首を傾げるような姿勢で、髪をタオルで押さえるようにして拭く。さっきまで蒼白に近かった顔色は、すっかり血色を取り戻し、肌もつやつやと輝いていた。

「櫛森くんも、早く入ってきて」

「ああ……。俺の部屋で待っててくれ。そこだから」

ドライヤーを手渡すと、紀子の頰に、えくぼがかいま見えた。

頭から熱いシャワーを浴びながら、いつのまにか、思ってもみない状況になっていることに気づいた。

男と女が、ほかには誰もいない家の中で、順番にシャワーを浴びているのだ。

まだ、しばらくの間は、母も、遥香も、帰ってこない。

馬鹿野郎。何、考えてるんだ。

秀一は、甘い幻想を振り払った。

自分に、そんな資格があると思うのか。

急いでシャワーを出ると、彼女とは色違いの、青いトレーナーを着て、部屋に入る。

紀子は、床の上にぺたりと座って、ドライヤーで髪を乾かしていた。女の子にしかできない、正座を崩したような座り方で、膝から先を腿より外に開き、床に尻をつけている。

「わたし、脱衣籠の中に服を置きっぱなしだから、取ってくるね」

ぱっと、立ち上がろうとする。

「制服と下着だったら、今、乾燥機に入れといたから、一時間ほどで乾くと思う」

「ええっ。櫛森くん、わたしの服、籠から出したの……」

紀子は、真っ赤になった。

「馬鹿。まとめて、ばさっと入れただけだ。そんな、じろじろ見たりしてねえから、安心しろ」

「ううん。でも」

「でも、じゃないって、その格好で帰るのも、恥ずいだろうが？」

「それはそうだけど」

「スカートとか、多少、シワになるかもしれないけどな」

紀子は、もじもじしていた。

「櫛森くん。もしかして、わたしのこと、軽蔑(けいべつ)してる？」

「え。何で？」

「だって、ひとのうちに来て、下着まで、平気でほっぽってあったなんて……」

「そんなこと、気にするなよ。遥香なんか、俺がいても、その辺に脱ぎ散らかしてることあるぜ」

「だって、それは、妹さんだから」

いつのまにか、以前と同じように、屈託なくしゃべっている自分に気づく。

俺は、やっぱり、紀子が好きなのだろうと思う。彼女を愛する資格を喪失してしまってから、そのことに気づくというのは、皮肉な話だった。

急に黙り込んでしまった秀一に、紀子は、気遣わしそうな視線を向けた。

「櫛森くん。髪、濡れてるよ?」

秀一は、自分の頭に触れ、黙ってうなずいた。ちゃんと拭いてなかったのだが、放っておけば、自然乾燥するだろう。

「ちょっと、待って」

紀子は、立ち上がると、胡坐をかいている秀一の、真後ろに来た。髪に触れる感触に、秀一は、振り向こうとした。

「おい……?」

「じっとしてて。拭いてあげる」

「いいよ。そんな」

紀子は、タオルで軽く撫でるようにして、秀一の髪を拭き始めた。むげに振り払うのもためらわれて、秀一は、そのままの姿勢でいた。

紀子の細い指の感触が、心地よく、秀一は目を閉じた。

短い髪から水気を取るだけなら、一分もたたないで、終わってしまっただろう。だが、紀子は、ドライヤーを使おうともせず、いつまでも、タオルで彼の髪を撫で続けた。

秀一は、ほっと溜め息をついた。いつまでも、ずっと、こうしていたい気分だった。鎧のように固く凝っていた、心の一部がほぐされていく。旱魃によってひび割れた大地に、恵みの雨が降り注ぐように。

自分は、紀子の優しさに甘えていいのだろうか。

だめだ、と理性が答える。結局、この子まで、傷つけてしまうだけだ。

だが、救いを求める気持ちは、もはや、耐えられないほど高まってきていた。もう、限界だ。誰かに、受け入れてもらいたい。誰かに、自分は悪くないと言ってほしかった。

気がついたら、秀一の右手は、紀子の手をつかんでいた。

「だめよ。拭けないじゃない」

だが、紀子の手は、まったく逃れようという素振りは見せなかった。

秀一は、立ち上がって、腕の中に紀子を抱きすくめた。

「櫛森くん……」

紀子は、赤い顔で秀一を見上げた。

「好きだ」

「わたしも……」

長いキスをする。体育館のとき以来だった。紀子の唇は、甘く、温かく、柔らかかった。彼女の吐息は、いい匂いがして、頭がくらくらした。官能が、体の芯を締めつける。

「紀子……」

「なに？」

「いいだろ？」

秀一は、紀子の返事を待たずに彼女の膝の下に手を入れて、抱え上げた。紀子は、驚いたように身を固くする。そのまま、ベッドの上へ運んだ。

自分は、苦しみから逃れるために、この子を利用している。そんな思いが、一瞬だけ、頭をかすめた。だが、もう、止めることはできなかった。

もう一度、短いキスをすると、トレーナーに手をかけて、脱がせようとする。

「あ。待って。自分でやるから……」

紀子は、恥じらいに横を向きながら、両手を交差させて、トレーナーの裾を持ち上げた。その下からは、すぐに乳房が現れ、秀一は、衝撃を受けた。考えてみれば、ブラジャーの替えなどはなかったのだから、当たり前なのだが。

紀子の顔は、真っ赤になっていた。よほど、恥ずかしかったのだろう。

だが、今の秀一には、紀子の気持ちを思いやるだけの余裕はなかった。トレーナーを脱ぎ捨て、急いで胸を隠そうとする彼女の両手をつかんで、無理やりに開かせる。

紀子は、少し抵抗したが、すぐに、力を抜いた。

彼女の乳房は洋梨を思わせる形で、ミルクのように真っ白だった。青い静脈が、ほんの少し、浮いて見える。仰向けなので、若干扁平(へんぺい)になっていたが、それでも前に張り出して見えるのは、かなりのボリュームがある証拠だろう。下から手を添えて、そっと揉(も)んでみると、マシュマロのような柔らかさだった。

紀子は、くすぐったそうに身悶(みもだ)えをして言った。

「ずるい……」

秀一は、思わず手を引っ込めそうになる。

「だって。わたしばっかり、裸にして」

「ああ、そうか。ごめん」

秀一は、舞台での衣装の早変わりのような速度で、トレーナーの上下を脱ぎ捨てた。残っているのは、トランクスだけである。紀子は、ちらりと、膨らんだ部分に目をやり、当惑したように、視線を転じた。

秀一は、もう一度、紀子の上にのしかかると、乳房を口に含んだ。すぐに乳首に反応があった。同時に、右手で、もう片方の乳房を愛撫する。

紀子は、もう、何をされても、じっとされるがままになっていた。彼女の呼吸が、しだいに、切迫してくる。

秀一は、トレーナーのズボンに手をかけた。今度は、彼女は抵抗せず、じっとしていた。だが、下から、自分が用意した男物のトランクスが出てくると、秀一は苦笑した。

「やっぱし、これは相当かっこ悪いな」

前開きのボタンが付いているところは、女の子が穿くと不思議に猥褻な感じもするが、だぶだぶの海水パンツのような形や、原色のプリント模様は、どこか物哀しかった。彼女にこんな格好をさせていることにすまないという意識の方が先に立つ。

「わたしだって、ちゃんと着替えくらい持ってきたもん。……こうなるって、最初っからわかってたら」

紀子は、唇を尖らせた。

「すげーセクシーなヤツ?」

「ふつうのだけど……」

「まあ、どっちにしても脱いじゃったら、同じか」

秀一が手をかけると、紀子は、あわてて、両手でつかんで抗(あらが)った。

「どうしたんだ?」

口を一文字に結んだまま、答えない。

「ああ。そうか。俺が、先に脱げばいいんだな? 俺のを見たいんだろ?」

「ち、違うわよ!」

そう言うと、紀子は、横を向いてしまった。秀一は、しばらく、どうしていいのかわからなかったが、後ろから寄り添うように、彼女の体を抱いて、優しく耳元で囁(ささや)いた。

「どうした? どうしてほしい?」

紀子は、消え入りそうな声で言った。

「櫛森くんは……経験、あるの?」

「まあ、二、三度だけど」

秀一は、ようやく気がついた。

「お前、初めてなのか?」

「うん」

意外の感に打たれ、次いで、いじらしさに胸が締めつけられる。この子が、援助交際をしていたなどと噂してたヤツは、どいつもくたばればいい。

「そうか。わかった」

秀一は、もう一度、紀子にキスをした。さっきより、もっと長い、濃厚なキスだった。

「だいじょうぶだ。俺に、まかせてくれ」

そう言って、手を握ってやると、紀子は、安心したような顔になった。

この子は、自分を愛し、信頼して、すべてを委ねてくれる。そう思うと、今さらのように、彼女に対する愛おしさが、沸き上がってきた。

肌と肌を合わせ、お互いの血潮が巡るのを体で感じるのは、何と、わくわくするような愉悦だろうか。お互いに、まだ未熟で稚拙でさえあることは、わかっていた。だが、二人の間には、それを充分にカバーするものが存在していた。

にもかかわらず、秀一の心の中には、どうしても晴れない部分が残っていた。

秀一が、破裂しそうなくらい昂ったものを、紀子の中へ、ゆっくりと挿入したときにも、どす黒い、暗雲のようなものは、意識の片隅に、しっかりと居座っていた。

やがて紀子が迎えた小さな絶頂は、将来、得られるであろう本物のクライマックスの予告篇のようなものにすぎなかった。それでも、彼女の中では、確かな満足が生まれていたし、秀一も、その気配によって、危うく繋がったまま、果ててしまいそうになった。

だが、その最高の瞬間にさえ、それは、真っ白な壁に付いた黒い染みのように、じっと、同じ場所に存在し続けていた。

第十章　Q＝IVt

屋根を叩く豪雨は、古い木造家屋全体を共鳴箱として、不思議な音空間を作り出していた。

基調となるのは、空気を限りなく細かい篩にかけているような、繊細なノイズだった。そこへ、窓ガラスを打つ雨粒の音や、大きな樋を伝って雨水が流れ落ちる、せせらぎのような響きが混じる。

秀一は、放心したように、雨音のアンサンブルに聞き入っていた。

右手は、紀子の頭を撫でていた。彼女は、秀一の鼓動に聞き入るように、裸の左胸に、ぴったりと耳を押し当てている。

無意識に、紀子の髪の毛に指を絡ませていた。くしゃくしゃにしかけて、ぴたりと手を止める。

「どうしたの？」

紀子が、秀一の顔を見上げて言った。いつもと同じ声のはずなのに、どことなく艶やかな潤いのようなものが感じられるのは、気のせいだろうか。

「いや……。つい、いつもの癖で。よく、遥香に、こんなふうにしてるんだ」

「いいよ。わたしも、同じようにしても」

　髪の毛をいじられるのは、嫌がるのではないかと思ったが、紀子は、秀一に、頭を差し出した。

「何か、妹と一緒にしてるみたいで、ちょっとなあ」

「わたしより、遥香ちゃんの方が、好きなの？」

　紀子は、口を尖らせた。

「ばーか。好きの、次元が違うだろうが」

「うーん。そうなのかな……」

　彼女は、ときとして、きわめて敏感に人の心を読み取ることがある。秀一は、驚きを面に表さないように、努力しなければならなかった。

「ねえ、今、何時？」

「六時前かな」

「そろそろ、おうちの人、帰ってくるね？」

　紀子が、急に心配になったらしく、言った。

「まだ、だいじょうぶだよ。もう少し、こうやってようぜ」

　秀一は、紀子の肩に手を回す。

「……でも、やっぱり」

「いいじゃん。別に、見つかったって」

服は、湿った熱気が、むっとまとわりつく。服は、下着を見
「よくないわよっ!」

紀子は、ぱっと起きあがりかけて、あわてて体を隠した。

「ねえ、わたしの服、取ってきて?」

「まだ、乾いてないかもしれねえぞ?」

「いいから」

秀一は、渋々体を起こして、トランクスだけを穿くと、浴室へ行った。

乾燥機を途中で止めて、紀子の服を出した。湿った熱気が、むっとまとわりつく。服は、
熱いくらいの温度になっていた。中の方の乾き具合を確認しようかと思ったが、下着を見
られるのは嫌だろうと思い、そのまま、ひとかたまりにして、部屋に持って帰った。

「たぶん、ほどよく、生乾きってとこかな」

紀子は、制服の生地に触ってみて、顔をしかめた。

「いやだー。すごくあったかくて、まだ湿ってるう……」

「その前は、冷たくて、びしょ濡れだったんだから、文句を言うな」

紀子は、嫌そうな顔で下着を手にとってから、秀一を睨んだ。

「あっち、向いててよ」

「いいじゃん。今さら……」

「向いてて!」

それ以上は逆らわず、秀一も、反対側を向いて、服を着ることにした。

「お前、もういっぺん、シャワー浴びなくていいのか？」

「うん。時間ないし。帰って、お風呂入るから」

体には、まだ、紀子の残り香や余韻が残っている。秀一は、今日はシャワーを浴びたくない気分だった。紀子も、同じように感じてくれていれば、嬉しいのだが。

「……もういいよ、こっち向いて」

紀子は、元の制服姿に戻り、しきりに、髪とスカートの具合を気にしていた。

「ねえ、姿見とかない？」

「だいじょうぶだって。見たとこ、別に変じゃないし、どうせ、外に出たら、また雨に濡れるんだから」

「ちぇっ。しょうがないや」

紀子は、腕白小僧のような口調で言うと、カバンを持った。

「じゃあ、わたし、そろそろ帰るね」

「おう」

秀一は、彼女を玄関まで送っていった。

「そう言えば、お前、試験勉強するために来たんじゃなかったっけ？」

「そうよ」

「全然、勉強しなかったたな」

「誰のせいよ？」

横目で、じろりと睨む。そんなところは、すっかり、以前の紀子に戻っていた。

秀一が、玄関のドアノブに手をかけようとしたとき、外から鍵が差し込まれ、回された。

二人は、思わず顔を見合わせた。

入ってきたのは、友子だった。髪には細かい水滴が付き、傘の先からは、さかんに雫が流れ出ている。

「今日は、すごい雨よ。あら？　いらっしゃい」

「おじゃましてます」

紀子が、ばつの悪さを押し隠して、秀一の後ろから、ぺこりと頭を下げた。

友子の後ろから、赤いレインコートを着た遥香が入ってきた。紀子に気づくと、ひどく驚いた顔になった。制服姿の紀子と、トレーナーを着た秀一を、何度も見比べる。

「せっかくだから、お茶でもいかが？」

友子が誘ったが、紀子は、首を振った。

「ありがとうございます。でも、遅くなりますから」

「そう？　残念だわ」

遥香が、無言のまま三人の横をすり抜けて、自分の部屋へ上がっていった。

「じゃあ、わたし……」

「秀一。送ってってあげたら？」

「うん」

どうにも居づらいような、妙な雰囲気だったので、秀一は、スニーカーを履くと、傘を取って、紀子と一緒に外に出た。

「別に、送ってくれなくても、平気なのに」

「いいんだ。俺が、外に出たかったんだから」

「もう五分早く出れば、よかったね」

「それを言うなって」

雨は、まだ、かなりの強さだった。江ノ電の鵠沼駅まで歩く間に、秀一のトレーナーは、半分くらい色が変わっていた。紀子の制服の状態も、すでに、生乾きの気持ち悪さから、肌にまとわりつく冷たさへと逆戻りしているようだ。

「でも、よかった」

紀子が、しみじみと言う。

「そうか。そんなに、よかったか。俺も、男として鼻が高いよ」

「え……？　馬鹿っ。違うわよ！」

紀子は、握っていた手を離して、秀一の脇腹を拳で叩いた。

「いて」

「そうじゃなくって、櫛森くんが、また、元気になったってこと」

「若いからな。今だって、時間さえあれば、すぐにまた元気に……」

再び、同じ場所にパンチを食らう。今度は、本当に痛かった。

「わたし、本当に、心配してたんだから」

「全然、口きいてくれないし、どうしようかと思ったんだよ？」

「へいへい」

「悪かったよ」

こうなった以上、紀子とは、前と同じように付き合っていくしかないだろう。秀一は、肚を決めていた。いや、そうじゃない。前よりもずっと、深く親密な関係を作り上げるのだ。

土砂降りの雨の中で、一人で佇んでいた紀子の姿は、一生、忘れることはないだろう。紀子と一緒ならば、ここから先に進んで行けるんじゃないか。そんな気がする。いつまでも、同じ場所に止まって、うじうじと悩んでいるわけにはいかない。すべてを忘れて、新しい人生に向かって、再スタートを切るのだ。

鵠沼の駅に着き、時計を見ると、六時十二分だった。次の電車が来るまで、まだ、五分ほどある。二人は、並んで手を繋いだまま、電車を待った。

「……あのことで、櫛森くんが、自分を責めてたのは、わかったわ。でも、責任なんか、全然ないじゃん？」

「うん」

「こんなこと言うのは、死んだ人に鞭打つようだけど、自業自得だよ。だって、ナイフを持って強盗に入ってきたんだもん。それで、自分で胸を突き刺しちゃったんでしょう？」

「そうだな」

あまり、深入りしたくない話題ではあった。だが、これから紀子ときちんとした関係を築いていくためには、避けて通ることはできない。

「しかも、あの晩は、親友の君が店番してるって、知ってたんでしょう?」

「たぶんな。今となっては、聞けないけど」

「でも、どうして? だって、櫛森くんは、石岡くんのこと、あんなに、いろいろと心を砕いてあげてたのに」

この子は、自分が、相当拓也と親しかったことを知っている。秀一は、考えを巡らせた。単なる金目当ての犯行という説明では、納得しにくいだろう。

ここは、山本警部補の説を借用するのが、いいかもしれない。

「あいつ、もしかしたら、強盗を装って、俺を殺す気だったのかもしれないんだ」

突然、激しい雷の音が聞こえた。握った手が、びくっと反応する。

「え?」

紀子は、絶句した。

「そんな……どうして?」

「それはわからんが、俺が事情聴取を受けた刑事が、そう言ってた」

「でも、まさか、そんなことって」

「こっちは、友達のつもりだったんだけど、向こうは、俺に対して、コンプレックスっていうか、鬱積したものがあったらしいんだよ。ここんとこ、学校にも来なくなってたし、両親との関係も、最悪だった。俺は、あいつの両親にも、やっぱり問題があったって思う。あいつが死んでわかったのは、とにかく、世間体しか考えてないような人たちだってことだから」

再び、雷鳴が轟く。今度は、さっきよりも近い。雨脚が、また少し強くなった。霧のように微細な水飛沫を、顔に感じる。

「……でも、だからって、どうして石岡くんが、君を殺そうとするの？」

「あいつは、俺を恨んでた。俺が、あいつをそそのかして親を殴らせたから、そのあと、あいつの立場は、針のむしろだったって。たしかに、その意味では、俺にも責任があったかもしれないんだけど」

「石岡くん本人が、そう言ったの？」

「ああ。事件の一月半くらい前に、一度、『ハート・トゥー・ハート』に来たことがあったんだ。そのとき、そんなことを言ってたよ」

「じゃあ、ときどきは、会ってたんだ」

秀一は、首を振った。

「今年に入ってからは、そのときと、それから、事件のときだけだよ。俺は、ヘルメットが脱げるまで、それが拓也だとはわからなかったけど」

紀子は、目を閉じた。やりきれないような思いなのだろう。

「でも……でも、それは、その刑事さんの、単なる思い込みかもしれないわ。いつでも、そんなふうに疑うのが、仕事なんだもの。本当は、石岡くんは、ただ、君を脅かすつもりだったんじゃないかな？　お金だって、本気で取る気はなかったのかもしれないし。ただ、君を驚かせて、腹いせをしたかったとしたら……？　うん。きっと、そうよ！」

「もし、そうだったら、どんなにいいかと思うよ」

秀一は、紀子から目をそらし、暗い空を見上げた。

「でも、刑事だって、何の根拠もなしに、そう言ったわけじゃない。あの凶器を見れば、脅しが目的じゃなかったことは、明らかなんだよ」

「凶器って、ナイフ？」

「ああ。ふつう、コンビニ強盗には、サバイバル・ナイフなんかがよく使われるんだそうだ。見かけが派手だから、簡単に相手を威圧できるらしい。だけど、あの晩、あいつが持ってきたのは、両側に刃が付いてる、人間を刺殺するのに最も適したナイフだった。本当に、洒落（しゃれ）んならないっていうか、殺傷力抜群の……」

秀一は、言葉を切った。

手と手が、離れていた。

紀子の顔を見ると、大きく目を見開いている。

「どうしたんだ？」

「いつ？」

「えっ？」

「いつ、ナイフを返したの……？」

「返した？」

秀一は、自分が致命的な失言を犯したのを悟った。

「江の島へ行ったとき、君が言ったのよ。石岡くんが両親を殺そうとしてたから、ナイフを取り上げたって。それが、洒落んならない……殺傷力抜群だって、今と、まったく同じ言い方をしてたわ」

「……それは」

突然、窮地に立たされていることを自覚する。別のナイフだったと言おうか。しかし、だったら、取り上げた方のナイフを見せてくれと言われても困る。言い繕う方法は、一つしかなかった。

「もう、だいじょうぶだと思ったんだよ。ナイフを返しても。あいつも、今ごろになって、両親を刺したりするとは思えなかったし」

「でも、いつ返したの？」

「それは、いつだったか、忘れたけど……」

「嘘よ」

紀子は、喘ぐように言った。

「何でだよ？」

「たった今、君が、言ったばかりじゃない。今年に入ってから、石岡くんに会ったのは、二回だけだって。だったら、ナイフを返せたのは、石岡くんが、前にコンビニに来たときだけだわ。でも、そのとき、君が、石岡くんが来るのを予期して、ナイフを持って行ったなんて、そんなことって、ある？」

「紀子……」

秀一が一歩近づこうとすると、紀子は、後ずさった。

「どうしたんだ？　お前、まさか本気で、俺が拓也を？」

紀子の目から、涙が溢れ出てきた。つぶやくように言う。

「どうして？　わたし、信じらんない。どうして……そんな？」

プラットフォームに、ゆっくりと電車が入ってきた。

「嘘……櫛森くんが……嘘よ……絶対」

紀子は、堪えきれなくなったように嗚咽を漏らした。ハンカチで顔を押さえ、身を翻して電車に駆け込む。反対側の扉に向かって立つ背中が、小刻みに震えていた。

こちら側に座っていた乗客の一人が、首を曲げて紀子の方を見た。

扉が閉まり、電車は発進する。

秀一には、ただ、茫然と、見送ることしかできなかった。

体には、まだ、彼女の温もりが残っている。耳の中では、彼女の声が木霊し、目には、彼女の姿が焼き付いている。

だが、それらはすべて、たった今、自分の手から、するりと抜け落ちてしまった。

かけがえのない大切なものを喪(うしな)ってしまったという思いだけが、秀一の中で木霊していた。

家に戻って、部屋で、もう一度着替えをしていると、ドアにノックの音がした。

「何だ？」

後ろを向いたまま聞くと、ドアの開く音がした。

「お兄ちゃん。ちょっと、聞きたいことがあるんだけど、いいかな？」

遥香の声は、いつになく真剣な調子を帯びていた。秀一は、振り返らずに、のろのろとシャツのボタンを留める。

「今度にしてくれないか」

「ううん。どうしても、今、聞きたいの」

「そうか……」

遥香は、部屋に入って、ドアを閉める。

「今日、あの人と、うちで何してたの？」

「何って？」

「お兄ちゃん、あの人と、エッチしたでしょう？」

「お前、何言ってんだ」

「とぼけたって、ダメだからね。わたし、わかっちゃったんだから……」

振り向いた秀一の顔を見て、遥香は、言葉を途切れさせた。

「あの、お兄ちゃん？」

「ん」

「どうしたの？」

「どうもしないよ」

「うそ。だって、すごく、悲しそうな顔してる……」

「そうか」

これ以上、嘘に嘘を重ねる気にはなれなかった。

「もしかして……あの人と、喧嘩(けんか)でもしたの？」

「まあ、そんなとこかな」

「……そう」

遥香は、なぜか、ほっとしたような表情になった。

「じゃあ、可哀想だから、お兄ちゃんが、うちでエッチしてたことは、お母さんには内緒にしてあげるね」

お前に察しがつくくらいなら、当然、とっくに、気づかれてるだろう。そう思ったが、あえて言葉にはしなかった。

「うん。そうしてくれ」

「あ。やっぱり、そうだったんだ」

遥香の顔に、さっと赤みがさした。

「何だ。カマかけてただけか」

「ううん。ていうか、たぶん、そうじゃないかと思ったから……」

「用は、それだけか？」

「ええと。ほかにも、聞きたいことがあったんだけど」

遥香は、案ずるような顔で、秀一を見た。

「大事なことか？」

「わたしにとっては、すごく大事なこと」

「いいよ。言ってみな」

「うん」

遥香は、しばらく言い淀んでいたが、意を決したように聞く。

「お兄ちゃん、あの人を、殺したの？」

秀一は、しばらく、彫像と化していた。

「……誰のこと、言ってるんだ？」

我ながら、とんでもない聞き返し方をしているなと思う。

「あの、曾根っていう人」

秀一は、倒れ込むように、椅子に腰を落とした。

「今日は、まったく、厄日だな……」

「ねえ、本当のこと言って」

「あの男は、心臓麻痺で死んだんだぞ？」

「うん。でも、前にお兄ちゃん、あんなヤツ、いつかは殺されて当然だって……」

「それは、言葉のあやってもんだろ」

「あや？」

「ほとんど、冗談だよ」

「でも、あのときのお兄ちゃんの顔、真剣だった」

秀一は、答えなかった。

「わたしのためだったの？」

「お前のためって……何、言ってるんだ？」

「じゃあ、お母さんのため？」

「ばーか」

紀子といい、遥香といい……。秀一は、首を振った。女というのは、細部の論理に惑わされることなく、たった一つの思い込みと直感だけで、易々と真相にまで到達してしまうのか。

だったら、藤沢南署の刑事は全部首にして、女子中高生にでも、総入れ替えすればいい。

「お前、俺が、本当に、そんなことすると思うのか？」

遥香の目には、痛々しいような光が宿っていた。

「何があっても、わたしとお母さんは、お兄ちゃんの味方だよ」

「…………」

「だから、お願いだよ。本当のことを言って」

秀一は、目をしばたたいた。

「わたし、お兄ちゃんの、本当の妹じゃないかもしれないけど……」

「馬鹿。妹だよ。何言ってんだ」

「ううん。知ってるんだよ。確かめたから」

「え？」

「市役所行って、戸籍謄本を見たから。だから、わたし、みんな、知ってるんだよ」

「お前……」

だとしたら、遥香は、実の父親が誰かも、承知していることになる。

「あの人の言ってたことって、本当だったんだね」

やはり、そうか。秀一は目を閉じた。実の父親を俺に殺されたと知っているのなら……。

それ以上、遥香の顔を、まともに見ることはできなかった。

「だから、わたしはどうしても、本当のことを知らなくちゃならないの。お願い。わたしにだけは、本当のことを教えて？　ね？」

遥香は、しだいに涙声になって訴えたが、秀一は、瞑目したまま、答えなかった。

しばらくして、諦めたらしく、静かにドアが閉まる音が聞こえた。

秀一は、それでも目を閉じたままだった。瞼を固く閉じ、いつまでも椅子に座ったまま、身動き一つできなかった。


七月一日からの期末試験は、中間試験より悲惨な結果に終わった。それまで、ほとんど授業を聞いていなかった上に、試験中にさえ、意識を問題に集中することができなかったのだから、当然かもしれない。

あれ以来、紀子とは、口をきいていなかった。お互いに避け、視線を合わさないようにしていたのだ。

秀一は、ときおり、紀子の様子を盗み見たが、大きな瞳は、ずっと悲しみに曇っているように見えた。

彼女をそうさせたのは、自分の責任だった。だが、今さら、どうすることができるだろうか。

せめて、体が結ばれる前であれば、紀子の受けたダメージも、より浅かったのかもしれないが。今さら考えても、詮ないことだった。

自分の姿を見せない方が、彼女も、少しは気が楽になるだろうか。

そう思ったが、秀一は、一日も学校を休まなかった。自分に許されている高校生活は、すでに残り少ないという、確信めいた予感があった。

七月二十三日。夏休みに入って三日目だった。

ちょうど朝食を始めたとき、櫛森家の玄関のチャイムが、数回、鳴らされた。

秀一は、コーヒーカップを取ろうとした手を、途中で止めた。ご用聞きやセールスマンとは異質の、高圧的で執拗な押し方。

「はい？」

友子が、インターホンに出た。さっと顔色が変わる。

「ええ？　は、はい。ちょ、ちょっと、お待ちください……」

遥香は、母親の取り乱した様子を、ぽかんと眺めている。

秀一は、母の後ろ姿を見送ってから、ゆっくりと立ち上がった。

とうとう、来るべきものが来たことが、わかっていた。

玄関へ向けて歩いていく間中、膝頭が、がくがくと震えるのがわかった。怖かった。どうしようもなく、逃げ出したいと思った。だが、母を連中の矢面に立たせておいて、自分だけ逃げるわけにはいかない。

玄関に立って、友子と押し問答していたのは、山本警部補を含む、三人の刑事だった。

「ああ。秀一君。ちょうど、よかった」

「ちょっと、待ってください。そんな、あんまり一方的じゃないですか。こんなに朝早く、急にやって来られても、秀一にも、心の準備が必要ですし……」

友子は、懸命の抗議を試みている。

「ご心配には及びません。秀一君に、ご迷惑をおかけするようなことは、ありませんから」

山本警部補は、秀一の方を向いて言った。

「櫛森秀一君。君に、これから、藤沢南署まで、一緒に来てもらいたいんだ。あれから、捜査を進めるうちに、いろいろと、聞きたいことが出てきてね」

横から、友子が憤然として言った。

「お断りします。秀一は、あの事件では、被害者だったんですよ？　精神的にもショックを受けてますし、これ以上、思い出させるようなことは……」

もう、それ以上、聞いていられなかった。歯を食いしばって、なけなしの勇気をかき集めると、秀一は、優しい声で母を制した。

「お母さん。僕、行ってくるよ」

「だめよ！　そんなの」

「だいじょうぶだって。晩には、帰れるんでしょう？」

山本警部補の方を向いて訊ねると、曖昧にうなずいた。おそらく、取り調べ後、即逮捕ということにならなければという意味だろう。

「警察の捜査には、協力しなきゃ。やっぱり、人が一人、死んでるんだしさ」

「でも、それは、あなたのせいじゃないのよ？　事件の直後にも、さんざん調べられて、嫌な思いをしてるのに、どうして、今さら……？」

「僕なら、平気だって」

秀一は、笑顔を作って見せた。

「お兄ちゃん……」

すぐ後ろに、遥香が来ていた。蒼白な顔で、唇を震わせている。

「この人たち、お兄ちゃんを、連れに来たの？」

「うん。でも、だいじょうぶだから。お前は、何も心配しなくていい」

「秀一。すぐ、加納先生に連絡するわ！」

「お母さん。僕は、別に、逮捕されるわけじゃないんだよ？」

「そうです。あくまでも、参考人として、お話を聞きたいだけですから」

山本警部補も、口を添えた。

友子は、しばらくの間抵抗を続けたが、秀一自身の意思が固いことを知って、最後には藤沢南署へ行かせることに同意した。そのあとも、しばらくは、一緒について行くと言って聞かなかったが、やはり、秀一の説得で、翻意することになった。

空は、昨日までの薄曇りとはうって変わって、晴れ渡っている。

家の前の狭い道路を完全に塞ぐようにして、白い5ナンバーのクラウンが止まっていた。

二人の捜査員に挟まれて、秀一は、後部座席に乗り込んだ。

車が、動きだした。角を曲がり、茫然と立ちつくしている母と遥香の姿が見えなくなってから、秀一は、助手席に座っている山本警部補に訊ねた。

「……夏休みになるまで、待ってたんですか?」

「うん? ああ。いろいろあって、たぶん、一日では終わらないからね。君も、その方が、都合がよかっただろう?」

「いや、どうせなら、期末試験の最中に、来てほしかったですね。その方が、最悪の点数だったことの、言い訳ができましたから」

山本警部補は、しばらく黙っていたが、やがて、低い声で笑いだした。

自分が、取調室と呼ばれる場所に連れてこられたのは、わかった。つまり、名目上は、参考人ということになっているが、実態は、任意の事情聴取などではなく、取り調べなのだ。

それにしても、その部屋の狭さには、驚くしかなかった。

テレビの刑事物ドラマなどに出てくる、広々とした部屋とは大違いだ。ドラマの中では、途中で取調官が立ち上がり、部屋の中を歩き回ったり、窓から外を眺めたりする。だが、そのどちらも、ここでは、とうてい不可能だった。

逃走を妨げるためか、建物の内側に孤立して作られた部屋で、どこにも窓はない。広さも、二畳あるかないかというところだった。

その真ん中に机を置いて、片側に二人の刑事、反対側に調べられる人間が座るのだから、ほとんど、すし詰め状態である。向かい合って着席しただけで、秀一は、非常な圧迫感と息苦しさを感じた。

机の上には、やはりドラマによく出てくる小道具である、電気スタンドの類はなかった。取り調べ中に、被疑者が逆上して、振り回したり投げたりできるようなものは、いっさい置かないことにしているのだろう。

「まあ、あんまり緊張しないで、リラックスして」

山本警部補が、口を切った。

「君が知ってることを、正直に話してくれれば、それでいいから」

口調は穏やかながら、前回の事情聴取のときとは、明らかに、態度が違っているような気がする。その横に座っている、髪を七三に分けた若い刑事は、メモの上で両手を組んで、秀一に対して鋭い視線を注いでいた。

「その前に、聞きたいんですけど」

秀一は、若い刑事の視線を無視して言った。

「何かな？」

「僕には、いったい、何の容疑がかかってるんですか？」

山本警部補は、白い歯を見せた。

「容疑？　君からは、参考人として、話を聞きたいと言ったはずだが」

「重要参考人というヤツじゃないんですか？」

「重要か、そうじゃないかといわれれば、君の証言は、重要だ。しかし、どうして、そう思うのかな？」

　秀一は、部屋を見渡した。

「ここの雰囲気です」

「まあ、多少手狭ではあるが、それだけで君を犯人扱いしていると思われたら、心外だね」

「……そうですか」

　秀一は、自分を睨(にら)みつけてくる若い刑事の目を、今度は、真正面から見返した。

「最初に、君に聞きたいのは、ナイフのことだ」

　山本警部補の言葉に、注意を引き戻される。

「あのナイフ、石岡拓也の死因となった、心臓への刺し傷を作ったナイフだが……」

　言葉を選んでいるためか、妙に持って回った言い方をする。拓也に対して『君』付けをやめ、呼び捨てにしているのは、はたして、吉兆か、凶兆か。

「君は、以前にも、あのナイフを見たことがあるね？」

　秀一は、一呼吸置いてから、返事をした。

「いいえ」

「ほう？　本当に、そうか？」

「はい」

山本警部補は、眉根を寄せた。たぶん、信じていないぞというジェスチャーなのだろう。警察には、自分が嘘をついているという確信があるのだろうか。

秀一は、頭の中で、思いつく限りの可能性を列挙してみた。紀子のことが思い当たって、ぎくりとする。もし、紀子が、警察に対して、自分がナイフを持っていたことをチクっていたとしたら、言い逃れは困難だ。

「あのナイフには、ブレードに通し番号が入っている。そこから販売元をたぐっていくと、二年半前に、東京の刃物専門店で、石岡拓也が購入したものだとわかった」

どうやら、紀子ではないようだ。秀一は、ほっとした。紀子の証言を得ているのなら、出し惜しみをする理由はない。それだけで、すぐにでも、逮捕状が取れるかもしれないだろう。

「石岡拓也は、一時期、さかんにそのナイフを見せびらかしていたそうだ。だが、その後、一年ほど前だが、急に、持ち歩かなくなったらしい。知り合いの少年に、どうしたのかと聞かれて、石岡拓也は、ナイフを誰かに取り上げられたと言ったそうなんだ。その少年も、取り上げた相手の名前までは、思い出せなかったが、石岡拓也の同級生ということだけは、覚えていた」

「それが、僕だというんですか？」

秀一は、冷静に訊ねた。

「違うかな。ほかに、君たちの同級生で、該当しそうな人間は、見当たらなかったんだが」

「僕は、石岡拓也から、ナイフを取り上げた覚えはありません」

「本当かな？」

「僕は、これまで、カツアゲなんか一度もしたことはありませんよ。それに、何の目的で、ナイフなんか欲しがるんですか？　誰に聞いてもらってもわかりますけど、そんな趣味はありませんし、まさか、そのときから……」

つい、口が滑りそうになった。気をつけなくてはならない。

「……とにかく、その証言というのが、かなり眉唾だと思いますね」

「たしかに、お前みたいな優等生と違って、けっこうなワルだがな」

秀一の発言をメモしていた若い刑事が、我慢できなくなったらしく、口を挟んだ。

「理由もなく、嘘をつくようなヤツじゃないんだよ！」

「じゃあ、何か理由があれば、嘘もつくわけですね」

「何だと？」

気色ばんだ若い刑事を、山本警部補が宥めた。

「まあまあ。浅野君。落ち着いて。質問は、僕がやるから」

「すみません。係長」

「わかった。君は、あのナイフは、今までに一度も見たことがなく、石岡拓也から取り上げた事実もない。それでいいね？」

「はい」

秀一は、内心、冷や汗をかいていた。拓也に、そんな友達がいたとは意外だった。だが、よく考えれば、交友関係をすべて把握していたわけでもないのだ。

それにしても、もし、その少年が、自分の名前を記憶していれば、すべてが終わっていたかもしれないと思うと、完璧（かんぺき）に思えた自分の計画が、いかに杜撰（ずさん）だったかを見せつけられたような気がした。

同じような綻（ほころ）びは、もしかすると、ほかにもたくさん見つかっているのだろうか。

「そのナイフについて、いろいろと筋の通らないことが多くてね。頭を抱えてるんだよ」

「この前も、そう言われてましたね」

「うん。とにかく、あれだけ鋭利な両刃のナイフを、石岡拓也のバイクからコンビニまでの五十メートル、鞘（さや）にも入れず、剝（む）き出しのまま持ってきたわけだ」

「あの時間なら、人通りは、ほとんどありませんけど」

「我々も、そう思いかけてたんだがね。どうせ見られることはないだろうと、石岡拓也は、たかを括（くく）ってたんだろうと。だが、いろいろ調べていくと、それでもまだ理屈に合わないんだ」

さっきから、山本警部補の右手の指が、机の上で苛々（いらいら）と動いている。タバコの禁断症状なのだろうか。

「石岡のバイクの物入れの内部を調べたんだが、あのナイフのブレードに符合するような傷は、一つも見つからなかった。走行するバイクの物入れの中にあれば、必ず、どこかにぶつかる。傷が付かないわけがないんだ。その一方で、ナイフを包むことができたような、布や紙の類も見つかっていない」

秀一は、黙っていた。よけいなことは言わず、相手の持っているネタを確かめるのが、先決だ。

「どういうことだろうと思っていたとき、監視カメラの映像から、新たな発見があった。入り口付近を撮影していたビデオテープを、コンピューター処理して、よく見えるようにしたところ、コンビニに入ってくる直前の、石岡拓也の姿が判別できるようになったんだ。それが、これだ」

山本警部補は、相変わらず仏頂面の浅野刑事から、A4版のプリントアウトを受け取り、秀一に手渡した。そこには、自動ドアの向こうにいる拓也の姿が、うっすらと捉えられていた。店内の映像と比べると、ずっとぼやけてはいるものの、顔や手の位置は、はっきりとわかる。拓也の右手は、上着の裾を掻き分けて、右腰のあたりにある。

「それが一枚目。これが二枚目だ」

おそらくもう、自動ドアが開く寸前なのだろう。さっきより、ずっと鮮明に映っている。拓也の右手は、腰より少し高い位置にあり、下へ向けたナイフを握ってるのが見て取れた。

「つまり、こういうことだ。石岡は、バイクを降りてからコンビニまでの五十メートルは、ナイフをジーンズに差して、柄は上着で隠していた。そして、店に侵入する直前に、引き抜いたんだ」

あの馬鹿。秀一は、目をつぶりたくなった。

「知ってるかな？　人間の脚の付け根には、動脈が走っている。誰でも、ここを切れば、簡単に死に至る。だから、ナイフを使った喧嘩では、最初に狙うのは、首筋でも心臓でもなく、ここなんだよ」

山本警部補は、立ち上がって、男の急所の、ほぼ真横の位置を指さした。

「にもかかわらず、あれほど鋭利で危険なナイフを、無造作にズボンに差して歩くなどというのは、自殺行為だと思わないか？」

「質問の意味が、よくわかりません。お聞きになりたいのは、拓也に、自殺志向があったかどうかということですか？」

山本警部補は、再び椅子に座った。表情は、さっきよりも厳しくなっている。

「……一方、石岡拓也の司法解剖の結果からも、面白いことがわかった。彼は、右手首を捻挫していたんだ」

手首の捻挫……。秀一には、とっさに、関連が見えなかった。

「捻挫した組織は腫脹し、皮下出血も見られる。顕微鏡で見れば、軽い靭帯の損傷でも、確認できるそうだ」

「それが、何か？」

「君は、石岡拓也と揉み合ってるな？　そのとき、彼が、右手首を捻挫しているように見えたか？」

「さあ。そこまでは」

「もちろん、腫れの度合いを肉眼で確認しろというのは、どだい無理な話だ。だが、もし右手首を捻挫していたら、当然、動きが変わってくるはずだろう？」

「もし、初めから右の手首を捻挫していたのなら、右手にナイフを持って、コンビニに押し入ってくることはないと思いますが」

山本警部補は、笑った。

「そう。その通りだ。つまり、石岡の捻挫は、それ以降に負ったものということになる。だとすると、君と折り重なって倒れた、あの時しかあり得ない。だが……」

山本警部補は、右手で拳を作り、左胸の前に持っていった。

「右手に握ったナイフが左胸に刺さる……この形では、どうやっても、右手首を捻挫するはずがない。手首の可動域が、腕とナイフによって制限されるからだ。では、石岡の捻挫は、どうやって起きたのか？　さっき言った、組織の腫脹、皮下出血、靭帯の損傷の具合から、手首を強く内側に曲げることによって、できたことがわかった」

山本警部補は、右手をまっすぐ前に伸ばして、拳を下へ曲げて見せた。お互いの距離が短いので、拳はほとんど秀一の目の前である。

「このまま前に倒れたとすると、石岡の手首にあったのと、同様の捻挫ができるだろう。相撲で言う『庇い手』の体勢で、手に何かを握っているために、床に拳をついてしまった場合だな」

拓也は、倒れながら、とっさに、体重をすべて預けるのをためらい、手を出して自分を庇ったのだろうか。複雑な感情が、秀一の心中に去来した。

「つまり、転倒の瞬間、石岡は前に手を出していたと思われるんだ。したがって、自分の胸を刺せたはずがない。この結論は、ビデオテープの映像の中で、石岡の靴が激しい動きを見せた時期が、倒れてから数秒後であるという事実と、ぴったり符合する」

「拓也は、倒れた瞬間、手首を捻挫してナイフを取り落とした。それを、僕が、すばやく拾って、彼を刺し殺した。そう言いたいんですか？」

「いや、違う」

山本警部補は、腕組みをした。

「たしかに、最初は、そう思った。だが、そうだとすると、石岡が危険なナイフを無造作にジーンズに差していたという、事実の説明がつかない」

まさか、すでに気がついているのだろうか。秀一は、初めて、目の前にいる山本という男と警察機構の能力に、畏怖(いふ)を覚え始めていた。

「そこで、最初に言った、誰かが石岡のナイフを取り上げたという話に戻るんだ。もし、その誰かが、ずっと石岡のナイフを持っていたとしたら……」

「でも、拓也は、ナイフを持って、コンビニに入ってきました」

「ビデオテープでも、たしかに、そう見えるな。だが、あれは、偽物(フェイク)だ」

山本警部補は、机の上に身を乗り出して、秀一の顔を見据えた。

「バイクの物入れに放り込んでおいても、傷も付かず、ジーンズに差しても、怪我をする心配がないような、ただの玩具(おもちゃ)だよ」

秀一は、視線の圧力に耐えきれなくなって、目をそらした。

「つまり、ナイフは、二本あったんだ。そう考えなければ、すべての事実を説明することはできない。石岡拓也が持ってきた偽物(フェイク)のナイフと、君が用意していた本物のナイフとが」

「……そういうことだったんですか」

「ん？」

「僕に対する容疑です。まさかとは思いましたが、拓也に対する、計画的殺人ということだったんですね」

秀一は、ショックを押し隠して、反論した。

「もし、今言われたようなことが、実際に起きたのなら、その、フェイクのナイフというのは、どこにあるんですか？」

「君には、警察を呼ぶ前に、処分する時間が充分あったはずだ」

「どうやってですか？」

「おそらく、コンビニの裏手の方にあるポストから、郵送したんだろう」

「どこへ？」

「それは、君に聞きたい」

「結局、証拠は、どこにもないわけですよね？」

次々と、目の前で、防壁が崩れ落ちていく。だが、最後の壁だけは、絶対に、破られないはずだ。今の説を裏付ける物証が見つからない限り、裁判で有罪にされることはない。

「どこにもないか」

「え？」

「君は、証拠はどこにもない、と言った。何もない、ではなく」

惑わされるな。秀一は、自分に言い聞かせた。こんな子供だましのレトリックになど、何の意味もない。

「はっきり、答えてくれないか。君は、石岡拓也を殺したのか？」

「いいえ。殺してません」

山本警部補の視線が、鋭くなった。

「だいたい、どうして、僕が、拓也を殺さなければいけないんですか？　僕には、動機がありませんよ」

「そうかな」

山本警部補は、謎めいた微笑を浮かべた。机に乗り出していた体を引っ込めて、椅子の背にもたれかかった。ここで、浅野刑事と、質問をバトンタッチする。

浅野刑事の質問では、鋭かったのは語気だけだった。大部分は、山本警部補の指摘した事実の繰り返しでしかない。だが、山本警部補は、じっと腕組みをしたまま、一言も発しようとはしなかった。

しばらくすると、昼食休憩になったが、一歩も、取調室を出ることは許されなかった。店屋物の出前を取ると言われたので、てっきり、警察の払いかと思ったら、自費とのことだった。

食欲は、ほとんどなかった。神経が張りつめているため、胃袋が食物を受け付けそうもない。

だが、この、事情聴取に名を借りた尋問は、午後も続くことがわかっていた。そのためには、体力を維持することを考えなくてはならない。秀一は天丼を注文し、無理やり食べようと努力したが、半分くらいしか喉を通らなかった。

午後になると、質問者は、再び山本警部補に戻った。だが、その内容は、まったく予想外のものだった。

「君は、級友の笈川伸介君から、ときどき、酒を買っているね？」

山本警部補は、午前中より幾分ソフトな口調で言った。

「ええ」

今さら、隠しても始まらない。それに、どうせ、『ゲイツ』から、何もかも聞いているのだろう。

「今までは、I.W.ハーパーの101ばかりだった。最近は、もっと安い銘柄に移っている、と。君は、バーボン党なんだ？」

銘柄を聞いた浅野刑事が、秀一を睨(にら)みつけた。

「たしかに、僕は、未成年ですけど……」

「そのことは、今は、咎(とが)めるつもりはない。ところで、笈川君の話では、君が、一度だけ、焼酎を注文したことがあったということだけど？」

「はい」

「それも、『百年の孤独』という銘酒だ。どうして、また？」

再び、浅野刑事が、癇(かん)にさわったような表情になった。

「弁護士の、加納先生に送ろうと思いました」

「弁護士さん？　何か、依頼したいことでもあったのかな？」

「まあ。いろいろと……」

「曾根隆司氏のこと？」

「はい」

「なるほど。それを曾根氏が盗み飲みして、心臓発作で亡くなったわけだ。あの時、現場にあったのが、それだよね？」

「ええ」

「そばには、カラスミもあった。これも、君が購入した？」

「はい」

「同じ理由で？」

「はい」

「ふうん。あの時は、単に贈答用というだけで、君が買ったとは言わなかったような気がするんだがね。それにしても、アルバイトをしてるとはいえ、高校生の小遣いで負担するんじゃ、厳しいだろうね」

質問ではないと解釈して、秀一は、黙っていた。なぜ、今さら、曾根のことを蒸し返すのか。不安が胸をよぎる。

「あの時、僕は、君に、血圧計の記録を見せた。覚えてるかな？」

「はい」

「最後の数字は、ええと……上が130で、下が94だった。完全に、正常値だ。時刻は、十二時十三分」

山本警部補は、手帳を見ながら言った。

「死亡推定時刻だ」

秀一は、一言も発しなかった。

「曾根氏は、君のうちに来る前は、横浜の簡易宿泊施設にいた。そこで、体の不調を感じ、病院で検診を受けている。その結果、末期ガンであることが判明したんだが、このことは、まあ、いいだろう」

秀一は、今さらながら、衝撃を受けていた。

あいつが遥香に言ったことは、本当だった。だとすれば、すべては、不必要な努力であり、暴走だったのだろうか。自分がすべきだったのは、母と遥香を守ることだけに専心して、あいつが死ぬのを、じっくり待つことだったのかもしれない。

だが、あの時点では、そんなことはわからなかった。秀一は、心の中で叫んだ。俺は、考えられる範囲で、最善を尽くしたんだ。

「……問題は、曾根氏の血圧なんだよ。病院の記録では、やや高めだった。平均すると、上が145で、下が105くらいだ。血圧計に記録されていた数値とは、はっきりした、隔たりがある。そのため、もしかすると、あれは、曾根氏ではなかったのかもしれないと考えたくらいだ」

山本警部補は、淡々と言った。いつまでたっても質問をされないことで、逆に、秀一は、不安を覚え始めていた。

「あの後、曾根隆司氏の遺体は、司法解剖された。その時に、いくつか、不審な点が発見されている。まず、左腕に、赤く帯状の筋がついていた。これは、血圧計の腕帯の跡だとわかった。二番目に、左脚の三里のツボという位置に、うっすらと発赤が見られた。第三には、脱糞していた。それと、もう一つ、現場で発見されたものがある……」

山本警部補は言葉を切ると、秀一を見つめた。

秀一は、あくびを嚙み殺した。

どん、と机を叩く音が、取調室に響く。浅野刑事が、怒りの形相で、こちらを睨みつけていた。

「残念ながら、このときには、こうした不審点が何を意味しているのか、わからなかった。そのため、睡眠中の突然死として処理されてしまった。かえすがえすも、残念だよ。この時に真相がわかっていれば、第二の殺人を防ぐことができたのに」

「真相？」

「ただ、検死官の野間警視だけは、最初から、殺人の可能性が高いという意見だった」

秀一は、衝撃を受けた。検死官というのは、あのときにちらりと見た皺（しわ）だらけの爺（じい）さんだろう。だが、なぜ、そう思ったのだろうか。

しかし、すぐに気を取り直す。結局、その意見は通らなかった。ということは、どっちみち、たいした根拠に基づいていたわけではない。

「すべてが一本の線で繋（つな）がったのは、石岡拓也の遺品の中から、これが発見されてからだ」

山本警部補は、床に置いてあった段ボールの中から、大きなビニール袋に入った物体を取りだした。

一目見た瞬間、秀一の心臓は跳ね上がった。そこには、二股（ふたまた）に分かれた先に、それぞれ、充電用プラグとミノ虫クリップが付いた電気コードが入っていた。

「見覚えがあるだろう？」

「……いいえ」

声が掠れているのを自覚する。

「そうか? それは、おかしいな……。まあいい。これが見つかったことで、曾根氏は、およそ今までに例を見ないような方法で、殺害された可能性が高まった。つまり、電流によって、人為的に心室細動を引き起こされたのではないかということだ。感電死の場合は、特有の火傷の痕が残ることが多いが、一緒に見つかった物の中に、これがあった」

山本警部補は、小さなビニール袋を出した。中身は、見なくてもわかっていた。

「医療用の鍼だ。これを体に刺して通電すれば、痕は、ほとんど残らない」

山本警部補は、表情こそ変えなかったが、声は、しだいに、低く無機的なものに変わっていった。

「それで、血圧計の謎にも、ようやく答えが出た。なぜ、記録された血圧が、ほぼ正常値だったのか。130を145で割った答えと、94を105で割った答えは、どちらも、ほぼ0・9になる。それで確信できた。曾根氏は、睡眠中に、何者かによって血圧を測定されたということが。睡眠時の血圧は、通常、起きているときの90%になるというのが定説だからね」

秀一は、シャツの喉元を弛めた。狭い部屋に三人が詰め込まれているため、ひどく暑く、息苦しい。それに、空調もきちんと利いていないようだ。三人とも、他人が吐き出した空気を呼吸しているのだ。二酸化炭素が、部屋中に充満している。無性に、外の新鮮な空気が吸いたかった。

「それで、もう一つの謎も解けた。なぜ、曾根氏の腕には、血圧計の腕帯の跡が、あれほど強く残っていたのかが。おそらく、犯人は、電流によって曾根氏の心臓を機能停止させてから、もう一度血圧を測ったんだ。その時点では、血圧はゼロに近くなっているため、機械が何度も加圧を繰り返した。血流が止まったために、皮膚が押し返す力も弱まっていたんだろう」

秀一は、椅子の上でもじもじと座り直した。この事情聴取は、いつまで続くのだろうか。事情聴取とは言っているが、さっきから、この警察官が、一人でしゃべっているだけだ。いつまで聞いていればいいのか。まさか、晩飯も、ここで食べなきゃならないなどということはないだろうな……。

「さらに、疑問は、芋蔓式に氷解していった。曾根氏の脚にあった発赤は、鍼を刺して、通電した痕なのだろう。さらに、それによって、なぜ、脱糞していたのかも説明がついた。これは、どういうことか、君にもわからないだろう？」

秀一は、首を振った。

「足三里というのはね、胃腸の蠕動運動を活発にするツボなんだよ」

なるほど。わざわざ、ツボを選んだりしたのは失敗だった。余計なことをしてしまったらしい。だが、しょせんは、どうでもいいことだ。そんなことは、決め手にはならない。

「君は、白いきれいな歯をしているね。もしかして、虫歯は、一本もないの？」

秀一は、質問されていることに、しばらく気がつかなかった。

「……ありません」

「そうか。羨ましいな。僕も、歯質は丈夫な方だが、タバコのヤニで茶色になっちゃってるからね」

何だ、この男は。秀一は、うんざりした。いったい、何を言ってるんだ。

「すると、これまで、歯医者に行ったこともないわけだ?」

「ありませんね」

秀一は、素っ気なく言った。そんな下らない世間話はやめて、さっさと、この茶番を終わらせてくれ。

「最初に、曾根氏が亡くなっている現場に足を踏み入れたとき、ある物体が床に落ちているのを発見した」

山本警部補は、また、ビニール袋を取りだした。掌の中に隠しているので、何が入っているのかは、こちらからは見えない。

「最初は、なぜそんな物が落ちたのか、想像の外だった。石岡拓也の遺品が見つかって、すべてが一本の流れで説明できるようになってから、これが、最後のミッシング・リンクであることがわかったんだ」

山本警部補は、手の中に握っていた小さなビニール袋を、秀一に見せた。

そこには、鈍い銀色に光る、小さな物体があった。

人の奥歯に被せる、銀冠だ。

「これが、そもそも、野間検死官の疑惑を招くことになったんだ。科警研で調べてみると、表面には、きわめて微細な引っ掻き傷があることがわかった。その傷は、こちらのコードに付いている、大きい方のクリップと、ぴったり一致したんだ。さらに、クリップの歯の部分からは、極微量の銀の合金の原子が検出された」

なぜだろうと、秀一は考えていた。

どうして、銀冠が外れたのか。

あのとき、それほど乱暴に扱った覚えはない。

はっと思い当たることがあった。取り外すとき、たしかに一度、手が滑って、いったん開きかけたクリップで、銀冠を強く挟んでしまった。

だが、銀冠というのは、その程度の圧力で、外れるものだろうか。それでは、日常の用に供することなど、できないのではないか。

じっと銀冠を凝視している秀一の表情を見て、山本警部補は、疑問を読み取ったようだった。

「僕は、蜂蜜が大好きでね」

秀一は、聞き間違いかと思って、山本警部補の口元を見つめた。いったい、何の脈絡があるというのだろう。

「朝は、よく、トーストにバターと蜂蜜を塗って食べる。そうすると、頭が、しゃきっとするんだ。ところが、女房のやつが、蜂蜜の瓶を冷蔵庫の中にしまっておくもんだから、ときどき、蓋(ふた)が固くて開けられないことがある。そんなとき、君ならどうする?」

瓶の蓋が固くて開かなければ、熱湯につけるだろう。秀一は、ぼんやりと、そう思った。

ゆっくりと、理解が兆していく。

そうか……そうだったのか。

頭の中に、公式が浮かんだ。

『Q＝IVt』

これが、『電撃作戦(ブリッツ)』を思いつくきっかけだった。参考書にあった説明は、はっきりと覚えている。

『導体に電流が流れたとき、熱が発生する。これを、**ジュール熱**という。導体の両端の電位差がV［V(ボルト)］であるとする。ここを1［C(クローン)］の電荷が通過すると、V［J(ジュール)］のエネルギーを、熱運動エネルギーの形でイオンに与える。電流がI［A(アンペア)］だとすると、t秒間に流れる電気の量はIt［C(クローン)］になる。したがって、与えられる熱エネルギー、つまり、ジュール熱Qは、Q＝IVtの式で表される』

曾根の奥歯から左脚まで電流を流した際に、ジュール熱が発生した。そのため、銀冠がわずかながら熱で膨張し、結果、小さな衝撃によって、簡単に外れてしまったに違いない。

自分の迂闊（うかつ）さを呪いたくなった。よりにもよって、『物理ＩＢ』の教科書にある知識とは。

法医学の本を研究して、最も気をつけなければならないのは『熱』だと、わかっていたはずなのに……。

「秀才にしては、ケアレスミスだったかな。君が知らないのは無理もないが、保険診療の銀冠（クラウン）っていうのは、わりと外れやすいものなんだ。一、二年に一回は、必ず、付け直してもらうという人もいるよ」

秀一は、かすかに唇を歪（ゆが）めたが、笑うことはできなかった。立て続けに痛打を喰（く）らったボクサーのように、頭が朦朧（もうろう）としかけていた。完璧（かんぺき）だと信じていた計画が、こうも簡単に白日の下にさらけ出されたことは、言いしれぬショックだった。

「君は、物事を論理的に判断して、行動するタイプだと思った。だから、あえて、こちらの手の内を明かすことにした。ふつうなら、こういうやり方はしないんだがね。君なら、もう、判断がつくはずだ。二件とも、君が犯人であることに、疑いの余地はない。君は、曾根隆司氏を感電死させた。そして、そのことを知って脅迫してきた、石岡拓也をナイフで刺殺した。そうだね？」

山本警部補は、畳みかけるように言った。

秀一は、喘（あえ）いだ。言葉が、出てこない。

「どうなんだ？」

答えようとしたとき、浅野刑事が怒鳴った。

「さっさと、答えろ！　お前がやったんだろう？」

秀一は、はっとした。もしかすると、まだ、勝負はついていないのかもしれない。そうでなければ、これほど、自白を欲しがるわけがない。

そうだ。証拠だ。山本警部補は、たしかに、完全犯罪を白日のもとに暴いて見せた。だが、それを証拠立てるものは、何もないではないか。

「僕がやったという……」

「ん？」

「僕がやったという、証拠はあるんですか？」

「これだけの物証があって、まだ、不足なのか？」

山本警部補は、大小のビニール袋に入った物体を指さして見せた。

「たしかに、今、説明されたとおりの犯罪が、実際に行われたのかもしれません。でも、それと僕を結びつけるものが、何かありますか？　その電気コードは、石岡の遺品から見つかったんですよね？　だったら、曾根を殺したのは、石岡だと考えるのがふつうじゃないですか？　曾根が死んだ時間、僕には、アリバイが……」

「君には、アリバイなどない。それは、わかってるはずだ。君は、美術の時間、教室から外へ出ていた。自転車なら、その間に学校から自宅まで往復するのは、充分可能なはずだ」

　浅野刑事が、横から何か言いかけたが、山本警部補が手で制した。

「君の級友である大門君は、我々の事情聴取に対して、君があの日、江ノ電で通学したと証言している。電車の中でも、ずっと一緒だったと。それから、君のガールフレンドは、美術の時間中、君が間違いなく校庭にいたと明言した。美術室の窓からはっきり見えたし、途中で一度、降りていって雑談したとも言っていた。だが、どちらの証言も矛盾だらけな上に、君を庇おうとしているのは明白だ。裁判では通用しないよ」

　山本警部補は、秀一の肩に手を載せた。

「二人とも、君に頼まれたわけではなく、自発的に偽証しているのはわかってる。そんないい友達に、これ以上、嘘をつかせてもいいのか？　ん？」

　とても、信じられなかった。自然に、目頭が熱くなる。愕然とさせられるのは、今日、いったい何度目だろうか。だが、今回の驚きは、いままでのものとは、質が違っていた。

「君は、本当に、いい友達に恵まれてるじゃないか？　笈川君も、最初のうちは、君に酒など売ったことはないと、頑強に否定していたよ」

　山本警部補は、秀一の肩を叩いた。

「君と、二つの事件を結びつける物証はね、実は、ここにある」

　山本警部補は、コードの入ったビニール袋をつまみ上げた。充電用クリップを指さす。

「何か、なくなってると思わないか？」

秀一は、目を凝らした。そうすることが、相手の疑惑を肯定することだとわかっても、そうせずにはいられなかった。気がついて、あっと声を上げそうになり、秀一は口をつぐんだ。

山本警部補はうなずき、もう一つの、小さなビニール袋を掲げて見せた。中には、途中を何ヵ所か切り刻まれた、赤い絶縁テープが入っている。

「君がこのクリップに巻いていた、ビニールテープだよ。外側はきれいに拭き取ってあったが、テープの裏側から、君の指紋が検出されている。もっとも、基準となる君の指紋は、こっそり採取したものだからね。このままでは証拠能力はない。だが、あらためて君から指紋を採り、照合さえすれば、何もかもはっきりするはずだ。……どうする?」

秀一は、何度か、息を呑み込んだ。しゃべろうとはするのだが、何かが込み上げてくるために、なかなか言葉が出てこない。山本警部補は、その様子を、辛抱強く見守っていた。

「少しだけ、時間をもらえませんか?」

ようやく、秀一は、唇から言葉を発することができた。

「どういうこと?」

「明日の午前中、時間がほしいんです。午後には、出頭して、何もかもお話しします」

山本警部補は、真意を確かめるように、秀一の目の中を覗き込んだ。

「ふざけるな! 今さら、往生際が悪いぞ!」

浅野刑事が、居丈高になって怒鳴る。山本警部補は、苛立たしげに手を振って、黙らせた。

「何をしたいのか、言ってくれるかな？」

　秀一に向かって、優しく訊ねる。

「お別れを、言いたいんです。……ある人に」

「本当に、それだけか？」

「はい」

「わかった」

　山本警部補が、あっさりとそう答えると、浅野刑事は、驚いたように「係長！」と叫んだ。

「君を信用しよう。だから、君も、我々の信頼に応えてくれるよね？」

「はい……」

　声が詰まって、それ以上、しゃべることができなかった。秀一は、山本警部補に向かい、頭を下げた。

第十一章　海を渡る風

秀一は、足を止めた。

家の前には、黒山の人だかりができていた。狭い道に、傍若無人に止められた車の列。映画のロケ現場を思わせるような、ライトの集中砲火。

「こちら、事件の容疑者である、K少年の自宅前から中継しております。ご存じのように、この事件は、二人の人間を、冷酷非情な方法で殺害するという……」

夕暮れ時であり、空には、たくさんのカラスが舞っていた。まるで、獲物を狙う禿鷹（はげたか）のような不穏な動きだった。

事件の発覚以来、櫛森家の前は、ワイドショーのレポーターらで、ごった返している。狭い道に、我先にと車を止めるため、周辺の家ともトラブルが頻発しているようだ。

大勢の野次馬も、集まっていた。新聞報道では、未成年のため、匿名の扱いだったが、ネット上では、櫛森家の住所や、電話番号、家族構成などが暴露されたサイトが、雨後の竹の子のように生まれていた。秀一宛には、非難や悪戯（いたずら）のスパム・メールが無数に殺到したため、プロバイダーの鯖（サーバー）は破裂してしまい、腹を上にして、水面をぷかぷかと漂っている。

もう、学校へ行くこともできない。公の場で裁かれる前に、マスメディアによる制裁を受けて、すべてを失ってしまったのだ。

玄関の前では、一人の女性レポーターが、強引に遥香にインタビューしようとしているところだった。家に入ろうとする遥香の行く手を阻み、腕を引っ張って、無理やり事件のことを聞き出そうとしている。

「事件のことを聞いて、どう思いましたか？」

「お兄さんは、どんな人ですか？」

「昔から、小さな生き物を殺したりしていませんでしたか？　蜘蛛を殺したり、カエルを殺したり、鳩を殺したり、猫を殺したり、犬を殺したり……？」

「あなたは、お兄さんが、人殺しだと思いますか？」

「最初に殺されたのは、あなたのお父さんだというのは、本当ですか？」

「お兄さんに、お父さんを殺された今、あなたは、どんな気持ちですか？」

矢継ぎ早の残酷な質問に、遥香は泣いていた。だが、レポーターは、さらに追い打ちをかけるように、顔にモザイクをかけて、声も変えるから、テレビカメラの前で証言しろと迫っていた。

泣きじゃくる遥香を助けようと、友子が、必死に人混みを掻き分けて近づいた。だが、結果は、友子もまた、別のレポーターらによって、もみくちゃにされるだけだった。

激怒が、青い炎となって秀一の全身を包んだ。

ゆっくりと騒ぎの渦中に近づいていく。遥香が、一足先に気づいて、「お兄ちゃん！」と叫んだ。

遥香をいたぶっていた女性レポーターが、驚いたように振り返った。視聴者サービスのつもりなのか、胸元が大きく開いた変なスーツを着ている。テレビカメラも、いっせいにこちらを向いた。脱獄囚を照らし出すように、眩いライトが、四方から浴びせかけられる。さらに、無数のフラッシュが焚かれ、シャッター音が、いつまでも、嫌らしい虫のように囀り続けた。

全員が、秀一に向かって押し寄せてきた。

正義と良識を代表する女性レポーターは、眉根を寄せて、秀一に迫った。

「あなたが、問題の、K君なんですか？」

「たぶん、そうですね」

「たぶんって、どういうこと？　あなたには、二件の計画殺人の容疑が、かかってるんでしょう？」

「え？」

「それは、質問ですか？」

「容疑のあるなしだったら、警察で聞いてください」

「そんな……！　あの、あなたねえ、少なくとも、あなたのクラスメートが一人、尊い命を失ってるんですよ？　それに対しては、やはり、もう少し、厳粛な態度をとというかですね……！」

女性レポーターは、ヒステリックな調子で、喚き始めた。秀一は、右手で、バッグの中をまさぐっていた。冷たい、石のような柄の感触。懐かしい、ガーバーのマークII……。

「だいたい、あなた、人の命をどう思ってるんですか？」

「ずいぶん、哲学的な質問ですね」

「そうですか。わかりました。あなたがそういう態度なら、こちらも、はっきり聞きます！　あなた、石岡拓也君を、ナイフで刺しましたよね？　そのことは、間違いないですよね？　教えてください。いったい、どんなふうに刺したんですか？」

「どんなふうに、ですか？」

秀一は、女性レポーターの鎖骨から下へ向かって視線を走らせていた。ちょうど、乳房の膨らみの、付け根あたりだろうか。第四肋骨と第五肋骨の間は。右手が、バッグの中で、静かにナイフを鞘から引き抜く。

「こうやったんですよ」

秀一は、接吻するときのように、左手で女性レポーターの首をつかんで、引き寄せた。大きく開いた胸元にマークIIを突き刺すと、深々と心臓まで貫く。

再び、フラッシュとシャッター音が、嵐のように、いっせいに沸き起こった。それは、万雷の拍手のように、いつ果てるともなく続いた……。

目を開けても、しばらくは、動悸がおさまらなかった。今の夢は、いったい何だったのか。

ありうべき未来を、デフォルメした形で提示したもの……。だが、あの、全身が顫えるような怒りの衝動は何だったのだろう。

ゆっくりと歯を磨きながら、秀一は、大門の言葉を思い出していた。

一度火をつけてしまうと、瞋りの炎は際限なく燃え広がり、やがては、自分自身をも焼き尽くすことになる……。

自分は、まだどこかで、自覚のない、激しい怒りにとらわれているのかもしれない。

だが、だとすれば、それは、何に対してのものか。

朝食の席では、みな、言葉少なだった。腫れ物に触るような態度というわけではないが、今まで以上に、お互いに対する思いやりの情が伝わってきた。三人とも、心の中に大きな苦しみを抱えながら、それを表に出さないよう、懸命の努力を続けているのだ。

「ちょっと、学校へ行ってくるよ」

秀一が、そう告げると、友子は、とうとう、心配な表情を隠せなくなってしまった。

「学校って、何しに行くの？」

「ちょっと、友達に会うんだ」

「お友達……？」

「福原紀子だよ。この前、うちに来てただろ？」

「ああ、あの、きれいなお嬢さんね」

「昼までには帰るから。昼飯は、うちで食べるよ。午後からは、また、警察に行かなきゃならないから」

「そうね。お昼ご飯、何がいい？」

「何でもいいよ。いや……そうだな、スパゲッティとか、そういうものがいいかな」

「わかったわ」

友子は、ほっとしたようにうなずいた。かすかに、胸の奥が疼く。

ロードレーサーにまたがったとき、遥香が、後ろに来て言った。

「お兄ちゃん。あの人に、会いに行くんでしょう？」

「……お前、勘がいいな」

「ううん。昨日の晩、電話してるの、聞いちゃったから」

遥香は、寂しげな笑顔になった。

「わたし……あの人、お兄ちゃんと、すっごくお似合いだと思うよ」

「へえ。お前は、紀子のこと、嫌ってると思ってたけどな」

「嫌いだったよ。前は。……お兄ちゃんを、取られると思ったから」

「じゃあ、今は、どうして？」

「お兄ちゃんには、やっぱり、あの人が必要だよ」

秀一は、胸を締めつけられるような気がした。

あれ以来、遥香は、自分が曾根を殺したかどうか、一度も聞こうとはしなかった。自分が遥香の立場だったら、そんな宙ぶらりんの状態に、いつまで耐えられるだろうかと思う。にもかかわらず、遥香は自分のことを気遣ってくれる。

「俺には、遥香も、必要だよ」

「本当？」

「嘘言って、どうする？」

「うん」

「……じゃあ、行ってくるな」

「お兄ちゃん」

遥香が、呼び止めた。

「何だ？」

「お昼には、帰ってくるんだよね？」

「ああ。昼飯は、みんな、一緒に食べよう」

「うん。じゃあ、行ってらっしゃい」

「おう」

秀一は、遥香に見送られながら、ロードレーサーをスタートさせた。

空は、青々と晴れ渡っていた。天高く半透明の高積雲がたなびき、さらにその上空には、房状の巻雲も見える。長かった梅雨は、ようやく明けたばかりだったが、すでに本格的な夏の日射しが、じりじりと照りつけてきた。

まだ午前中だというのに、134号線は、行楽客の車で渋滞していた。小動から七里ヶ浜までは路肩を走り、止まっている車の間をすり抜けて、海側に出た。

振り返ると、江の島の向こうに、富士山がくっきりと聳え立っていた。例年なら、湿度の高いこの時期に見えることは、ほとんどない。秀一はロードレーサーを止め、しばらく、秀峰の姿に見入った。まるで特別な日に対する、天からの贈り物のような気がした。

再び、美しく舗装された歩道を走り出してからも、あたりの景色を、ゆっくりと味わうように眺める。毎日通学しながら、一度も、こんなに余裕を持って見たことはなかったと思う。

『ブリッツ』を決行した日のことを思い出す。学校と自宅を往復する際、周囲のものは、何一つ、目に入らなかった。世界は、まるで白黒のフィルムのように、色褪せていた。

それが、今は、なぜ、こんなに美しく見えるのだろうか。前途には、もはや何も待っていないというのに。

海からの風が肌に心地よかった。この時間に吹いているのだから、単なる海風ではなく、白南風や真風などと呼ばれる季節風かもしれない。だとすると、遠く太平洋を渡ってきたのだろうか。灼熱の太陽に照らされた、広漠とした海面を撫でながら。そう思うと、いつも以上に、たっぷりと潮の香りを含んでいるような気がした。

そして、風は、長い旅を終えようとしている。

稲村ヶ崎では、たくさんのサーファーたちが海に出ていた。互いに衝突する危険はないのだろうか。もしかすると、神崎さんもあの中に混じっているかもしれない。そう思って目を凝らしてみたが、見分けることはできなかった。

『ハート・トゥー・ハート』鵠沼店は、事件以来、閉店していた。拓也の死に関して、特に、店側に手落ちがあったわけではない。だが、労働基準法に違反して、十七歳の秀一を深夜勤務に就けていたことなどが問題視されたため、オーナーの富永夫妻も、とうとう店を畳む決心をしたらしかった。

ある意味では潮時だったのかもしれないが、サーフィンに人生を賭けている神崎さんにとっては、貴重な働き口が失われてしまったことになる。いろいろと世話になっておきながら、最後に大きな迷惑をかけてしまい、申し訳ない気持ちでいっぱいだった。

秀一のロードレーサーを追いかけるようにして、たくさんのカラスや鳶が飛んでいた。

前方に由比ヶ浜が見えてきた。梅雨明けを待ちかねていた海水浴客で、すっかり混雑している。近年高まりつつある紫外線への恐怖からか、ビーチパラソルの下に引っ込んで、イスラム教徒のように、厳重に肌を覆っている女性が目立った。

相変わらず渋滞している車の間を抜け、もう一度、道路の山側に戻った。シーサイド・パレスホテルの横を通ると、半ば条件反射的に加速してしまう。

今までに、いったい何度、この道を走ったことだろうか。

だが、それも、これで走り納めだ。

鎌倉海浜公園の横を通って、左折した。

右前方に、由比ヶ浜高校のベージュ色の校舎が現れる。それを目にしたときには、胸の奥を衝かれるような、複雑な思いが去来した。

テニスクラブの横を通過すると、再び、『ブリッツ』を決行した日の朝の記憶がよみがえった。

朝からずっと、激しく打ち続けていた心臓の鼓動。そして、祈るような思い。何もかも、うまくいきますように。もう一度、平和な朝が、取り戻せますように。

結果として、祈りは、天に聞き届けられなかった。完璧だと思った計画は、信じられないほどあっさりと破綻を来し、これから、その酬いを受けなければならない。

心の中にまだ存在する迷いを打ち消すように、秀一は、ペダルに力を込めた。

夏休み中とあって、当然ながら、あたりに生徒の姿はない。だが、クラブ活動のためか、校門は開けられていた。

秀一は、自転車置き場に、頭から突っ込むようにして、ロードレーサーを乗り入れた。鉄製のバーと自転車のフレームとを、チェーンでしっかり繋ぎ止める。それは、まるで、学校と自分との間に存在するはずの絆を確かめる、儀式のようだった。

時計を見たが、約束の時間までには、まだ間があった。秀一は、少し、学校の中を見て回ることにした。

毎日、当たり前のものとして見てきた風景。それが、突然、たとえようもなく懐かしく、愛(いと)しいもののように映る。これでお別れだという意識が、そうさせるのだろうか。

ひとしきり、校庭や、校舎の間を散策してから、建物の中に入った。

打ちっ放しのコンクリートの上に、スチール製の靴箱の並んだ、殺風景きわまりない玄関。エネルギーに満ち溢(あふ)れた生徒たちが、どんなに激しく駆け上がったり飛び降りたりしても、びくともしない、石造り風の階段。片側に背の低いロッカーを置いているために、ひどく狭苦しくなった廊下。毎年、多くの生徒を迎え入れ送り出してきた、思いの残滓(ざんし)のようなものがこびり付いている、薄暗い教室。

それぞれの場所を、網膜にしっかりと焼き付けるように再確認する。

今日は、自分一人のための、一足早い卒業式のつもりだった。

本来は、三年あるはずの高校生活が、わずか一年と一学期で終わりになるとは、夢にも思っていなかった。

あっという間だった。一年生のときは、自分なりに、充実したスクール・ライフを楽しむことができたと思う。二年生になると同時に、紀子と再会を果たすことになった。今から思えば、あの瞬間に、自分は、紀子に恋をしていたのかもしれない。

だが、時を置かずして、曾根が現れた。家族全員の幸せを破壊する、疫病神が。

それ以降は、家族を守るために、無我夢中で戦ってきた。そして、突然の終焉(しゅうえん)である。

もう二度と、この場所に戻ることはない。

秀一は、物思いに沈みながら、階段を上った。約束の時間まで、一時間近く残っている。

てっきり、まだ紀子は来ていないだろうと思っていた。がらがらと音を立てて、美術室の引き戸を開ける。

紀子は、そこにいた。イーゼルを持ち出して、新しい絵を描いている。

秀一は、キャンバスに目をやった。鬱蒼（うっそう）と生い茂った木々の間の細い道を、赤い風船を持った女の子が歩いている絵だった。これまで、明るい色彩ばかりを多用していた彼女の絵には珍しく、暗く幻想的なイメージに満ちている。どことなく、シャガールを思わせた。

秀一は、しばらくの間、立ったまま、紀子の後ろ姿を見つめていた。

「……早かったね」

紀子が、向こうを向いたまま、腕時計に目を落として言った。

「そっちこそ」

「わたしは、この絵を仕上げたいって思ってたから」

「熱心だな」

「幽霊部員の、誰かとは違うわよ」

パレットの上で、油絵の具を混ぜ合わせては、少しずつ試しながら、キャンバスに塗っている。

「何の絵だ、それ？」

「『櫛森（くしもり）』っていう題にしようかと思って」

「え？」

「櫛みたいに密生した、暗い森の中で、女の子が、迷子になってるとこ」

「……いい絵だな」

「ありがとう」

秀一は、入り口の戸を閉めて、紀子のすぐ後ろに行った。彼女は、絵に視線を向けたままだった。

「どうして、警察に、嘘をついたんだ？」

秀一が訊ねると、紀子は、ぴたりと筆の動きを止めた。

「友達を売るような真似は、したくなかったから、かな」

「大門も、同じかな？」

「たぶん、そうじゃない？」

再び、紀子は、キャンバスに絵筆を走らせる。木漏れ日が、暗い地面に黄色い光の点を作っている。

「でも、あいつは、どうして状況がわかったんだろう……？」

「察したんでしょ。わたしと一緒だったから」

「一緒？　二人同時に、警察に尋問されたのか？」

「尋問ってほどのもんじゃないけどね。たぶん、向こうとしては、二人一緒の方が、嘘をつきにくいって考えたんじゃない？　まさか、あうんの呼吸で結束するとは、思ってもみなかったみたい。あの、偉い方の警官、何だっけ？」

「山本警部補？」

「そうそう。あの顔、傑作だったわ。あてが外れたみたいで」

「でも、お前たちの話は、矛盾だらけだって、言ってたぞ」

「そうかもしれない。わたし、誰かみたく、嘘つくの上手じゃないから」

「……大門は、もっと下手だったろうな」

「彼はね。もう、緊張して、嘘ついてるの、バレバレだったわ」

「あいつは、何しろ、昔から『無敵』だったからな」

紀子は、くすっと笑った。

「君みたいに、まわり中、敵だらけなのよりいいわよ」

「当面の敵は、警察だけだ」

「あとは、みんな、消しちゃったから？」

紀子は、冗談めかして言った。

「ああ」

彼女は、暗いグリーンの絵の具を混ぜ合わせると、キャンバスに塗り始めた。

「今日は、どうして、呼び出したの？」

「うん。お別れを言おうと思って」

一番口にするのが難しいと思ったセリフだった。だが、紀子の淡々とした受け答えのおかげで、ごく自然に言うことができた。

「お別れ？」

「ああ」

だが、それを説明する言葉は、なかなか出てこない。しばらくたってから、紀子が沈黙を破った。

「君は、本当に、二人の人を殺したの？　曾根っていう人と、石岡くんを」

「ああ」

「どうして？」

「ほかに、どうしようもなかった」

「それじゃあ、わからないわ」

秀一は、溜め息をついた。

「曾根は……うちの母親の、離婚した夫だった。最低の屑だ。もう、関係ないはずなのに、うちに入り込んできて、何もかも、めちゃくちゃにしようとしていた。あいつのせいで、家族全員が不幸のどん底に突き落とされようとしていたんだ」

「誰かに、相談できなかったの？　警察とか、弁護士とか……」

「したさ。警察は、今度みたいに、事件にならないと動いてくれないけど、弁護士さんに相談に行った。弁護士さんは、依頼さえあれば、すぐに動いてくれるって言ってた」

「どうして、依頼しなかったの？」

「あの男に、弱みを握られてたりしたんだ。……遥香のことで。あと、母親は、俺を殺すと、脅迫されてたらしい」

紀子は、それ以上は、立ち入らなかった。

「それで、あの日、美術の時間に抜け出して、その人を殺しに行ったの？」

「ああ。そうだ」

「じゃあ、あのキャンバスは？　あれは、その時間中、絵を描いてたように見せかける、トリックだったわけ？」

そういいながら、紀子は、当惑したような微笑みを浮かべた。

「トリックなんて……。こんな、推理小説みたいな言葉を使って、現実に会話をすることがあるなんて、思いもしなかったわ」

「そうだな……あれは、たしかにトリックだったよ」

「だったら、キャンバスを張り替えたのは？　あれも……」

「そうだ。お前が木枠に落書きをしてたから、絵をすり替えたことをごまかそうとして、やったんだ」

「あの後、君が説明したことも……あれも、嘘だったの？」

「ああ」

紀子は、一瞬、声を詰まらせた。

「じゃあ、わたしが好きだっていうのも、嘘？」

秀一は、窓から外を眺めた。人が、どんなにやりきれない気持ちでいるときでも、空は、一点の曇りもなく晴れ渡っている。

「ああ。嘘だ」

そう言ってから、目をつぶった。

紀子は、しばらくの間、押し黙っていた。秀一が口を開こうとしたとき、掠れた声で、質問をした。

「……石岡くんは、どうして？」

「あいつは、俺が曾根を殺した証拠を握って、強請ってきたんだ」

「……そう」

それっきり、会話が途切れた。秀一が振り返ると、紀子は、右手に絵筆を持ったまま、
ぼんやりと気抜けした様子で、椅子に座っていた。

これ以上、彼女を見ているのは、辛かった。だが、まだ、大事な用が一つ残っている。

秀一は口を開こうとした。すると、紀子が顔を上げた。

「はい、これ……」

何かを握って、差し出す。

「これを、取りに来たんでしょう？」

ゆっくりと、白く細長い指を開く。彼女の掌の上に載っていたのは、絵の具のチューブ
だった。ラベルに書かれた文字は、見るまでもなかった。

『オキサイド・オブ・クロミウム』……。

「どうして……？」

そう言うのが、精一杯だった。

「この絵を見てよ」

秀一は、あらためて、鬱蒼とした森を描いた絵を眺めた。全体を支配している色調は、緑だった。ほとんど黒に近い、暗緑色から、かろうじて緑とわかる薄い色まで。そして、『オキサイド・オブ・クロミウム』は、灰色に近い緑色である。

「その色を、使ったのか？」

紀子はうなずいた。目に涙をいっぱいに溜めている。

「ピンポーン。最近、少し画風が変わったから。今まで、ほとんど使ったことのない色を試してみるようになったの……」

涙のせいか、語尾は少し不明瞭になった。

彼女の色使いを変えたのは、裏切られたことによる心の傷だろう。そして、結果として、さらに彼女を傷つけることになってしまった。自分が、小賢しい策を弄したばっかりに。

「使ってみれば、さすがに気がつくわよ。いくら、わたしが馬鹿でも。ほかのチューブと比べれば、少しだけど重いし、一度も使ったことないはずなのに、口のとこが汚れてたし、それに、チューブを横から押したとき、固いものの手応えがあったから……」

「そうか」

「こんなことするのって、君しか、考えられないからね。一応、引っぱり出してみたわ。

どうせ、わたしへのラブレターとか、そういうもんじゃないとは、わかってたんだけど。これって、ロッカーか何かの鍵よね？」

秀一は、答えることができなかった。

「いいわ。もう、聞かない。ちゃんと、元通りにしといたから。じゃあ、たしかに、返すね」

紀子の声は、泣き出すのを懸命に堪えているように、震えていた。

秀一は無言のまま、受け取った。

掌に載せた、ちっぽけな『オキサイド・オブ・クロミウム』のチューブには、千鈞の重みが感じられた。

山本警部補は、物証は充分だと言っていたが、あれは嘘だ。そうでなければ、あれほど自白を欲しがるわけがない。昨日にしても、自信があるなら、任意の取り調べなどせずに、いきなり逮捕してもよかったはずだ。今日の午前中、時間をくれたのも、へそを曲げられるのを恐れていたふしがある。つまり、まだ、こちらにも、チャンスが残っているのだ。

だが、このチューブの中に入っている鍵を見つけられたら、今度こそ、万事休すとなる。ダミーナイフが見つかれば、ナイフが二本あったという、山本警部補の空中楼閣のような仮説も、とたんに信憑性を帯びるだろう。

秀一は、紀子を見た。

涙が、頬を伝っている。込み上げる嗚咽を我慢しようとして、健気に口を引き結んでいるが、肩が震えるのは、どうしようもないようだった。

秀一は、慚愧した。

自分は、彼女の好意につけ込み、利用することしか考えなかった。そして、その結果が、これなのだ。

「じゃあ、俺、行くから。……悪かったな、呼び出して」

それだけ言うのが、精一杯だった。美術室の戸を開けると、後ろから、紀子が言った。

「どうするの？」

「えっ？」

「自首するつもり？」

秀一は、右手に握り締めた絵の具のチューブに目を落とした。もう、たくさんだと思う。

これ以上、嘘をつくのは。嘘を重ねるたびに、誰かを傷つけていくのは。

だが、最後に本当のことを言いたいと思ったときに、それが許されないというのは、何という皮肉だろうか。

「俺は、二人も、人を殺したんだよ。だからさ、その酬いは、受けなくちゃならないだろう？」

後ろを向いたまま、慎重に言葉を選んで言った。

「俺のことは、もう、忘れてくれ。こんなひどい人間にかかわったのが、不運だと思って」

「そんなことないよ」

紀子の声が、追ってきた。

「え？」

秀一は、振り返った。

「君は、悪くないよ」

「紀子……」

「だって、ほかに、どうしようもなかったんだもん。何もかも、お母さんと遥香ちゃんを守るために、やったんでしょう？　だったら、絶対、悪くなんかないよ」

紀子は、溢れる涙をハンカチで拭いながら、微笑んでいた。

秀一は、驚きに打たれていた。今まで、騙され、利用されていたことがわかってなお、自分を許してくれるのか。

「警察になんか、捕まらないで！」

紀子は、叫んだ。

「君は、悪くないんだから！　遥香ちゃんや、お母さんのためにも、君は、捕まったりしたら、だめなんだよ……！」

一瞬、視界の中で、紀子の姿がぼやけて見えた。今の言葉で、最後まで揺れ続けていた心が、はっきりと決まったのを感じる。

「ごめん……俺は」

「あやまらなくてもいいよ。悪くないもん。わたし、証言するから。裁判でも、ちゃんと言うよ。君が、美術の時間、学校から一歩も出てないって。だから、平気だよ」

「紀子」

秀一は、深く息をつくと、彼女に歩み寄った。

「これ、やっぱり、記念に、お前が持っててくれ」

絵の具のチューブを渡す。

「櫛森くん……？」

「でも、中の鍵だけは、絶対に、誰にも見つからないようにしてくれ。いいな？」

「うん。でも……」

「頼む」

秀一は、紀子を見やった。腕の中に力いっぱい抱きしめて、キスをしてやりたいという思いに駆られる。だが、必死の思いで、自制した。

「……じゃあな」

紀子は、はっと顔を上げた。訴えかけるような目で、こちらに向かって、一歩を踏み出そうとする。

彼女の目の前で、秀一は、引き戸を閉めた。

階段を駆け下りる。踊り場で一瞬、振り返って見たが、美術室の戸は閉まったままだった。校舎の中はしんと静まり返っていて、何の音も聞こえない。悄然（しょうぜん）と立ちつくす紀子の姿が瞼に浮かんだ。

これでいい……。

そのまま駆け足で階段を下りると、自転車置き場に行って、チェーンを外した。いよいよこれで、最後だ。もう二度と、この学校へ足を踏み入れることはないのだ。

ロードレーサーにまたがり、ゆっくりとペダルに力を込めた。

美術室の窓を見上げたが、太陽がガラスに反射していて、彼女の姿は、見えなかった。

校門を出て、134号線へと向かう。

頭の中には、思考が渦巻いていた。

警察にすべてを告白した場合、辛い未来が待っていることは覚悟しなければならない。

昨日の晩、インターネットで調べたばかりの情報だった。泥棒やヤクザなどと同じ、代用監獄に入れられ、自殺防止のため、ズボンのベルトや眼鏡まで取り上げられる。手錠をかけられ腰縄を打たれて、取調室と房を往復する毎日。素直に罪を認めたとしても、取り調べは、今までとは比べものにならないくらい、厳しいものになるだろう。

殺人が、二件とも周到な計画に基づいていることが、相当、情状を不利にするであろうことは、わかっていた。何も考えずにナイフを抜いて人を刺すようなヤツの方が、まだ、可愛気があると見なされるのだ。家裁から逆送され、刑事裁判にかけられるのは、まず確実だったし、長期の刑に服さなければならない可能性は、極めて高かった。

過去の判例からすると、少年犯罪としては最も重い、懲役六〜八年の不定期刑が相場らしい。つまり、出所したときには、二十三歳から二十五歳になっている。まだ若いとも、言えるかもしれない。だが、本来なら人生のうちで最も輝かしいはずの時期を、塀の中で過ごすことになる。

その後も、人生のあらゆる局面において、様々な不利がつきまとうだろう。だが、それは、自分にとって、甘んじて受けなければならない罰なのだ。いかなる理由があったにせよ、二人の人間の命を奪った以上は、一生、十字架を背負っていかなければならない。

しかし……。

秀一は首を振った。

そのために、母や遥香までが、過酷な罰を受けなければならない理由が、あるのだろうか。

今朝見たばかりの夢を、思い出す。

事件は、血に飢えたマスメディアの好餌（こうじ）となり、センセーショナルに報道されるに違いない。

何しろ、現役の高校生が周到に計画し、実行した、連続殺人なのだ。過去に例を見ない出来事だろうし、周辺のあらゆることがニュース種となるだろう。学校の成績はどうだったのか。交友関係はどうか。近所の評判は。

そして、家族は……。

曾根と結婚していた母は、すべてのプライバシーを暴かれ、世間の下劣な好奇の目に曝（さら）

されることになる。そして、曾根の実の娘である遥香も……。

そんなことだけは、絶対に、許すわけにはいかなかった。

自分が、逮捕、起訴される前に、事件に幕を引くためには、被疑者死亡というシナリオしか残されていない。

今の段階では、警察、検察も、まだ、確実な証拠は得ていないはずだ。だとすれば、かんじんの被疑者が死んでしまえば、自白を得ることもできなくなるため、書類送検ぐらいで一件落着となる可能性が、きわめて高い。

その場合、遺族への影響を考慮して、おそらくメディアに対する発表も、行われないだろう。

もう、これしか、方法はないのだ。

秀一は、自分に言い聞かせた。汗の滲んだ掌をシャツで拭ってから、ロードレーサーのグリップを強く握り締める。

照りつける太陽の下、ロードレーサーは134号線を全力疾走する。潮風が、鼻腔の奥をいがらっぽくした。

不思議なくらい、恐怖は感じなかった。

ただ、これでやっと、苦しみから解放されるのだという思いがあった。

何も、愛する家族のために、我が身を犠牲にしようとするのではない。自らにとっても、これが、最も楽だというだけの話だ。俺は、自らの責任を回避し、安易な道を選ぶことにした。誰に文句を言う筋合いでもない。

紀子は、必ず、秘密を守ってくれるだろう。

風が頬をなぶり、道路と浜を隔てる柵（さく）が、飛ぶように流れていく。

海だけは、いつもと変わらぬ姿で、じっとこちらを見守っていた。

そろそろ、稲村ヶ崎だ。

大きく、息を吸い込む。

海を渡ってきた風のように、自分が、今、終着地点に達しようとしていることを思う。

さすがに、足が竦（すく）むようだった。目的を遂げようという意志を支えているのは、脳裏に燦（きら）めく青の炎だった。

……明らかな自殺ではなく、自殺とも事故ともつかないような状況。

坂の頂点を過ぎ、下りに入って、ロードレーサーは一気に加速する。

渋滞はしばらく前に解け、車は、順調に流れていた。

路肩から、左側の車線に入り、対向車を見定めた。

大型トラックだ。あっという間に近づいてくる。

秀一は、力いっぱいペダルを踏み込むと、固く目をつぶり、ハンドルを右に切った。

あとがき

この作品はフィクションです。背景として、実在の地名、企業名、商品名、学校名等が頻出しますが、登場人物及び舞台となる高校は架空の存在です。

また、作中における殺人方法は、あえて詳述しなかった理由により、ほぼ確実に失敗します。間違っても模倣などされませんよう、お願いいたします。


今回も、多数の書籍、ホームページを参考にさせていただきました。一部でも参照したものを加えると数が多くなりすぎるため、書名は、割愛させていただきます。

文学作品の引用等は、『新国語II』（角川書店）によるものです。


法的な諸問題については、東京中央法律事務所の村山裕先生より、ご指導をいただきました。ただし、作中に誤りが存在した場合、文責はすべて作者にあります。

また、現代の高校生について、成城高等学校の大川公一先生及び、現役高校生のみなさん、最近まで高校生だった方々からお話を伺うことができ、たいへん参考になりました。

湘南高校ＯＢの中村知史さん、鎌倉高校ＯＧの大塚菜生さん、関東学院高校ＯＢの宍戸健司さんからは、舞台となった場所について、THE EDGEさん、しんかい刃物店さん、江口正明さんからは、ナイフに関して、それぞれ、貴重なご教示をいただきました。

また、諸般の事情によって、ここではお名前を挙げることがかないませんが、Kさん、DosV/RのTさんの御二方からも、さまざまなご助言、ご助力をいただきました。

角川書店の立木成芳氏には、処女作以来、常に最良のパートナーとして、尽力いただきました。特に、今回は、作者と二人、レンタサイクルのママチャリに乗って、作中と同じ経路を同タイムで踏破するという無謀な試みで心臓死しかけ、五月二十七日の暴風の中での強行取材では、海へ吹き飛ばされそうになりました。

最後になりましたが、佐野洋先生にはお忙しいなか、素晴らしい解説を頂きました。

皆様には深く御礼申し上げます。

解説

佐野洋

まず最初に、「倒叙推理（探偵）小説」について解説する。こんど文庫化された貴志祐介さんの『青の炎』は、専門的にはこの「倒叙推理小説」に分類されるものであり、この小説を正当に評価するためには、「倒叙推理小説」についての知識が、必須であると考えるからだ。

昨年五月、評論・研究部門で、第一回〈本格ミステリ大賞〉を受賞した権田萬治・新保博久監修『日本ミステリー事典』では、倒叙推理小説について、つぎのような定義をしている。

> 普通のミステリーは、まず事件が起り、警察あるいは探偵役が捜査に乗り出し、犯人の行動や動機を推理して事件を解決する。しかし、倒叙もののミステリーでは、まず、前半で犯人が完全犯罪を計画する形であらかじめ手の内を明らかにする。その後、計画を実行し、それが成功したかに見えた時点で、今度は逆に警察や探偵の側が捜査を開始して、犯行を暴き、事件を解決する。つまり、ストーリーの展開の仕方が普通

のミステリーとまったく逆なので、倒叙とか、倒叙推理小説というわけである（この項の担当は権田萬治氏）。

また松本清張氏も、私との対談（松本清張対談集『発想の原点』）において、倒叙推理小説について、つぎのように言っている。

で、ぼくが倒叙形式が何故好きかと言うと、登場人物の心理が自由に書けるからなんです。推理小説で、それが謎解きであれば、その心理描写というのは、刑事あるいは探偵役が勝手に相手の犯人の心理を推測し、そして他のもっと即物的な証拠などを集めて来、そこから帰納して追及していくわけでしょう。そういうことだから、心理の描写をするところが少ないわけだよ。せいぜい探偵側の心理だけだよね。他の登場人物の心理を克明に描写したら、犯人や謎がバレてしまう。ところが、犯罪の動機、特にそれが殺人の場合だと、よほどの動機がないと出来るものではない。その人間の極限の状況を書こうとすれば、その人間の内面を探索することになるから、必然的に心理描写が不可欠となるわね。（中略）ドストエフスキーの『罪と罰』は推理小説ではないけれども、あの大学生のラスコーリニコフが金貸しの老婆を殺しに行く、あの動機と心理、ラスコーリニコフと検察官との一問一答、これは一種の〝心理試験〟的闘争だよね。ぼくはそういうものが、推理小説として書けないものだろうかと思った。

そうすると、それを書く方法として、特に短編の場合には倒叙形式が良いということになる。

本書の著者・貴志祐介氏も、この倒叙推理小説が好きだと、「倒叙型ミステリーへの危険な偏愛」（『オール讀物』二〇〇〇年二月号「偏愛読書館」）というエッセーに書いている。

しかし、貴志さんの場合は、清張さんが小説技法上の問題意識から、倒叙推理小説に傾いたのとは、多少事情が違うようだ。

そのエッセーによれば、貴志さんが倒叙推理小説に初めて接したのは、小学校時代で、学校の図書室でクロフツの『クロイドン発12時30分』を見つけ、何となく読み始めたところ、あまりの面白さに、最後まで読み通したのだという。

どこが面白かったのかというと、きわめて単純明快で、綿密な計画を立てて人を殺すというところである。

と、貴志さんは書いている。そして、それ以後、「憑かれたように倒叙ものに走った」のだそうだ。貴志さんが、そのエッセーに挙げた読書リストには、古今東西の名作倒叙推理小説が網羅されており、「憑かれたように」という表現が、決して誇張でないことを示している。

その倒叙推理小説への偏愛が昂じて、自らそのジャンルのものに筆を染めるに至った。それが、この『青の炎』ということになるのかもしれない。

古今東西の名作を読んだ上で、敢えて同じジャンルのものに挑むについては、作者に一つの決意があったはずだ。これまでの作品と同様なものであったら、単に「屋上屋を架す」に過ぎないわけで、何らかの意味で独創性、新しい試みがあるという自恃のもとに、挑戦に着手したと考えられる。

そう、『青の炎』には、たしかに新しい試みがなされていた。

ストーリーを割らない範囲で、それを指摘してみる。

まず、主人公が高校生であること。倒叙推理小説は、殺人を犯人の側から書くものであるから、主人公（犯人）のどろどろした欲望、野心などが扱われることが多い。勢い、このジャンルの小説の主人公は、世俗の垢にまみれた成人の男女ということになる。ところが、『青の炎』の主人公は、「さわやかな」と言いたいほどの高校生であり、ここに何よりの新しさがある（この小説を「青春小説」として読んだ人が少なくなかったのは、そのためであろう）。

次に、主人公の殺人動機。彼は、自分のためにではなく、自分が愛する人のために、殺人を思い立つ。言わば「優しさ」の殺人であり、これもこの小説のユニークな点である。

そして、このことから派生したことだが、「完全犯罪を志す意味」にも、独自の趣向が盛られている。

すべての倒叙推理小説で、「犯人＝主人公」は、完全犯罪を目指す（というより、そのようなタイプのものを倒叙推理小説と呼ぶのであるが）。その理由は、「あんな人物と差し違えるのはご免だ」「せっかく邪魔な人物の除去に成功しても自分が獄につながれては意味がない」「犯罪がばれたら、遺産の相続権がなくなる」など、言ってみれば、すべてが利己的なものである。

しかし、『青の炎』の櫛森秀一少年の場合は違う。彼は次のように考えた……。

もし、自分の犯行だということがばれたら、母や妹は嘆くであろう。それだけではなく、こうした愛する者たちが、世間の冷たい目にさらされることになる。そうなったのでは、殺人という行為に踏み切った意味がなくなってしまう。

秀一の完全犯罪計画は、そこに出発点がある。つまり、愛する者のために計画を練ったのである。

以上の諸点をまとめると、作者の貴志さんは、「多くの読者に共感を持たれる主人公」を目指し、それを見事に創りだしたと言えるだろう。

ところが、こうした新しい主人公を創出したことにより、作者は大変な苦労を強いられることになった。

倒叙推理小説には、ジャンルのルールとでもいうべきものがあって、最後まで完全犯罪を通すことは許されない。いや、ルールではないが、周到な計画犯罪が次第にばれて行く